▲ 赏竹（2009 年）

44
1989.7.20作

▲ 刘心武绘盆竹（水彩）

▼《深夜月当花》封面（2002 年）

刘心武

学灯文丛
扬 生 主编·2·

深夜月当花

中国工人出版社

▲《健康携梦人》封面（2008 年）

刘心武文存32

[1958—2010]

散文随笔 第十卷

深夜月当花

刘心武◎著

江苏人民出版社

图书在版编目(CIP)数据

深夜月当花／刘心武著. —南京：江苏人民出版
社，2012.11
　(刘心武文存；32. 散文随笔；10)
　ISBN 978-7-214-08507-8

　Ⅰ.①深 … Ⅱ.①刘… Ⅲ.①随笔-作品集-中国-
当代 Ⅳ.①I267.1

中国版本图书馆CIP数据核字（2012）第152299号

书　　　名	深夜月当花
著　　　者	刘心武
责 任 编 辑	刘　焱
统 筹 编 辑	李　丹
特 约 编 辑	朱　鸿
文 字 校 对	陈晓丹　郭慧红
装 帧 设 计	门乃婷工作室
出 版 发 行	凤凰出版传媒股份有限公司
	江苏人民出版社
出版社地址	南京湖南路1号A楼　邮编：210009
出版社网址	http://www.book-wind.com
经　　　销	凤凰出版传媒股份有限公司
印　　　刷	三河市金元印装有限公司
开　　　本	700毫米×1000毫米　1/16
印　　　张	21.5
字　　　数	384千字
彩　　　插	4
版　　　次	2012年11月第1版　2012年11月第1次印刷
标 准 书 号	ISBN 978-7-214-08507-8
定　　　价	52.00元

（江苏人民出版社图书凡印装错误可向本社调换）

《刘心武文存》出版说明

　　《刘心武文存》收录刘心武自1958年16岁至2010年68岁公开发表的文字约900万字。《文存》共40卷，按文章门类收录，计有长篇小说5卷、中篇小说4卷、短篇小说5卷、小小说1卷、儿童文学1卷、建筑评论2卷、《红楼梦》研究4卷、散文随笔11卷、杂文1卷、海外游记1卷、多品种（图文交融文本、报告文学、诗歌、剧本、足球评论、译述）1卷、创作谈1卷、理论批评1卷、早期（1958年至1976年）作品1卷、自述1卷。因跨越时间达半个世纪以上，收录定有遗漏，但其此期间的主要作品，相信均已收入。

　　《刘心武文存》各卷均附有《刘心武文学活动大事记》及《刘心武著作书目》，可备检索。

　　编辑出版《刘心武文存》的目的，意在供各方面人士阅读欣赏、分析研究、批评批判、收藏保存。

目录

深夜月当花

那天，一位平时并不怎么来往的私企老板打来电话，非要请我吃饭，我说我最怕生人熟人一锅煮的豪宴，而且更怕那种没有窗户的单间，在那种场合我总是无论生理还是心理上都会感到气闷。他言辞极为恳切地说只请我一个，而且由我挑地方，希望我千万别拒绝。我跟他在一家中档饭馆会合，在大堂里挑了个靠窗的小桌，坐下来以后，见他那神情，我憬悟，他找我，纯粹是为了倾诉一番。

要了啤酒，又点了几样汤菜，我倒喝了吃了不少，他呢，只顾说话，酒喝了些，汤菜几乎没怎么动箸匙。开始，他亢奋地陈述，后来冷静地分析，我对他所陈述的那些融资方面的事情完全不懂，他的那些分析更成了对牛弹琴，但我知道，他需要我认真倾听，需要我把他的所有话语照单全收于耳……最后，他表情开朗起来，转入了自我解嘲，我就知道，他请我吃饭的目的圆满实现了，而我，以毫不见怪地倾听，伴之以必要的沉默，也完全配合了他的心理态势，那是我们认识以来，相处得最融洽的一次。

人在生活里，难免会在事业、家庭、感情等方面派生出心理问题，一般的心理障碍，都可以依靠自己加以缓解或消除，但完全以独处舐伤的方式，收效往往不佳，找个倾诉对象，让其承接自己对现实处境的梳理、分析、衡量、判断，则常会产生意想不到的良效。那位私企老板在经营上遇到了麻烦，关于他融资过程里与合作者发生龃龉的事情，且被多事的记者公诸了某小报头版，其实那样的报纸那样的消息未必有多少人重视，但于他而言却是一桩刺心的事，剔除那根心刺的头一步，就是得找个与他的生意完全不相干，而又善解人意的，平时淡如水的朋友，来承接他的宣泄；我蒙他选中，认为是个能在这一点上帮助他的人，于是才发生了上面饭馆相聚的一幕。

心里别扭，找至爱亲朋倾吐，接受他们的安慰忠告，当然很好，但人有时候心上挽出了结儿，反倒是最不适宜先找亲友同仁宣布讨助，像这位私企老板的情况就属这类，他若先找妻儿把生意上的危机加以铺陈，或先在公司同仁中急于求策，那不但自己心中的结会急速收紧，亲人同仁的心里本来没结，却会由此打上结，弄得自己和周围的人全都"心有千千结"，那还不越搅越乱！但一个人躲起来苦思冥想也绝非办法，把我这样一个利益上跟他毫不相干，却又愿意广交朋友以开阔视野、积累素材的作家约来，一吐心中郁闷，从容调整心态，虽不一定能立奏奇效地解开心结，但他最后能转入自嘲，这自嘲你可别小看，一个苦闷中的人能从浓酽的烦恼怨愁里化解出缕缕澄明清凉的自嘲来，这就说明他心里的那个结不再是个死结，而是开始松动，有望解开，恢复其心理健康了。

唐代李商隐有两句诗："晚晴风过竹，深夜月当花。"倘若是至爱亲朋向自己倾诉苦闷，因为彼此了解深、情况熟，那当然可以提供若干劝慰、建议，但若是平时并不怎么密切的人士找上门来，那就该懂得，他或她是"深夜月当花"，你要很认真地倾听，充当"解语花"的角色，但你心里又该明白，其实你只是个具有代偿意义的"夜月"，你完全不必絮絮地回应，不必热心过分地慰勉，尤其不必强己所难乱出主意，你就静寂无声，给他个"月光如水水如天"的心理环境，便足以使他心结松缓，感激莫名。

在人际交往中，"深夜月当花"可以是相互的，把握倾诉与倾听、倾听与回应，特别是倾听与沉默的度，使其恰到好处，是有利于人们心理健康的。

框住幸福

接到惠姨电话，问我什么时候得闲，她要给我送些镜框来。惠姨虽是远亲，可是父母在世时，常来我家，待我很好，记得我的头一本安徒生童话集，就是在我十二岁生日，她送来的生日礼物。后来我们来往越来越少，最后一次见面，是五年前她老伴去世，接到通知后，我和妻子捧了一篮白菊花去她家，很安慰了她一阵。前年她退休了，倒也过得安闲自在。近年来我们只是在春节时互通电话拜年，没想到这跨世纪后的春节期间，她忽然说要来我家。

惠姨来，当然欢迎。但她不说来拜年，说是送镜框，这却颇费我们猜疑。妻子说，她是长辈，论拜年应该我们去她那儿，她来，自然不说是给咱们拜年，但她来还要带镜框当礼物，这就未免太客气了，干脆，还是再去个电话，咱们提些营养品，去她家吧。我就给惠姨打电话，按妻子的口径说了。惠姨说那不好，因为那天她不止来我们家，还有附近几处亲友，她都要送去镜框，我只好依她。放下电话，我恍然大悟，一定是惠姨退休后手头不甚宽裕，借着身体尚好，揽了哪个公司的活儿——推销镜框。这倒也不足为怪，无可厚非。

约好的那天，惠姨来了。虽有思想准备，还是让我们大吃了好几惊。首先是，她不像是她，倒像她那在武汉安家的闺女，眼角虽有明显的鱼尾纹，脸颊却泛着天然的红润；脱下天蓝色羽绒服，现出一身贴体的玫瑰红保暖运动服，她那腰身不仅不显肥胖，竟比五年前时苗条了许多；乌黑的头发她说是才染过，但依然丰茂，样式也不古板；问她坐什么车来的，竟回答是骑自行车来的，说是既健身，也好驮装镜框的大提包……我不禁笑道："呀，真不知道来的是阿姨还是表姐了！"

落座沙发上，呷了几口妻子送上的香茶，惠姨就兴致勃勃地打开提包，掏出若干镜框，让我们挑选，她说："你们喜欢哪个留哪个！"那些镜框大的可装十二时相片，小的可装四时相片；所有木制镜框都保持原木颜色，那正是我和妻子都喜欢的雅致格调；她不住地笑问："怎么样？好吗？喜欢吗？"我和妻子交换了个眼色，连连赞好，有意多挑了一些。看我们真的喜欢，几乎每种尺寸、样式的都至少挑了一个，她爽朗地仰脖笑了："好！好！我没白来！"妻子搬出更多的零食招待她，我把为她准备好的营养品提到她跟前，对她说："惠姨，这只是一点小小的心意……至于这些镜框，您也别优惠，该多少是多少……"惠姨的笑容忽然定了格，几秒钟后，她先是敛了笑容，轮流看我和妻子的眼睛，然后，她忽然大笑起来，把拳头砸在了我肩膀上，高喊："你们呀！想到哪儿去啦！……"

误会很快消除。原来这些镜框全是惠姨自己制作的，起初，她只是为了怀念老伴，老伴生前业余喜欢做细木工活，留下了一匣子工具，还有许多的木料；后来，她觉得制作镜框既健脑也强体；再后来，她从中获得了极大乐趣，沉浸在美的境界里；近来，她心里头更翻腾着一种激情，就是要把自己的幸福感和快乐情绪，尽快地与亲朋们分享……

坐在我们眼前的惠姨，原来是一个幸福而快乐的生命。我原来总觉得，在眼下这样的一个时空里，持久的幸福感与快乐情绪是可望而不可得的。温饱无虞，却总觉得自己所得还不够多，向往成功形成焦虑，有所成功却又这山望着那山高，焦虑度反倒更深了；凡付出劳动的总想谋求最高的付酬，凡不能上市的事物就都不愿投入；自己的幸福快乐总怕享受不了多久，不但没有与人分享的冲动，而且对别人获得的幸福快乐按捺不住妒火中烧……

惠姨告别我们，又给别的亲友送镜框去了。妻子立即挑选照片往那些镜框里镶嵌，不住地举起选出的照片问我好不好。我却还坐在沙发上咀嚼品味惠姨来访所馈赠我的心灵营养品。幸福的向往不该是无边的。一位大富豪前些时为什么跳楼自杀？其实即使他的财产大缩水乃至破产，如能甘心回归到一般人的温饱生活，仍可心灵欢畅，但他的欲望只能往无边沿的深邃处膨胀，而完全不能由朴素的健康心智将其框定在适当的弹性范畴里。是的，我们要学会框住幸福，它应该由健康、自足、乐观、与人为善框住。

给心花以和风

一位白领小姐，大清早上班时在电梯前遇到同事樊姐，点头问好毕，樊姐立即望着她尖声评论说："吆，你今天的发型怎么瞅着这么别扭！你这种尖下巴颏的脸盘千万别这么折腾！"说完拊掌大笑。樊大姐的两句"酷评"，弄得她一整天心里发堵。

一位退休工程师，在路上遇到参加某项活动回来的邻居，互打招呼后，邻居问他去做什么，他说去看电影，那邻居听了电影名字以后立刻"酷评"："嗨，那种小市民趣味！不看也罢！"分手后，工程师虽然还是朝电影院而去，但心头一直梗着"小市民趣味"五个字，到了售票窗口前，心里竟出现类似罪感的情绪，到头来没买那票，改为逛商场，却始终再难恢复原先的怡然心态。

我们每个人的生命，从心理角度看，其实是存在于连续不断的情绪之中，而好的情绪，或者说兴致、情趣，则仿佛心情树上开放的花，这样的心花无论是蓓蕾状态，还是已然灿烂地张开，对于生命存在来说，都弥足珍贵，自己要多多培育，加倍爱惜，别人呢，对之视而不见、麻木不仁，不算什么问题，因为很难要求他人对你的好情绪花上添香，但如果是看出了你的好情绪，不但不予和风吹拂，反而给你败兴，犹如妒花风雨，摧蕊折瓣，那就有失厚道，不足为训了。换个位置，别人有好兴致，我们不是助兴而是败兴，细想想，有的事情似乎极小，但我们施以"酷评"给别人造成的心理伤害，有时甚至用"惨无人道"形容，也不过分。

当然，蓄意败人兴致的恶意劣行，在生活中并不多见。像上面所举的两例，那位樊大姐之所以那样，多半是所谓"心直口快"的性格使然，她并没意识到自己在败别人的兴，反会在"有话直说"的宣泄中获得瞬间的快感，弄得人家一天不痛快，她是浑然不觉的。那位直言别人想看的电影是"小市民趣味"的主儿，"酷评"的自觉性比较强，显然他一直对同楼的退休工程师心存贬抑，也就是不怎么看得起人家，总以为自己层次高、别人没水平，所以在那邂逅中，他的讥词一触即发，但你要说他有多恶毒，也未必，两人分手后，他也就把这事抛诸脑后，并不存有处处、事事要贬损那退休工程师之心。

如今文艺界的批评圈，时兴所谓"酷评"，有的报刊很乐于刊登，也确有若干读者觉得那"麻、辣、烫"的批评风格颇具奇味，一时上瘾，爱找来看。这样的批评究竟有多大多高的学术价值，对繁荣文学艺术能有多大的鞭策推动，我颇怀疑，但却也觉得未尝不可聊备一格，因为所批评的人物，毕竟是已在公众中亮相的角儿，所涉及的作品，也已进入了公众空间，既然具有了公众性，那么公众内的评议中出现一些刻薄批评、讥讪批评、玩笑批评，我以为当事人应尽可能倾听、容忍。但我在这篇文章里所涉及的，是普通人在日常生活中的相处之道，在这个讨论范畴里，我是排斥"酷评"，尤其是当场当面"酷评"的。私下里，背靠背，我们发表点对他人的讥评訾议，在所难免，亦无大碍，但切不可对他人的好兴致"迎头痛击"。一次在公园里，我和妻子看见对面走来一对牵手的恋人，那男的比女的矮了一头，面目似乎也没女的顺眼，我和妻子回到家里谈起，都觉得不大般配，但当时我们没有交换看法；没想到，另外几个小伙子，却在公园甬路上，当着那一对恋人的面怪笑起来，有的还故意嚷："嗬，武大郎潘金莲啊！"那对恋人原像盛开的花朵，在这种摧花邪风袭来时，顿时气恼色变，所幸没有发作，隐忍住没与恶谑者争吵，但他们生命中的快乐心花，在那时惨遭砍折，败兴后的灰暗情绪，不知会延续多久。

我们必须深刻地意识到，不仅选择什么恋人是神圣的隐私，就是改变发型，穿什么衣服，戴什么耳饰别针，在书店里选购一本什么图书，喜欢吃一种什么零食……特别是由于这些日常生活里的普通事、小乐趣，而使得一个人心花张开蕊瓣，瑟瑟放香时，那生命的尊严，是不能予以轻视、亵渎的。不仅给自己的心花，也给他人的心花以和风吧，这种修养，是每个人都应具备的。

提个马扎随处坐

现在传媒上时兴刊登排行榜，从世界百富、企业百强，一直排到演艺圈、文学界，乃至各种消费品，热闹非常。排行，实际上也就是个座次问题；而座次，实际上也就是个身价问题。不少人，特别是年轻人，对排行、座次、身价非常重视、非常敏感。首先是津津乐道于排行，我就在地铁车厢里，听到两个小伙子高声争论究竟哪种牌子的跑车是世界第一，又曾在新开张的商厦咖啡馆里，听到两位妙龄女郎对两种欧洲专卖店所卖的名牌服装究竟哪种排序在前有所辩论；其实依我估计，他们起码暂时都还没有消费那些商品的经济能力。还没能沾上边，已然如数家珍，时时"盘点"，倘能多少沾上点边，那份自豪感、优越感，就更飘飘然，难以收敛了。我认识一位时髦青年，他自称是从北京排名第一的中学毕业，上过全国排名第一的大学，虽然他打算到美国排名第二的大学留学的愿望暂未实现，但他已经在世界排名第七的一家跨国公司在北京的分支机构里当了白领，其工资收入在同类行业里排行第三；他上班只穿世界排名第四的名牌西服，下班只去世界排名第五的咖啡连锁店里，喝世界排名第六的现磨喷雾咖啡，回到住处，他只读《纽约时报》书评版连续二十周以上列在排行榜里的某种图书（他总能搞到），只看美国电影票房排行榜前十名内的 VCD（对不起，没办法找到真品，是盗版），只听欧美流行音乐最新排行榜里的歌曲（他从电脑里下载）……他最新的一位女朋友，据说跟世界排名第一的传媒大王的那位华裔妻子相貌有些接近，爱读中国文坛最新排出的五十强中头三位的小说，只是自身的学历、职业、家庭背景等方面似乎还找不出列在前十名内的因素，所以他们的关系究竟能延续多久，还很难说。这位时髦青年活得很累，光是那回为买由世界排名第三的乐队演奏的音乐会的前排座位票子，没能买到，人家劝他买顶楼侧面的边座，说是能省几倍的钱，而耳朵一样可以获得享受，他就气得满脸溅朱，后来想到毕竟那家演出场所在北京排名第一，才忍住没跟票房吵起来。

这位时髦青年之所以跟我来往，除了别的因素，我也曾有过座次，是他最感兴趣的所在。但有时我对他的过分重视座次发出微词，他便发起"自卫反击"，有一回竟刻薄地说："您因为现在被排除在几乎所有的排行榜之外了，所以才这么故作潇洒状！对了，也不是完全不在排行榜里。准确地说，是但凡肯定性、揄扬性的排行榜里，您都名落孙山，而某些负面性、揶揄性的排行榜里，您倒大名在焉，怪不得您对排行榜如此排拒！"他说时表情夸张，逗得我大笑起来。

座次、排名、张榜，就全社会而言，是难免之事。现在的社会正朝多元化演进，人们可以活跃其中的空间，不止一种。就文学而言，封了级别的专业作家可以出书，根本没加入作家协会的人也可以出书，而且往往是，封了级别享受待遇的人因为写不出反而没出书，什么头衔待遇也没有的人因为特能写而且受欢迎猛出书；原来作品只有通过纸制印刷一条途径面世，那得通过三级审查才行，现在谁都可以把作品甩到互联网上，出现了网络文学这么一个崭新的品种；官方有官方的文学秩序、文学座次、文学奖榜，民间却又有民间的文学市场、文学园地、文学排名，而且民间又分成很多种，传媒是一种，俗众口碑又是一种，这些林林总总的座次、排名、张榜，构成了流动的、发展的文学景观，热闹非凡，刺激着文学消费，带动着文学生产，有其可喜之处。但就写作者个人而言，我以为，应该把座次、排名、上榜、得奖、喝彩，包括喝倒彩、入倒数之榜、挨嘘、遭雪藏等等事情，都看得淡些，因为归根结底，你之所以写，是你的心要诉说，既能从心中汩汩流出，就已获得了快乐，敝帚自珍，自得其乐，事情到此为止，亦可无悔。当然，凡从心里自然流淌而出的东西，因为人性相通，就总会在茫茫人海里，遇到知己，知己一时多起来，形成轰动，于是有人请你入上座，给你名列前茅，张榜褒扬，这是很大的快乐，但也万万要懂得，座次、排名、上榜，多半是瞬间繁华，究竟时间老人、历史女神到头来给你个什么定位，那就很难说了，有人说得很刻薄，却醍醐灌顶催人清醒："不要以为你划时代了，其实时代已将你划掉！"另一种情况是，知己寥寥，备极冷清，无座靠边站，排名无分，榜外向隅，但在那一隅能与三两知己心灵相濡，这人生，这文字，不也如凡花小草，自有其尊严、价值，又何必艳羡那熙熙攘攘之处？当然，有时会遇到喝倒彩的情况，那首先应该懂得，倒彩是一种反响，你没有响动，何来倒彩？倒彩能使你反省、修正、调整、提升，当然，如果是既有正彩也有倒彩，正面榜反面榜都予以收录，那就说明，你是取得了一次真正的成功，请再努力吧！

我和那位时髦青年，渐渐多了些共同语言。我告诉他，根据我的人生经验，最快乐的境界，是不必到任何"场子"里头去争座位，不必担忧人家会把自己排在什么名次，尤其不必为和任何排行榜都不搭界而焦虑。上面举了文学为例，其实人生中的任何领域里，能"前排就座"、列入"百强""十佳"、常能榜上题名的情况，都只是少数人才能享受到的"成功宴席"，而且，往往最终入席者，倒并非苦心孤诣的营求者，"有心栽花花不发，无心插柳柳成荫"是个规律。青年人问我：难道不要进取心了吗？难道人生就该一直靠边站着不能舒舒服服地坐下吗？我回答说，当然要有进取之心。但进取什么？进取一份力所能及的工作，进取一种温饱无虞的生活，为此付出一定代价，特别是在年轻的时候，属于必要之事，但更重要的呢，则是进取一种与人为善、与自然为友、朴实清爽的生活境界。我说我努力多年，还不敢说已经进取到了这种境界，可是邻居老裴，他只是个普通的保管员，论座次、排名、上榜，一无所有，但他下班以后，总提着个小马扎——就是没有靠背的，可以折叠的简易小凳——自得其乐地消费他的生命，公园里长椅设置不够，绿地里坐凳也常常客满，他就绝无与情侣闲人争座位的焦虑，走到哪儿，树荫下，湖水畔，想坐，就支开马扎，优哉游哉；今年春节，他回老家，只买到没有座号的硬座车票，可是他提个小马扎，在车厢门洞里一坐，哼着歌，十几个小时很怡然地度过了，丝毫没有去想什么人在软席包厢或者大飞机里头；他老家没有直系亲属了，去看望的，是他捐助的两个希望小学的娃娃，以及他们的家庭，他也不求传媒报道他的善行，而且论他所做的这点事就是排名也排不到最前列，没有太多的生动情节和刺激性因素，我几次想以他的事情为素材构成一篇小说，却挖掘不出惊心动魄的细节，他就是那么个提个马扎随处坐的生命，但是，他像一道光，比任何排行榜上的英雄杰俊，都更能照亮我的内心，我在自己内心深处，看到了虽然有所蜷缩，却并未消弭的焦虑：为什么那些坐席没请我去就座？为什么这回排名把我遗漏？为什么那些张榜者将我剔除？我什么时候才能像老裴那样，真正有一个平静恬淡，只把给予他人当做快乐的灵魂？

那天傍晚，青年朋友跟我一起下楼，远远地，看到老裴坐在他的小马扎上，那是绿地边上，一个摆摊修理自行车的师傅，正在给一个车轱辘"拿聋"（将其恢复正圆），老裴似在有一搭没一搭地跟他聊闲篇，以使那修理的过程，不那么枯燥乏味。我指给年轻的朋友看，他偏头看了一会儿，点头说："唔，真该画成一幅画！提个马扎随处坐——这幅画如果拿到威尼斯双年展去，排名肯定在前六位之内！"我忍不住嘴角打弯。

那边有个大花园

清晨，公共汽车站照例淤满了人。那是个中间站，连始发站那样强迫乘客排队的铁栅栏也没有，人们就仿佛是搅乱了的麻将牌，一些急性子的人站到了慢车道上，个别人甚至不时突进到快车道上，朝来车的方向眺望。失望、烦恼、怨艾的情绪互相感染。尽管这些年公共交通系统在不断地改进，但城市人口也在不断地膨胀，上下班时间的公共汽车还只能用沙丁鱼罐头这个老掉牙的比喻来形容。

那天，那时间，那路车，不知前面发生了什么情况，似乎超出了常态，久久没来。散乱的"麻将牌"自行转动穿插着，望眼欲穿，望穿秋水，跺脚的，骂街的，红眼切齿的多了起来。有的就去改乘月票无效、车票较贵的空调巴士，个别的则叹口气伸出右臂招呼出租车，但大多数本市工薪族和外地打工族成员，仍坚持在那车站守望，那是他们一时无法改变的生活与命运。有个外地来的毛头小伙子跟他的同伴怪叫道："中它个500万大奖，老子买十辆小轿车自己开！"他的同伴和旁边的陌生人却没有笑，其实那造出的句子相当幽默。

有个头发已然花白，却从不染发的妇女，一直在马路牙子上站着，她也烦恼，但她忽然发现，东边天空，呈现出一大片彩霞，那些片片缕缕互相浸润的霞云，在不断地变化着，她暂忘等车的事，投入地凝视，越来越觉得那是一个宏阔的花园，花圃里的鲜花正在陆续地开放，这一片像玫瑰，那一片像牡丹，那可是花间的清溪？看呀，有出水的芙蓉在抖擞粉嫩的花瓣；那该是幽静的甬路，会是梁山伯与祝英台在翩翩起舞吗？……不知不觉地，她就把自己的感受道出了口："看，那边有个大花园！"她身边两个女士也注意到了，指指点点，更有两位男士也呼应起来："是呀，看，那边真来劲儿！"于是，竟像湖中涟漪一般，观看、欣赏"那边有个大花园"的情绪，荡漾开来；每个朝东边眺望的人，心中所联想到的花儿并不一样，有的觉得看到了大片的胡姬花，有的却觉得那是些鸡冠花，有的回忆起以往生活里跟花朵很亲近的秘事，有的向往起将来在自己的园地里撒下精选的花籽……就连那个喊出要中它个 500 万大奖的民工，也模模糊糊地感觉到望见了一个可爱的地方，心臆瞬间获得了一种舒张快意……

那只是几分钟而已。从气象学角度看，"朝霞不出门，晚霞行千里"，"那边有个大花园"意味着这天下班时可能遭逢阴雨泥泞；以环境保护工作者的眼光看，过分灿烂的彩霞正说明空气污染程度严重；有的社会学家更会指出，以虚幻空洞的东西作为改进社会现实的代偿物，实在不值得肯定……都有道理。

车终于来了。人们并不因为欣赏过"那边的大花园"而立即变得心灵美好，朝车门一拥而上，售票员高声嚷着"先让人家下去"，却改变不了车门那里有足足半分钟下不来也上不去的肉体冲撞。但汽车毕竟还是又开动，朝下一站而去。那位始作俑的女士被挤在车中一隅，她的人生一直平凡，但她心中仍保留着前几分钟欣赏"那边大花园"的怡悦，这是她的心理习惯，恐怕也是她在平凡的人生里维系生趣的重要链条。有的跟她一起登车的乘客本来就没加入对那"花园"的欣赏，有的短暂欣赏过但很快失却了几分钟前有过的情绪，又在为车内的拥挤烦恼、怨艾。但却有两位年轻女士，在拥挤中还忍不住努力躬身，试图透过车窗再看一眼那"东方大花园"，她们生命中的这一瞬，是否因此多了些福分？

心上栽棵含羞草

我刚跟小焦说我要写篇这个题目的文章，他就嚷对呀对呀，现在不知羞耻的人太多啦，尤其是贪官污吏……我跟他说这回不是要说那些个意思，他没听我说下去马上脸红脖子粗地抨击起我来，什么一点社会责任感也没有呀，光热衷风花雪月儿女情长呀，他两眼恨着我，甚至骂我良心喂狗吃了，一边叫骂着还一边靠近我。据一本人类行为学的书上说，一个人与另一个人对话时如果身体距离缩短到半米以内，那么不是即将亲热地拥抱便是即将气愤地扭打，眼看小焦与我的距离要突破半米，我赶忙退让开，任他怎么挑衅，只是微笑，不辩护，不还击，却也并不拂袖而去，直到他骂痛快了，我才劝他坐下，给他倒杯热茶，他呷了口茶，消了点气，问我：你究竟是要写篇什么文章呢？我笑着说，其实，你已经读到了。

小焦是我家的常客。他对我的写作取向与实践其实是了解的。我一贯主张作家关注现实体恤民情，认同知识分子应该充当社会良心的观念，针对目前老百姓最挂心的反贪官污吏的问题，觉得无论是以报告文学、小说、影视、舞台剧等形式揭露剖析也好，以杂文、随笔、诗歌等形式抨击讽刺也好，都不仅必要，而且从中也可能结晶出得以长期保留乃至传世的佳作，如清末的《官场现形记》《二十年目睹之怪现状》。我自己的长篇小说《风过耳》《栖凤楼》里就都包含着这方面的内容，也有一些随笔、杂文专刺贪官污吏与社会不良风气。我对小焦的阅读欣赏倾向其实也是清楚的。他何尝只读反贪题材的文字,对于都市言情小说和报纸上的宠物专版,他就都很爱读。但是,小焦却会在来找我闲聊时,只因为一句甚至是还没说完的话,就忽然暴躁起来,想跟我大吵一番。你说他是蓄意寻衅滋事,还是故意装傻充愣? 都不是。他把平时对社会关注所产生的焦虑,跟自身在单位里家庭里所遇到的不快,在下意识里煮成了一锅粥,由于心理火焰的忽旺忽衰,这锅粥要么是煳了要么是夹生,于是,便会在某种外因的诱发下,突然喷泻为无名怒火,轻则跟人抬杠,重则找碴儿吵架。而无论在抬杠还是吵架的过程中,他都会把具体的私密性的不快掩盖起来,而高扬对社会丑恶现象的愤懑抨击,无论如何也要把对方妖魔化为良心喂了狗的败类,争个上风。

小焦跟我的碰撞,是朋友之间的龃龉。家庭成员间也常有这类情形出现。有时在单位里,熟人或半熟人,也会忽然表现出意外的进攻性。邻里间也难避免。更值得注意的是,如今在大街、公交车等公众共享空间里,有时也会遭遇陌生人的无名怒火。顾客与售货员之间更不乏这类互相从社会正义角度"上纲上线"的唇枪舌战。有时这类纠纷还会由语言暴力演化为身体暴力,酿成不小的乱子,以悲剧告终。

我不是说一切人与人的纷争都无是无非。但无论如何,抬杠,吵架,谩骂,恐吓,纠缠不休,将自己正义化并将对方妖魔化,让本来就浮躁的心理状态更加混沌亢奋,即使真是面对着贪官污吏或者社会渣子,也丝毫解决不了问题,反而会使情况复杂化,甚至造成亲者痛仇者快,气头过后后悔不迭的后果。既然认识到动辄无名火起是当前普通人心理上的常见病多发病,那么,我们除了应该特别注意调理自己的心理状态,维护心理健康外,就还应该在心上栽棵含羞草,当别人无名火起,燎到你身上时,心上的含羞草马上闭叶垂株,不应战,不还口,最好是反而心平气和,报以微笑,予以宽容,待对方的急风暴雨自动平息之后,心上的含羞草再重伸枝条,张开叶片,如果那时可以沟通,再摇曳多姿,娓娓交谈,或者因为本非什么关乎原则的大事,则一笑了之,礼貌离开,未为不可。

倘若我们这个社会的每一成员,都能在心上栽一棵专司人际交往的含羞草，每当一方心理上的无名火袭来时，另一方都能收敛退让，不把生命力内耗在无谓的争端上，那么，无论在家庭、单位还是公众共享空间里，都会减少许多大嗓门的詈骂吵闹声，而且，也只有由这样的心理健康的群体所构成的合力，才能对贪官污吏与社会颓风真正击中要害。从深层解决问题。

快去准备玻璃瓶

两个中学生来找我，说他们的课外活动是培养宠物，乍听我颇不以为然，心想固然如今养猫狗什么的已成时尚，但他们何必以此为乐？他们说所拟培养的宠物并非猫狗而是最小型的一种，让我猜，我说难道是报纸上登过照片的那种能立在巴掌心的小猴儿？他们说那太贵重了，他们要培养的将是最大众化的；我就猜是热带鱼，有的热带鱼不是比指甲盖还小么？他们就提示说，是昆虫；啊，我马上猜定是蛐蛐，也是从报上看到，如今有的地方以斗蛐蛐为赌博手段，我心里更不以为然了，就跟他们说，学校减负，是为了让你们能更健康地成长，小小年纪去热衷于繁殖蛐蛐，难免被人引入赌博……他们笑了，说您怎么就总猜不着，您不是鼓励我们课余读些唐诗吗？我们都很喜欢杜牧的那首《秋夕》："银烛秋光冷画屏，轻罗小扇扑流萤。天阶夜色凉如水，坐看牵牛织女星。"但是，我们对萤火虫只能想象，却从来没有见到过真的，那么美丽的小生命，对人不但无害，而且还曾起到过照明作用——语文老师老早就教给我们"囊萤映雪"的成语——为什么到现在简直看不到了呢？

是呀，现在城市里根本见不到萤火虫了。记得半个世纪前，我刚到北京定居时，我们住的那个胡同大院的后院里，夏秋就常有萤火虫飞动，我和小伙伴们常去弯掌捕捉。创作活动贯穿了整个二十世纪的杰出女作家冰心，曾写下过这样的文字："……虫儿也是可爱的。藕荷色的小蝴蝶，背着圆壳的小蜗牛，嗡嗡的蜜蜂……在花丛中闪烁的萤虫，都是极温柔，极其孩气的。你若爱它，它也爱你们。"这种对包括萤火虫在内的小生命的爱，是应该代代相传的啊！其实萤火虫自古以来就经常被文人墨客引入诗画，比如清代诗人何绍基有句："想见夜深人散后，满湖萤火比星多。"清代还有个诗人赵执信，他有首《萤火》是这样写的："和雨还穿户，经风忽过墙。虽缘草成质，不惜日月光。解识幽人意，请今聊处囊。君看落空阔，何异大星芒。"萤火虫原是一种在中国大江南北许多地方都最常见，而且和普通老百姓相处得最和谐的一种昆虫啊！现在城市里见不到了，乡村里该还有吧？可是来找我的中学生里有一位曾随爷爷在暑假里回到江南老家，他说他特意去村边田野里寻找萤火虫，却始终没能找到。是啊，人们在热衷于发展经济，大步奔现代化的同时，对自然生态造成了不小变化，连大象老虎都越来越稀少，萤火虫的锐减乃至在不少地区的灭绝，究竟有多少人对之关注呢？这样想来，两位中学生决心培育萤火虫的想法，不仅应该大力支持，而且很令我感动。这是对生活的一种诗意关怀。

　　但是，萤火虫容易培养吗？在我四川老家，当年有的老乡把坟场里夜半蹿飞的"鬼火"和萤火虫混为一谈，其实前者不是生物，是从死者朽骨里分解逸出的磷化氢自燃发出的光亮；但萤火虫确实也曾引出某些人的恐怖联想，记得小时候看过一部电影《夜半歌声》，那里面的插曲是冼星海谱的，有两句唱道："空庭飞着流萤，高台走着狸牲……"画面上的流萤就起着"鬼火"的效应，阴森森，惨兮兮。自古以来就存在着萤火虫是腐草转化的说法，《红楼梦》里的太太小姐们闲了作猜谜的游戏，一个人说了个"萤"字，另一个人就猜了"花"字，为什么算答对了呢？因为"花"字拆开就是"草化"，有古书《礼记》为证，里面"月令"一章明确宣布："季夏之月……腐草为萤。"无论是以磷火模拟萤火虫还是等待腐草里自动飞出萤火虫来，显然都是不行的。我问两位中学生，他们弄清楚萤火虫是怎么发光的吗？他们说问了教生物课的老师，又查了资料，萤火虫无论雌雄的鞘翅上都有发光器，雄的发光器比雌的发达，发光的机理是由于呼吸时使用了"萤光素"的发光物质，被迅速氧化所致，这种光亮有暖意，与磷火的冷光并不相同；

为引进萤火虫的种虫与虫卵，他们在电脑上已经给南方几家相关科研机构发去了"伊妹儿"，并已得到积极回应……我听了真觉得置身在了一个温煦美丽的童话里。

　　两位中学生的计划是认真的，他们请我早些准备好玻璃瓶，说一旦能批量生产，先给我装上一瓶！古代那位囊萤苦读的车胤，他生活的时代还没有玻璃，装萤火虫的囊无非是薄练，透光度肯定很差，现在以玻璃瓶装肥萤，如果遇到停电，当个手提灯盏不成问题。我说就是不停电，我也会关掉电灯，尽情享受那萤灯的盎然诗意。当然，他们毕竟是市场经济环境下生长的一代，还跟我说到要申请专利，要批发零售，批发给大型演唱会的歌迷，让他们能举着装萤火虫的瓶管向歌星舞动，高潮时还可以把萤火虫放飞；零售呢，则可以作为恋人朋友互赠的礼物……让我们都快快去准备玻璃瓶吧，好迎接那久违了的萤火虫！

美瓷不碎

朋友许君热爱陶艺，他在经营一家业务兴旺的企业之余，在京郊开办了一所完全不以赢利为目的的乐陶园，常常约些同好在那里弄埴烧陶，烧出来的陶瓷作品时有神来之笔，他就得意地举办内部展览，实际上也就是高雅的私人派对，他和来宾们在那场合交流陶艺心得，也兼山南海北地神侃，每每尽欢而散时，已月成金钩，蛙声一片。

许君和他朋友们烧制陶瓷作品追求的是自得其乐，出炉后如果觉得不满意，一定马上捣碎，而如果凸现个性、灵气四射，则先自己浮一大白，再招呼他人一起转着圈儿欣赏点评；虽说是不以赢利为目的，但在派对中展示时，也时有来宾提出实在喜欢，要付款买下，有的作品也就那样被请走；付款的原则据说是随意，但我目睹了几次那样的"随意"，买方是企业家，或演艺界大腕，那付出的数目，像我这样的人，是无论如何也"随意"不起的。

那天许君又来电话约我去他那乐陶园，我说实在是有事，去不了，他说什么事那么要紧？还是希望我去，因为他们几个陶艺发烧友新创作了一批作品，其中有的实在不必谦虚，可以用"美奂美轮"来形容，我若不去先睹为快，会是很大的"审美损失"。我就告诉他，是我捐助的一个穷乡僻壤的小学生，来我家了，现在家里就我跟他，难道我带他去？他可是一点陶艺的概念也没有啊。许君说没概念那更好，他来，对我们来说，多一双特别的眼睛，对他来说，则眼睛里会多装一些东西，岂不两下里都有趣？就这样，我带那叫泼娃的小学生到医院检查完身体，就直奔远郊许君的乐陶园而去。

到了乐陶园，许君和一群熟朋友都对我和泼娃表示欢迎，许君拍着泼娃肩膀笑说："你怎么一点也不泼辣？还是等一会儿才暴露你的真面目？"我就帮着解释："他先天不足，当地风俗，怕是养不活的孩子，就故意给他取个活不活无所谓的名字，舍娃，丢娃，泼娃，一个村里总有几个。"许君就给他一块巧克力，让他别客气，可乐、雪碧随便喝，可以到处走动观看，但嘱咐他千万不能动手摩挲任何东西。

我细细观览完许君他们的杰作，就跟他们一起到院子里大杨树下，坐到休闲椅上喝咖啡，神侃起来。正当我们言谈甚欢时，忽听那边屋子里咣啷啷一阵刺耳的声响，我立刻跳起来，气急败坏地冲进屋里，果不其然，是泼娃把展示桌上一件作品弄到地下摔得粉碎！许君和别的朋友也都进了屋，一瞬间，我看见泼娃的脸红得像团火，而许君的脸白得像块冰。我不知该用什么话重责泼娃，泼娃却两眼噙着厚泪，跟我说："那……实在太奇了，就像我们村里老得动弹不得，求人别杀它的黄牛的眼睛……我心里不落忍，就伸手摸它，让它别怕，有人疼它……"我们一群大人全都愣住了，那件作品的外在形态并非黄牛，我们刚才哄然叫妙，这个说有米开朗琪罗般的悲剧情调，那个说大有令人遍体清凉的禅意……但谁也没能像泼娃那样进入到审美的最高层次！许君一把将泼娃揽进了怀里，我和别的朋友不由得鼓起了掌来。

那件美瓷没有碎，它永存于泼娃心中，而且连同泼娃那出自淳朴胸臆的审美评语，将永远鲜活地珍藏在我、许君及其在场的朋友们心里。

板箱大姐

　　胡同口外国营粮店蒸出的馒头又大又暄，三角钱一个，每天下午四点来钟总有些杂院居民到那里等候新馒头出笼，如果有位年近花甲的妇女来晚了点，先到的人们不仅总要热情地跟她打招呼，馒头出笼后还总是让她先买。胡同里的人们先是背地后把她唤作板箱大姐，后来她知道了，不生气，还笑，于是就有人当面以那绰号唤她，渐渐地，她不仅成了胡同里的名人，还通过跟胡同里居民有来往的人们，把她的故事传播到了胡同外面。

　　板箱大姐这绰号的来由，首先是，她在她家是大姐，底下有三个弟弟一个妹妹，弟妹们一天里不知要叫多少声大姐，于是连她父母也叫她大姐，邻居们跟着叫，以至许多邻居始终记不住她的学名，多年过去，不少邻居搬往了别处，偶尔回来串门，进院门就忍不住问："大姐呢？"

　　大姐在 1961 年初中毕业后当了针织厂的工人，到 1966 年"文革"爆发时，月工资达到 37 元，这一年夏天，大姐父亲因为有什么历史问题，连同母亲，被"红卫兵"轰回原籍农村去了，于是，大姐就用她每月的 37 元，加上原来的一点微薄积蓄，维持自己和四个弟妹的生活，居然也没让人觉得他们温饱难支；那时人们普遍有自己的焦虑，谁会特别注意大姐一家？直到 1968 年大规模地让因"停课闹革命"而滞留在中学的学生们——就是后来被称为"老三届"的那个群体——一批批地被安排"上山下乡"时，人们才惊讶地发现，大姐竟以她那点收入，将三个全属于"老三届"的弟弟，一个一个地，准备好全套被褥衣服，特别是，还个个都为他们置备了硕大的板箱，把他们送往火车站。那时候到农村插队或到生产建设兵团"屯垦戍边"的北京"知青"，行李里最重要的往往就是那种四四方方、漆成酱红色的大板箱。据说食指写那首著名的《这是四点零八分的北京》时，大姐的大弟弟就在食指身旁，食指把写就的诗拿给大家传看，"我的心骤然一阵疼痛，一定是／妈妈缀扣子的针线穿透了心胸"这两句，大弟弟朗诵时，忍不住把"妈妈"换成了"大姐"，热泪潸然涌出。小妹则是所谓的"69届"，那批少男少女在小学里滞留三年后，到中学里待了不到一年，又都被发往兵团，小妹妹跟大姐说，我就别带大板箱了吧，大姐坐在铺板上给她裰被子，没话，但到临走前一天，仍然有了大板箱，只是这回大姐没去车站送行，小妹他们出发后，大姐才在家里打开了一包红糖，用滚水冲了些喝，谁都不知道她去了血站。

　　1979年以后，父亲虽然已经去世但给彻底平了反，接回了母亲，又一个个地迎回了弟妹，在弟妹找到工作之前，大姐的月工资才升到43元，但他们家的生活安排得井井有条，靠窗的桌上，居然有台砖头大的半导体收音机，总用大姐用钩针勾出的花褡子半盖着，那里头开始传送出李谷一《乡恋》的旋律……后来，弟妹们带回的大板箱陆续处理掉了，大姐却执意留下了其中一口。给母亲送了终，帮助弟妹们都找到了职业，都38岁了，大姐才结婚，39岁生孩子，难产，剖腹，如今那儿子好大个头，去年考上了外地一所大学，不是大姐的主意，倒是那孩子自己的选择——他把舅舅当年用过的那口大板箱，带了去；临出院门的时候，好多人围送，院里最有学问的魏大爷抚摩着那已经陈旧的大板箱，对那大学生说："记住，你妈妈，板箱大姐，她是个当代英雄！"大姐自己倒还乐乐呵呵的，大弟弟——就是最早读过食指名诗的那位，如今经商，发了点财——却忍不住把脸扭向了一边，心里想，我要能写诗多好，就写首《板箱大姐》。

栽棵自己的树

　　四十多年前，随父母住在机关宿舍大院，那个院落是个典型的四合院，我家所住的厢房门窗外，有株高大的合欢树。一个星期天，忽然来了个面生的老头，绕着那合欢树转悠，又抚摩树皮，拣起落在地上的花，夹在手指缝里，嗅个不停，后来就站在树下发愣。我那时系着红领巾，在院子里玩耍，觉得他十分可疑，就过去问他找谁。他说找的就是这棵树，这树是他父亲带着他，亲自栽下的。我立刻跑回屋，向爸爸报告，说外头有个老头，搞反攻倒算呢！爸爸就走拢窗前朝外望，我催爸爸出去轰他，这时，那老头也就拿着一簇花离去了。爸爸对我说，他认出那老头，是国务院参事室的，不熟，但肯定不是坏人，这院子原来是他家故居，对这棵合欢树有感情，忍不住来看望看望，属于人之常情，不必去干涉他。

　　北京的古都风貌，直到五十年前，还可以用"半城宫墙半城树"来概括。人们现在仍津津乐道胡同四合院文化，不过大多只把注意力集中在北京胡同四合院的建筑形态上，对胡同四合院的树文化，似乎重视得还不够。胡同里的遮荫树属于公树，这里暂不讨论。四合院里的树木，在过去是属于房主的私树，那些私家树往往是第一代房主亲自挑选树种，并且其中至少有一棵，是其亲自栽下的。四合院里最常见的树种，有槐、榆、杨、柳、松、柏、桧、枣、梨、杏、毛桃、核桃、柿子、香椿、丁香、海棠等等。四合院里的树木，不仅用于遮荫、观赏，也不仅是取其花、叶、果食用，往往还同主人形成某种特殊关系，或含有纪念意义，或表达某种祈愿，或切合主人性格、体现出某种刻意追求的文化格调。最近继续研究曹雪芹和《红楼梦》，特别注意到曹家的树文化及《红楼梦》里的以树喻人、营造诗意的美学特性。曹雪芹曾祖父曹玺在南京任上，亲手在花园种下了一棵楝树，后来他祖父曹寅对此树倍加爱惜，还绘图征题，集为四五巨卷，当时的文豪名流，几乎全都襄与其事。楝树既非名贵树种，其花更不华美，而且结子味极涩苦，曹玺手植、曹寅咏叹，其用意均在教诲后人勿忘其作为满人的包衣世奴的苦涩身世。《红楼梦》里没写到楝树，说明它并非曹氏的家史，但却又一再通过书里赖嬷嬷向儿孙辈感叹"你哪里知道那'奴才'两个字是怎么写的"等细节，把曹氏的兴衰际遇浓浓地投影在了字里行间。《红楼梦》里的大观园，贾宝玉住的怡红院里蕉棠两植，林黛玉住的潇湘馆翠竹成丛"凤尾森森"，探春住的秋爽斋后廊满植梧桐，妙玉所在的拢翠庵冬日白雪中红梅盛开，包括薛宝钗所住的蘅芜院不植树木只种各色香草，全都关合着人物的性格命运。中国传统文化通过各种方式给我们留下丰富的遗产，其中的树遗产也是异常丰富的，如清代纪晓岚给我们留下了诗文，留下了足以供今天电视剧戏说的趣闻轶事，也留下了一株至今每春花如瀑布的紫藤，那不仅有观赏价值，更氤氲出一种雅致格调熏陶着后人。

保护四合院文化，其中也应包含保护四合院树文化的内容。在电视剧《贫嘴张大民的幸福生活》里，我们可以看到如今北京的四合院沦为了拥挤不堪的杂居院的情景，其中有个细节是张大民不得不把一棵大树包在了自己加盖的小房子里，那些镜头的语意是十分丰富的。如果我们再不努力保护北京胡同四合院的树木，那么，再登到景山顶上眺望全城时，将不复有"半城树"的景观，纵使能望见许多新拔起的"楼林"，恐怕心里也不会舒服。

现在，在自己居住的地方栽一棵自己的树，对于北京人——也不仅是北京人，各个发展中的经济区里，人们的处境大体相同——基本上是可向往而难以落实的一桩事了。就城市居民而言，通过纳税，而由有关部门用税款来营造公众共享的绿地，栽种属于大家的树木花草，是社会发展的新模式。但我以为，让一个人至少和一棵树建立更私密的关系，这一北京胡同四合院——也不光是北京胡同四合院——在我们民族世代生息的所有地方，其实都有着手植私树传给后人的文化传统；树比人寿长，前人栽树，后人乘凉，栽一棵自己的树，寄托志向情思，留给下一代甚至很多代，让他们在树荫下产生严肃的思绪、悠然的诗意，这个传统不能丢弃。报载，有的城市在郊外设置了不同的林场，有的用于新婚夫妇植树纪念，或生下孩子或孩子开始上学时植树纪念；有的用于殡葬，把骨灰埋在树下，死者从树中涅槃，思念者望树生情；这都是很好的变通方式。

参加公益性的植树造林活动，自然应该积极。倘若有一块自己能以支配的园地，就该兴致勃勃地栽棵自己喜欢的树。近年我在远郊有了一间书房，窗外一块隙地可以种树，妻子帮我栽了一棵合欢树，这既是与我童年时光的对接，也意味着我们三十一年的恩爱应该延续，这树又名马缨花，我的写作，仍是骑马难下的状态，那就再摇马缨，继续向前；北京市民却又把它称为绒线花，我更喜欢那昵称里的平民气息，鼓励自己将文字更竭诚地奉献给平凡的族群；但妻子查了书，又找出了此树花期的特殊气息可以制怒消忿的依据，她批评我近来脾气暴躁，希望我能在这树旁调理好心态情绪，雅意感人，怎能不从？栽一棵自己的树，实际也就是净化一颗自己的心啊！

唱一首自己的歌

我上中学的时候，自己给自己编了一本杂志，虽是"手抄本、非卖品"，却有封面，有扉页，有目录，有插图，而且在封底还有"版权所有，翻印必究"的"郑重声明"；在扉页上，用很粗的字体，写明主编是我。这说明，到了上中学的阶段，有的少男少女，便开始萌发了自我创造的激情。当小学生时，觉得跟着老师唱歌，能唱得令老师表扬，就非常得意了；当了中学生，虽然也还跟着老师唱，老师夸奖固然也高兴，却不满足了，有时候，就试图自己来哼唱一首完全属于自己的歌。回想当年，我为自己在中学时代就勇敢地朝自己喜欢的方向去展示自己的想象力与创造力，而自豪，而欣慰。我今天能成为一个作家，跟中学时代就尝试写诗写小说、编刊物画插图，"唱一首自己的歌"，大有关系。

在保留至今的一册初中时的自编杂志上，我读到那时在杂志的"简讯"栏里，关于我语文课上作文成绩总提不高的"本刊讯"，那反映出，一方面我豪情万丈，觉得自己俨然可以从事文学创作了，一方面，我的语文基本功其实还并不过关。还拿唱歌打比方，想哼唱一首自己独创的歌，这个想法并不错，但是，如果不能扎扎实实地跟着老师学五线谱，学乐理，把五音唱全，把调式唱准，把老师所教的那些歌唱好，并且深入理解了那些歌曲的内涵，对其旋律情调获得了审美愉悦，那么，自己所哼唱的，只能是荒腔野调，也无法将其用五线谱或简谱记录下来。中学时代，毕竟是打基础的阶段，主要精力，还应该扑在跟老师练基本功上。我那时对语文老师在作文基本功方面给予我的指导，很重视，在课堂作文实践上很努力，我想，这恐怕是我今天能靠写作在社会上立足，更关键的一个因素。

把这样一点经验奉献给今天的中学生：跟着老师唱好课内的歌，再大胆尝试唱一首自己创作的歌！

丢

丢？这和好日子有什么关系？好日子的标志应该是有所搂呀，搂得越多不是越好吗？怎么能丢呢？丢是令人心疼令人惋惜的事情呀！

且请细想。

好日子需要有一定的基础。比如温饱，比如健康，比如亲情……但是不是拥有得越多，日子就越好呢？那可不一定。

过日子，不能一无所有。但在温饱问题基本解决以后，人们所遭遇的烦忧，往往是因为拥有、享受得太多以至过剩造成的。比如肥胖问题，比如"人情债"问题，比如"空调病"问题……以至比如坐在沙发上"煲电视粥"，手握方便至极的遥控器，面对荧屏点来点去而总觉得几十个频道哪个都不好看而又难以都放弃，结果胸臆中滋生出巨大的愤懑……

因此，对已经进入小康的社会族群来说，善丢者，才是会过日子的人。

丢掉不切实际的暴富幻想，满足衣食无虞的生存现状。丢掉对浮名虚荣的向往，热爱真实质朴的自我。丢掉嫉妒心，建树宽容心。总之，经常进行心理大扫除，丢掉种种患得患失的杂念，使心中永有充足的阳光，照耀一片基本清澈的净水。

丢掉多余的名片，少打无聊的电话，婉谢某些社会活动，严拒生拉硬拽的饭局、牌局，简化人际关系，淡化利害之思，断绝对他人隐私的好奇，不参与街头围观，即使是至爱亲朋，也不在思想、感情上一味依赖。

丢掉家中的赘物：丢掉无用甚至有害的印刷品。丢掉烂磁带烂光盘。丢掉过期药品。丢掉无用的包装箱包装袋。丢掉某些恶俗的小摆设（它们往往来自礼节性的敷衍式馈赠）……尤其要丢掉从街头商家雇佣的散发者手里接过的那些广告、赠券。

丢掉有的东西可能特别困难，比如身上越来越威胁健康的赘肉，但必须痛下决心将其丢掉。

有的方面，不一定非丢掉那东西而是必须丢掉那不良的习惯。比如面对电视，要丢掉没完没了地用遥控器循环点换频道的恶习。在电脑前，也要丢掉上网漫游后一头扎进聊天室里恨不得永不再出来的癫狂。

丢弃庞杂琐碎，拥抱单纯质朴，学会过简单生活。好日子全凭我们自己一手创造，获取必要之物固然不易，而丢掉必弃之物原来更难。能把获取与丢弃都把握得恰到好处，那样的好日子，谁不想拥有？

飞花时刻

一家中档酒楼门口，满地散落的花瓣，其中有真的玫瑰花瓣，更多是彩纸仿裁的各色花瓣，两位酒楼里的杂工正用长柄扫帚清扫那些花瓣，这情景恰好被路过的我和小纪看到，我便笑问小纪："你什么时候让人撒花瓣啊？"小纪驻足凝望着那些被扫进簸箕的花瓣，表情让我猜不透正滋生着怎样的念头。

在我家，和小纪坐下来茶话，他坦率地跟我说："那些花瓣，又一次扰乱了我的思绪……"我问他："你怎么会被那尘世的俗相乱了心呢？记得你头两年就跟我说，你赞同自愿同居，觉得一辈子不结婚不成家最好；又说即使结婚，也绝不举办俗世流行的那种婚礼，什么婚纱礼服、大宴宾客、花瓣如雨、蜜月旅行……统统一边去；还说最好的家庭是丁克家庭，而即使是丁克家庭，也双方各有自己房间，互相访问也要叩门求许……你这些新潮的见解，很震动了我一时呢！难道你现在改主意啦？"

小纪说："主意倒还没改，可是不如以前那么坚定了……"已经三十三岁的小纪遂跟我开启了心扉。他说，大概从二十五岁开始，他对酒楼饭庄门外往新郎新娘身上抛撒花瓣的场景，就开始敏感起来。头一个阶段，他是既羡慕又畏惧。畏惧什么呢？当时懵懂，现在弄清楚了，是自己心性不成熟，害怕进入成年的生命时段，那些花瓣一落到头上身上，就意味着许许多多的义务、责任压了下来，自己从一个自在人，一下子成了别人的丈夫，可能还会成为一个孩子的父亲，原来的父母以外，又凭空添了岳父岳母，自己这边的亲友而外，还要应付妻子那边的亲友，1+1的结果竟会是一个庞大的数目！第二个阶段，是冷漠而伤感。冷漠意味着不再羡慕那红火的瞬间场面，而伤感，则是意识到一切美好的东西都会很快消逝，比如那些飞舞的花瓣，在它们短暂地营造出喜庆与甜蜜以后，正如今天所再次看到的，它们很快也就被扫归为垃圾。"这种因为害怕失去而不敢拥有的冷心肠，是不是一种心理障碍呢？"小纪以这样一个自问——也兼问我——结束了他的自述。

我曾写过一些文章，表示我理解，并赞同某些年轻人选择因恋同居以及有生育能力而偏选择丁克家庭等新潮生存方式。但这天小纪的自剖，使我觉得情况不那么简单，在选择非世俗生活方式的年轻群体中，至少有小纪那么一类，他们的选择并不是因为心性的超成熟，而是因为心性的不能成熟，甚至于是有心理障碍，更甚者则可能有心理疾患。这就使我重新思考比如说俗众婚礼上那些飞花的意义。现在，全世界每天都有许多婚礼在进行，而向新郎新娘抛撒花瓣的形式，是极为普遍的。拒俗，有的是因为其心性确实超常成熟，能够平静地特立独行，一雅到底；更多的，则恐怕多多少少是为了媚雅，才随新波逐潮流，结果，他们在俗世最美好，也最具普适性的事物面前，便会因心性不成熟而畏惧，由畏惧而伤感，由伤感而冷漠，由冷漠而孤僻，由孤僻而颓废，甚至最终成为社会畸零人。

我对小纪说，婚礼上的飞花时刻虽然短暂，却能给心灵以长久的滋养。"一片飞花减却春"，但春是可以复来的。我们既生活在四季兼备的社会里，就一定要懂得流动、变换、高低潮轮回、春花夏炎秋风冬雪周转，是命运的常态。总的来说，一个社会里，选择常态生活的人数越多，那样的生活状态越普遍，社会便越稳定。社会生活常态，也即俗世，固然有其应该批评，促其提升的一面，但有社会责任感的人，维护俗世里那些普适性的乐趣，应是责任之一。我建议小纪再遇到飞花场面，无论是正在飞花，还是满地花瓣正被清扫，都无妨换个眼光、思路去观察体味。没想到小纪忽然对我说："明年，也许您会目睹我人生中的飞花时刻！"

想吃虎拉槟

如今的市场经济，是在全球一体化的大环境里运作的，全球一体化的弊病，最突出的一点，就是强势的东西逼得弱势的东西退缩乃至湮灭，结果使得世界各民族各地区各行业的原有特色难以保持，比如我们以前离开自己居住的城市到别的城市旅行，可以看到外观颇有地方特色的百货公司，进到里面去，会看到不少那地方特有的产品，而且在售卖摊位的布置上，也常有眼目一新的感觉；现在呢，各个城市里的百货公司，凡新建筑的大体都是立面使用玻璃幕墙的现代派或后现代派风格，走进去，一楼卖化妆品，二楼卖女装，三楼卖男装，四楼卖家电及文化用品，五楼是娱乐城，而地下一层多半是超市和食街……有的略有变化，但一、二、三层的格局基本上铁打不动，为什么？因为你到纽约、巴黎、东京或者里约热内卢，都是这样的，已成了一个"惯例"，而且所卖的那些化妆品和服装，品牌也都差不多，跨国资本在运作嘛，连每一时期的广告设计都一样，所聘请的"形象大使"到处跟你绽放着一个模子里倒出来的微笑。

大的例子不再举了，现在只说市场上的水果。平心而论，总体上看，现在一般人所能享用到的水果品种，那是相当丰富的，特别是市场上有了越来越多的进口水果，在任何季节，想吃原来在那个季节里并不生长的水果，都不难找到，无非是价钱贵一点罢了。但是，以跨国资本为后盾的水果生产与销售机制，或直接或间接地控制了市场上的水果品种，他们所推出的品种，又以高科技与工业化生产为前提，一般都标榜优选，外观肥硕划一，色泽鲜润，耐保存，适宜长途运输，因为生产和销售量大，成本均摊后就不会太高，在市场上有价格优势，更加上像我们这样的第三世界国家的消费者，尤其是年轻人，对外来的东西有着特殊的兴趣，甚至抱着"吃文化"的心态去购买品尝，这样一来，原来一些地方性的以传统方式栽培的小产量水果，就很快被市场淘汰，有的甚至已经绝了种。

再把议论的范围缩小，只说苹果类的水果。现在市场上基本是富士苹果的天下，要么就是美式蛇果，无论直接进口的，还是引进树苗栽培的，反正品种就那么几个。这些洋品种苹果不能说不好吃没营养，但我们中国自己的苹果品种呢？似乎较为站得住脚的是秦冠，可是，我就遇上过把秦冠硬说成富士往外卖的摊贩，我跟他说你为什么非拿这个充富士？其实秦冠也是很好的啊！他就说您这位师傅挺个别，现在许多顾客一听不是富士他就不买呢。原来国光苹果是非常多也很可口的，现在国光在大商场和超市里难见踪影，只在农贸市场有得卖，但大多个头小而外皮粗，显然已经退化得可以了。这真令人遗憾而惆怅。北京地区，原来苹果一类的水果种类极多，除了古时写作苹婆的大果子（又分为许多品种，其中最著名的有"黄香蕉"和"红香蕉"），还有林檎、香果、沙果、秋果、虎拉槟、酸槟子、苹果梨等等，其中虎拉槟个体虽小但香味浓烈，记得我小的时候家里常买来盛一大盘，紫红透亮，搁在屋子里没多久就香溢满堂，闻之心旷神怡，待摸着稍软时取食，绵沙适口，虽不甚甜，却别具一种鲜味，食后舌喉尽畅。

虎拉槟在北京水果市场上绝迹多年了。真令我怀念向往。不知道还有没有那样的树木？可千万别因为它"卖不出钱"而统统伐掉啊！其实，像我这样还想吃虎拉槟的北京市民，也还构成着一个潜在的购买群体。水果生产商、批销商们，不必都往一体化的潮流里奔啊，其实在那潮流的旋涡里，竞争已经白热化，硬要在那里面分切一牙蛋糕，已淘非易事。我希望有一些明智之士，能够在主潮经济之外，别辟边缘经济的园地，就是针对社会上的某些弱势族群，为他们提供非主流的边缘产品，搞这样的经营也许不能暴发，但成本低，竞争性小，而只要瞄准了主流经济的空当，见缝插针，把潜在的买主吸引过来，又焉知不能发财？而且发的还是维护地方特色与传统特色之财，拔高点说，搞这种边缘经济，也是对跨国资本和全球一体化的负面影响的一种制衡，何乐而不为？

咀嚼蒲公英

那一天我心情沮丧，胸臆里淤塞的不痛快由许多零碎的遭遇组成，类似一些杂乱的堆得很高的干柴，而一个打给我的电话仿佛擦亮的火柴，蓬地燃起一股怒火，我冲出位于远郊村落的书房，疾行在田野里，忽然脚下被什么东西绊了一下，身体趴跌在野草丛中，幸好那片野草下面的土壤很柔软，只是吃了一惊，身体并未感到疼痛，我双眼本能地紧闭后，又本能地大睁，于是，我看到眼前的一株蒲公英，正因我跌下所产生的气流而飞散。

我此前从未如此近距离地观察蒲公英的飞散。我觉得眼前就像宽银幕电影上的特写镜头一样，那蒲公英绒球的每一个细节都纤毫毕露，那些互相对称的绒头细种有的已经飞起，有的正在脱离，有的微微打颤正待脱离，它们被逆射的夕阳照得透明，顶端的绒翅极其优美，下部的细种仿佛在快活地旋转……我原是本能地抬颈观看，后来，我爽性把胳臂对折，用双拳托住下巴，放松身体，专心致志地欣赏起鼻前的蒲公英来。

那株田野上的小小蒲公英，在那个夕阳西下的时分里，给予了我极大的审美享受，望着它的四散飞升，我耳边仿佛有仙乐缭绕；更重要的是，它给我焦躁的心灵喷洒了一片甘霖，使我获得了宝贵的憬悟。原来，生活中的跌倒并非都是糟糕的事，有时候，跌倒所形成的停顿，更利于我们近距离地观察原来所忽略的事物，使我们得以咀嚼在烦躁焦虑中不能体味的人生三昧。

时间在迈进，生活在变化，世道令我们觉得有些陌生，问题接踵呈现在我们生活的各个环节，调节自我心态，以保持自己与他人、群体的和谐，随社会而进步，比此前的任何生命时段都更吃重。

我们都知道，要想身体好寿命长，吃饭时细嚼慢咽是一条最朴素最实在也最简单可行的真理。可是真正能履践这一信条的人却并不多见，往往是，宁愿在营养品上花大量投资匆忙吞服，却偏偏不能细嚼慢咽日常饭菜。由此想到，要想思想健康情绪乐观，对某些有启迪性的事物采取细嚼慢咽的方式，真正把其中的营养摄取充分，实在也很重要；一味地好高骛远、恨不能毕其功于一役地把所有自己所焦虑的问题一刀切净，到头来很可能是问题没能解决，而烦恼丝却陡增了三千丈。

和一些朋友、熟人交谈，个个都对腐败现象深恶痛绝，这当然是神圣的情感，只能浓酽不能淡漠。但解决腐败问题光凭义愤是不够的。更何况，有的人刚骂完贪官污吏，却又为了解决自己或家人的什么问题，宁愿用拉关系、送重礼的办法去走捷径，行之坦然，安之若素。对此就应该细嚼慢咽好生冷静地把问题消化一番。一个社会如果仅仅是有些官吏腐败，那还不是太可怕；一个社会若是普通人的行为方式也都含有腐败因素，那就太可怕了。因为痛恨腐败而产生出"一定要想方设法跟搞腐败的家伙斗争"，这样的普通人越多越好；因为知道很多腐败的人与事，于是产生出"他们都坏到那种程度了，我还洁身自好干什么？干脆也就别那么认真规矩算了"的想法，这样的普通人多起来，麻烦就大了。即使是手中无权的普通人，能不能也发誓反腐败从我做起呢？就是遇到与切身利益相关的事情，坚决不走门子，不拉关系，不送礼，不谄媚，不哀求，不怕邪，据理力争，依法力求，不得公平，绝不罢休。再细嚼慢咽这事儿，得出一个字：难。确实难。痛骂贪官污吏侵吞国库易，拒领自家单位小金库的违规私分难。也别怪自己和别人没出息，这里头有个建立健全好的"游戏规则"，即好的机制的问题。细嚼慢咽到底，就会觉得，好的机制，是一定能逐步建立和完善的。这个信心不是靠义愤建立的，而是靠深思熟虑获得的。

感谢引发出我如许思绪的那株蒲公英,它的绒球积蓄着饱满的生命力,它的每一颗细种都乐观向上,飞散的细种不失时机地随风远航,去顽强地追寻适宜生存的土壤,那飘飞旋转的韵律里没有沮丧和诅咒,只有自信与昂扬……总而言之,它抗拒霉烂腐败,延续发展,是由于启动着一个精微复杂的系统工程,那工程里的每一个部件都兢兢业业地履行着自己的义务,同时也轻轻快快地享受到生存的乐趣,最后达到的是整个族群的繁荣。咀嚼那蒲公英对我的启迪,已成了我近期最大的快乐。

亲近牛筋草

严格意义的田野已经越来越少，离开城市，沿着公路前进，我们所看到的是无边的农田，或者是人工营造的果园、鱼塘，称为田原或田园很恰当，称为田野就比较勉强——因为几乎没有了野气。

原来在城市里的隙地上，很容易看到野草野花，我上小学的时候，放了学，和同学在胡同院落的墙根下常常停下来玩耍，游戏之一就是从墙根隙地的野草丛里拔起牛筋草，互相拉钩比赛。牛筋草的主干非常坚韧，其顶端张开着三叉或四叉绿须，那须子其实就是它的花穗，只是那些细小的花体很不显眼。你拿一根牛筋草，我拿一根牛筋草，互相构成十字，然后折弯钩住，双手拽住两头拼命拉扯，谁把对方的牛筋草扯断，谁就赢了。有关的童年回忆，常使我保持着一份对质朴生活的温馨回忆。

世界在迅疾地一体化，其特点也就是以铺天盖地的工业制品包围了我们的生活，凡带点野气的东西都被有意无意地消灭掉，野生动物正面临着数量锐减以至于绝种的局面，野草野花也总是被毫不留情地予以刈除，我们的生活确实富裕了，但我们装修完的住宅里往往久久地发散着化工涂料与黏合剂的刺鼻气息，我们楼下的公共绿地里有树有花有草却都是只能观看不能亲近的，马路把汽车尾气不停地送入我们鼻腔，空调使我们屋子里凉快却同时增高了屋外的热量，在都市的滚滚人流里我们感到孤独，却又不断地被散发小广告的陌生人贴近，我们的生活习惯与审美态势被商家的华丽广告和促销技巧勾引得朝复杂化发展，刻意追求包装，喜欢争奇斗艳，不断地购买商品，不停地制造垃圾，而外在的虚荣又引发出内心的嫌贫妒富，仿佛走在一道闪着金光却又极其狭窄的独木桥上，心理总是不能平衡，往往是，温饱无虞，杂七杂八的零碎堆满居室，却还是很难快活。

那天我去拜访瑞姐，她是个离休的老编辑，住在一座塔楼的底层，她的居室雅洁清爽，只有必要的，没有多余的东西。我一眼看见她那茶几上的陶瓶里插着些狗尾草和牛筋草，不禁欢叫起来："呀！您哪儿采来的？好稀奇啊！"她笑说是在公园的角落，绿化工还表扬她帮助他们拔除野草，她对他们说，其实，在公园的某些地段，保留一些这样的野草和多头菊、蒲公英那样的野花，还是必要的，不仅有利于保土固坡，也有另一番诗情画意。和她聊了一阵，我赞叹说："现在一些发达国家的人士，面对物欲横流、普遍焦虑的社会现状，提出了'过简单生活'的主张，您这样过日子，可以说是属于简单生活吧？"瑞姐笑对我说："也看了几本美国人、日本人写的提倡简单、清贫生活的书，很有趣；但我觉得他们还都说得不透，我以为，简单之美，首先是内心的单纯，我现在最高兴的，是自己恢复了一颗童心。"

我与瑞姐讨论："儿童的心性虽然纯洁，却不成熟，以那样的心思，怎么能应付如今五光十色甚至光怪陆离的复杂社会呢？"瑞姐说："经历过一番人生磨炼，成熟后，再复归于童心，这就仿佛玻璃经熔铸后化为了水晶，透明单纯而又坚实刚强。比如对财富的看法，儿童只要衣食不缺，有父母爱，有学上，那么，在野草丛里发现了一片牛筋草，他就会觉得自己的世界非常富足辉煌；现在有的成年人已经拥有了必需的财产，甚至也成家有子，却总还是觉得有的人比自己住的房子大而好，赚的钱多而易，欲壑难填，焦虑不堪；倘若能在职业基本稳定、家庭基本和满的前提下，回归亲近牛筋草那样的童心，就会眼前透亮，胸臆舒畅，会觉得别人再富有那是他的事，和自己实在无关，完全没有攀比的必要，而在结婚纪念日里，接过配偶递上的可能是很简单的礼物，或者当孩子爬在自己膝盖上撒娇时，一家人到小餐馆里点上几个实惠而可口的菜肴时，就仿佛拉扯牛筋草获胜了一样，快乐无涯！所以我说，要过简单生活，先要净化心臆！"

从瑞姐家出来，摆弄着从她那陶瓶里抽出的一根牛筋草，我心里漾涌着纯净欢欣的情思。

暗夜红莲

在朋友家欢谈到很晚,告别后,要穿过颇长的小街,才能有遇到出租车的机会,夜色昏暗,路灯如朦胧的白玉兰,听到自己脚步的回音,忽然心里发紧,朝两边望去,每一处墙角的凹缩处都似乎会突然冲出一团黑色来,胸口于是似乎有鼓槌在内外交击,不由得小跑起来,而耳边的声响却更加可疑……正在此刻,街口缓缓驶过了一辆面包车,啊,紧缩的心放松开来,胸口顿时觉得舒畅,脚步也就不那么慌张——因为那车顶上有艳红的警灯,如逢凶化吉的佛国红莲,在暗夜里昭昭放光,那是循例夜巡的110警车。

夜很深了,已有香甜一梦,忽然醒来,觉得需要去卫生间,进了卫生间,从那窗口朝下望去,夜街上空空落落,繁华落尽,静寂笼罩,在墨黑夜裳的掩裹中,这都会的街角桥洞里,会发生那些晚报电视里报道展现过的恶性事件吗?……正胡思乱想间,俯视的区域里,又游来那朵美丽的红莲,于是安全感与欣慰之情弥散到全身……当重新钻进被窝,把头舒适地搁放在绵软的枕头上时,不禁默默地感谢那些牺牲睡眠,来保证我能继续好梦的人们。

亲戚在深夜打来电话,我着急地问他:"你怎么回事?等得我好苦!急死我了!"原来他所搭乘的班机晚点了六个小时,而他出了机场又自以为是地搭乘出租车到了另一处与我家地址近似,却南辕北辙的地方,他好不容易才找到一处公用电话,告诉我出租车已经放走,那里几乎没有再等到出租车的可能,似乎也没有旅店，北风呼啸的深夜，他该怎么办啊？那话音都颤抖了……我立刻告诉他完全不用着急，可以立刻打110电话求救；果然，他呼叫后，暗夜红莲很快降临到他身旁，半小时后，他已被送达我家……我们一起朝楼下望去，红莲在威严地朝远处移去，尽管我们已经当面道了许多谢辞，还是决定第二天要再把我们心中的感谢用纸笔写下……

暗夜红莲啊，你在都会的夜街上谱写着诗篇，有时静若处子，倏忽奔若脱兔，你令歹徒胆寒，你给良善安全，红莲下那些可爱的生命，你们勇敢机智，祝福你们和你们的家庭幸福快乐！但我也知道，你们血管里那些流淌着利他之爱与正义之恨的、殷红刚健的热血，在某些特定的情况下，会甘愿为我们的安宁而喷溅……啊，感激之情如波涛涌满我的心灵，我爱红莲下的那些年轻的生命！

月馋蜜梨

接到周巷镇的邀请信，马上查地图册，在浙北地区只查到周行而不见周巷，而且在地区归属上显得暧昧，标志该地的那个黑点骑在余姚市与慈溪市的分界线上；从北京飞宁波再乘汽车到达周巷，才知当地"巷""行"同音所以两字可通用，而该镇也确实属于过余姚，现又划入慈溪。这个镇无关山隘口、津流要渡，历史上恐怕是兵家必弃之地，镇属范围也无名胜古迹，游客屐痕稀疏；热心的主人邀我参观，究竟是想以什么来打动我？

江南农村经二十多年的改革开放，普遍呈兴旺富裕景象，周巷的通体面貌自不例外。乡镇致富，不拘务农，开办企业，是人们耳熟能详的路数。周巷有奇迪、惠康两大家电企业，所生产的空调、饮水机等在北京也有销售；又有生产轮胎布帘、加工坚果零食等业绩可喜的企业；参观这些企业自然开我眼界，但真正令我心旌振飘的，是他们刚落成的吴耕民纪念馆。

白墙青瓦，飞檐斗拱，主楼两层造型既端庄又灵动，另有曲廊辅厅、莲池凉亭，分明是一处优美典雅的园林。这个吴耕民纪念馆给我的第一印象，是所筹来的专款，每一分都尽心尽力地用到了工程上。在某些也是富起来的农村里，所建造的公用亭台楼阁大都舍不得使用木料，那并不是出于维护森林的心态，而是为了减少成本，于是我们会看到许多水泥构件拼配的仿古立柱、栏杆，显得粗蠢别扭。这个纪念馆的古典建筑该用木料的地方都用木料，一丝不苟，雅韵氤氲。它是认认真真要留给这方沃土、这处后人的。吴耕民不是政治名人,不是艺术大师,在俗世中并无显赫的虚名浮气,在见惯了为历史上的政治精英、道德楷模、文人墨客、风流种子建造的纪念堂馆以后,忽然来到为这样一位人物专门建构的精美空间,在赞叹之前先不免有些诧异。

吴耕民是位菜果园林栽培专家。这位周巷人早在上世纪初就外出负笈求学,曾东渡日本,又远访欧洲,是中国最早学得有关科学知识的第一代农林园艺专家中的翘首。他自1920年起就一方面在中国若干最重要的大学里教授园艺学,一方面不懈地从事菜蔬果木栽培的科学实验与优种推广,他的几代学生把科学栽培的薪火传遍全中国,他所亲自优育优选的菜蔬果木造福黎民,仅就以浙江的芋头、杨梅而言,融注着他心血的优质品种已广泛栽培,这位直到前几年才辞世的慈厚学者、专家,给后人留下繁多丰厚的口福,却从来未曾享受到影视歌星那般煊赫的艳名口碑。

周巷镇现党委书记吴武忠,二十几年前正当青春发动期,读过我那时的小说,印象难灭;后来上大学又读的中文系,对我有过追踪性阅读;邀我到周镇,他笑说有"追星"之意。且不说在文坛上我已边缘化,就算自己二十年来确实有些个虚名浮气吧,在吴耕民纪念馆里一转,把吴老前辈那些遗物遗著细细一览,不禁脸红心跳!人家一生里对祖国同胞做出的是多么切实的业绩呀,都是些看得见、握得住、可实用、能久传的事物,自己呢?越看越愧煞,越想越赧颜。从纪念馆出来,我对吴武忠说:你们做了一桩天大的好事,这个永久性的馆所能够不停息地警示参观者,什么才是真正的黄金,什么只不过是镀了一层金,什么仅是仿金的黄铜,什么是徒具金黄色假象的垃圾!

吴武忠告诉我,正是意识到吴耕民及其园艺事业是周巷的真金,所以他们在镇子的经济发展中,把园艺立为了主项,还创办了耕民中学,以流布耕民精神。说着领我去镇里的梨园。那不是以往我所看到过的传统梨园。呈现在我眼前的梨园与其说是农场莫若说是工厂,梨树下的栽培土高耸为拱形,每棵梨树的主干、分枝像是一个模子里倒出来的,树冠全用划一的框架绑缚,树枝上的梨子均匀分布，果数相同，每个梨子都套着统一制造的特殊纸袋，给梨树喷洒农药的管子与缚树框架一体，喷洒时药液会非常合宜且绝不沾到果皮，熟果经采摘筛选，几乎一律等大，分置在特制的顶部透明的包装盒里，宛如工艺美术制品。这种梨叫黄花梨。一般大如猫头，浑圆形，黄棕色薄皮里，乳白的果肉细腻多汁，甜味适中，余味醇厚。俗称其为蜜梨。吴耕民字润昌，为纪念他，定品牌时注册为"润昌蜜梨"。我竟一口气痛啖了三只蜜梨。舌品耳聆心会，我知道这梨并非周巷传统产品，是从台湾地区引进的品种，再经与该地水土气候磨合的优选优育，更加以数字化的科学管理，是充分体现耕民精神的经济成就。目前这蜜梨主要销往日本、新加坡、马来西亚等地，呈现着供不应求的态势。

那天晚上，在下榻的宾馆正隔窗望月，浮想联翩，吴武忠等来让我给他们留下些"墨宝"，我是完全没有笔墨训练的人，哪有资格？但盛情难却，只好献丑。提起笔，忽来灵感，便仿丰子恺风格，画了窗内一盘梨，帘外一弯月，题上一句"周巷蜜梨月也馋"，他们不嫌，还拊掌称妙。那一晚我和武忠等一群年轻的朋友聊了许久。我们共同经历了二十多年的改革开放，目前我们的航船正在渡大关，在各自的位置上，怎样再为生我养我的这片大地做出新的奉献？耕民精神为我们一致认定，是的，归根结底，要脚踏实地，取科学态度，创实绩，结"蜜梨"。他们走后，我抚弄着一只蜜梨，一个人在月光下还沉吟了许久。

巴黎足下风

在巴黎逛街,鞋店之多,令我吃惊。虽说巴黎素有花都之称,时装、香水、配饰、鞋帽一贯犹如旋转不止的万花筒,随时随处把浪漫的情调映入你眼里、浸入你心头,但巴黎人那足下的消费发展到了如此程度,身临其境时还是不免有点如在梦中。无论在塞纳河左岸还是右岸的商业街道上,都会遇到两三家鞋店紧挨着营业的情形,往往还都把营业区扩张到店面门外,在风雨棚下摆上货架,展示若干最新潮或较廉价的品种。

游览一处地方,除了参观名胜古迹,最好还能走街串巷,了解一般民众的日常生活,倘能有机会被邀到普通人家里做客,注意观察一番,那对该处的风俗人情,就能获得更丰盈的印象。由于发现鞋店多,我才特意坐在街头树荫下的长凳上,只盯着过来过去的双足观察,半个钟头里,我有两个发现,一是很少有人穿一个样式的鞋,特别是女士,似乎都以趋同为耻,刻意地要把自己跟别人区别开来;像我们这里松糕鞋一流行,则满眼松糕晃动的情景,在巴黎是看不到的;另外,就是每个人穿的鞋,几乎都是与衣衫配套的,即使是那些貌似漫不经心,甚至颇为邋遢的人,他们也都能鞋衣般配,像我们这里有的男士穿一身挺不错的西服,还扎着领带,脚上却穿一双登山鞋,那样的穿法,是没有的。我在巴黎有一阵住法国朋友家中,丈夫有个柜子,柜门一开,满是各种酒瓶;妻子的一个柜子,柜门一开,满是各种鞋子。他们自己笑说,仅就他们各自的嗜好,就都够得上称为典型的巴黎市民。

其实，就产鞋而言，特别是名牌鞋，总体而言，法国不如其邻国意大利。在意大利的罗马，我也逛过街，倒没见到巴黎那么多的鞋店。在意大利的佛罗伦萨，因为知道那里有一个被称为"鞋业王国"的家族，专门生产费拉加莫（Ferragamo）牌鞋，特别是女式高跟凉鞋，所以遇到了卖那种名牌鞋的商店，赶紧进去参观。那里面陈列的鞋售价令人咋舌，但你不能不赞叹其造型的特殊创意，大体而言，都绝不烦琐，以简洁取胜，如一双女凉鞋只以三条黑丝带拢脚，但鞋跟却以黄铜粗线盘成，轻盈稳重互相配合，望去确是一件艺术品。意大利的名牌鞋精工细作，价昂耐穿，这好像不太适合一般法国人的追求，所以费加莫多牌鞋在巴黎似乎并不怎么被崇拜，倒是美国人对这个品牌肃然起敬，著名歌星麦当娜就专穿费加莫多牌鞋。依我观察，巴黎鞋店销得最多的还是法国自己生产或去料加工在非洲生产返销回来的各类鞋，这些鞋注重的是样式的不断翻新，而不是经久耐穿，其对质量的重视体现在绝不偷工减料，在设定的穿用时间里保证其功能性不会发生问题，但那设定的时间却不会太长。不把鞋当做耐用消费品，而视为勤换勤添的生活小乐趣，巴黎人的这种鞋文化观念我比较赞同。

鞋店各有各的招数。法国朋友的妻子告诉我，在巴黎众多的鞋店里，她最常去的是两家。一家门面不大，却不在门外摆摊，橱窗里三天两头摆放出新到的款式，却又永远悬挂着"言不二价"的告示，即使在全巴黎商家都进入季节性大减价的浪潮时，这鞋店也"我自岿然不动"。它的营销策略是使顾客坚信"便宜没好货"。确实也是，它基本上做到，任何一款新鞋，都绝对不出现两双一模一样的，起码颜色上有区别。她就常常会被它的独特性打动，掏较多的钱去买那"独一份"。另一家呢，店面很大，里面装潢得很豪华，却还要把营业面扩展到店门外，门外风雨棚下满坑满谷地陈列着琳琅满目的各式鞋子，这家店即使在非季节性全市大减价期间，也频频减价，并且标榜"如您发现鞋子很糟请您帮助我们扔进垃圾箱里"，那营销策略是使顾客笃信"便宜也有好货"，这家鞋店因此生意格外火红，她也就不断地从那里把四季的鞋子穿到脚上、请进柜中。

　　生活日渐富裕起来的中国消费者，在鞋消费上也正由单纯的功能性追求发展到审美性追求，并且也开始由趋同性的追风审美，向配套化、个性化、频换频添的方向发展；我们的鞋工业，鞋销售，也应该及时赶上去，从被动迎合消费者，到巧妙引导消费者，使我们的足下风，与巴黎足下风，并焕奇彩。

卡米小姐的眼神

　　卡米小姐居住在法国巴黎，我搞不清她的年龄，她看上去有些显老，穿着打扮往端庄上靠，而且有个儿子刚去外地一所大学读书，依咱们中国人的思维习惯，我总觉得该称呼她为太太或夫人才对，但别人告诉我千万要把她称为小姐，因为她并没有结过婚。卡米小姐从事的职业叫社会协理员，这种职业在中国大概还不成型，但今后可能也会发展起来。协理些什么呢？哪家要搞次人数比较多的派对，可以请她给策划：厅堂怎么布置，酒水食物如何搭配，主人怎么着装，到时候音响里播放什么曲目，以及如何在派对中营造欢乐气氛，用什么点子引出高潮，又以什么方式曲终奏雅……还有婚礼、丧事，选择什么花饰，印制什么样的请柬讣告，以什么方式通知，届时如何安排座次站序，不大懂事的小孩子们如何引导等等；没有太大的活计，那么，像家长没有时间，请她带孩子去看电影、逛公园，或带宠物去美容、看病，这类的事情她也揽来做，当然，以上种种劳务，请她的人都是要付酬的。

　　卡米小姐曾去中国旅游，一个机缘使我们相识，那天卡米小姐领我和侨居法国的朋友们去她家喝覆盆子果茶，进了她住的那个公寓，她就顺便从门口的信箱里取出她的邮件，到了她那个单元，她热心地招待我们，那果茶味道虽然怪怪的，在我来说喝的是异国情调嘛，也就很是开心。在我和同去的朋友说话时，卡米小姐顺便拆看她的那些邮件。我知道法国人的邮件里，经常会有税收部门寄来的清单或通知，卡米小姐在看那样的一封邮件时，眼神忽然大变，跟着表情也就夸张得可以，表达出强烈的惊讶与不满，接着她就给税务部门打电话，告诉他们这次计算有误，多收了她十五个法郎，希望他们复查改正并退回多扣的那些法郎。从卡米小姐家告别出来后，经我询问，法语中文都很棒的朋友便把她那电话内容告诉给我，我嘴上没评论，却不免有所腹诽，十五法郎也就够在快餐店买一个简单的三明治，卡米小姐毋乃太悭吝！

又一天，卡米小姐请我和朋友再去她家品尝她自己烹制的肥肝馅饼，也是接到税单，也插空拆看，噫，她眼神又不对了，表情更仿佛出了什么弥天大事，朋友忙问她，是不是又多收了她的？她连连摇晃那账单，耸肩挑眉；原来，这回是少算了她二百五十法郎！我心想，这下她会觉得占大便宜了吧？但她所表现出的不安，是那么样地强烈，以至决定当天就要在下班前赶往税务部门，申明情况，促其改正，并补交二百五十法郎税款。

从卡米小姐的眼神里，我深刻地感受到，一般法国民众是如何郑重其事地对待缴纳个人所得税这桩事情。按说卡米小姐的这种职业，其收入是最难测算的，而她总是按时如实申报，一个法郎也不隐瞒，而对税务部门的工作，她既注重自己的权益不受损害，也绝不令国库因自己少纳而有所欠缺。这是法国市场经济成熟，民众依法纳税意识牢固，权利义务辩证统一的生动事例。

我离开法国前，卡米小姐抽空陪我去近郊森林公园游览。1999 年最末一天，忽来狂风，连根拔起了那公园里许多大树，损失惨重，但我们去看时，该补种的都补种了，卡米小姐指着那些新树对我说："这就是我们的税款，它们用到了恰当的地方！"这时她的眼神里，充溢着快乐与自豪。回到中国好久了，我还经常回想起卡米小姐的几次眼神。

给你一顶小丑帽

逛蛇年春节庙会，看到很多摊档在售卖小丑帽，有用闪光纸制作的，顶端下沿都有彩色穗子的尖顶高帽；有用呢绒缝制的，不但帽筒很高，而且样式极为滑稽，或顶端呈章鱼触须状，或呈蹄类动物的弯角状。尖顶高帽，在中国不说是古已有之，也出现得够久的了，鲁迅笔下的跳无常（他不但用文字描写还亲自绘图），就是一个例子。彩色呢绒拼镶的小丑帽，则似乎是从西洋传来的，举凡西洋古典绘画、戏剧，以及表现其古典生活的影视里，都常常出现。

庙会上的小丑帽销得很好。我就亲眼看到种种买帽子、戴帽子的景象：有的还没付款就迫不及待地往自己脑袋上扣，有的则买下像献花一样戴到同游伴侣头上，有的买来戴上后就一直那样游逛到底，出了庙会还戴着在大街上走，甚至戴着乘地铁……

我注意观察，兴致勃勃地买小丑帽、戴小丑帽的，几乎全是年轻人。

我这个年纪上下的人，对小丑帽，恐怕都会有特殊的记忆，那就是在"文化大革命"里，特别是在"红卫兵"大破"四旧"，掀起揪斗"牛鬼蛇神"的"红色恐怖"浪潮时，凡被揪出批斗的"一小撮"（其实往往一大串、一满台），就会被戴上高帽子批斗兼游街，开始多半是纸糊的，比较粗糙，后来朝精致化发展，有用钢铁焊成的，有的在帽檐挂满两边利刃的刮胡子刀片，那高帽子不仅把被批斗者丑化为了"狗屎堆"，也兼有刑具的功能。在那样的岁月里，我最害怕的，就是被揪出来，扣上一顶小丑帽。我记得在那一年盛夏，一位年长的教师被揪斗，他头上被扣上的是一顶用木棍、手帕合成的西洋式小丑帽，批斗他的"小将"确实很能"洋为中用"，但那顶小丑帽下因尊严扫地而痛苦不堪的，扭曲的脸，很多年来都牢牢粘在我心膜上，无法淡化。

改革开放以后，有机会看到意大利电影导演费里尼拍摄的影片《八又二分之一》，里面主人公的噩梦场面，也是被戴上尖顶帽，在宗教审判的场所示众，令我好奇的是，那尖顶帽倒并非欧洲宫廷弄臣的那种形状，而与鲁迅笔下的跳无常帽子相近，也就是电影《闪闪的红星》里，潘冬子用绳索套着胡汉三脖子游垅时，扣在胡汉三头上的那种高帽。这是费里尼善于"中为洋用"，还是中西胜利者在对待"非我族类"时有着不约而同的时尚？我期待着有关学者、专家出来解谜。

如今庙会上制卖小丑帽的商家，他们当然不会强迫任何人去戴那小丑帽，他们会努力推销，推销的说辞手段，都立足于让自愿消费者觉得戴那帽子是桩有趣的事。庙会上买小丑帽戴小丑帽的年轻人小孩子，不消说一定是出于自愿，一定是觉得有趣，有的，看那戴着小丑帽招摇过市的模样，简直是洋洋得意，那小丑帽竟成了他们内心幸福快乐的外在象征。

同样的一顶小丑帽，在特定情境下，当它是别人用暴力强迫你戴上时，便是屈辱，便是灾难，甚至会令你痛不欲生。而在另外的情境下，当那是你自愿选择戴上时，便是幽默，便是奇趣，甚至会使你心花怒放。

一位"文化大革命"的过来人，曾在私下向我吐露，当那些"三名三高"人物被戴上高帽子批斗时，他内心里确实有种痛快感，那心理反应翻译成语言就是："你还能神气活现么？"这里要向如今的年轻人解释一下，"文革"中的"三名"指的是"文艺界名人、名专家、名教授"，"三高"指的是他们享受到的"高级别、高工资、高待遇"；其实，那时候的"三名"人物的"三高"程度很有限，其工资、住房、稿费或演出补贴等所达到的水平，都与比如那向我吐露心声的平常人物相差不到几倍，哪儿有现在的各路明星们那样的身价，那样"与国际接轨"的收入享受；但即使差距并非那么巨大，那种因感觉到不平等而造成的心理淤积，尚且可以在外力引发下达到那样的愤懑程度，据此可以估测出来，现在有的社会地位与经济收益都离明星们遥遥远远的平常人，他们人性里那阴暗面所涌动着的切盼明星们栽筋斗倒大霉的心理潜流，倘有喷发的机会，会形成怎样令明星们难以承受的局面。

"文革"中对"三名三高"人物的那种恶性冲击，当然是应该否定的，因为并不能真正解决问题，而且以暴力手段，强迫别人戴高帽子，践踏人格，无论以"革命"或什么更神圣的名义，都是野蛮的非文明行为，是人类历史发展中的污斑，我们的社会发展今后一定要避免这类事态的再度发生。但话说回来，也不能因为现在进入了市场经济，成了商品社会，法律容许一部分人先富起来，名利双收者就觉得自己所获得的名声与财富都神圣到不容别人质疑置喙取笑糟改的地步。如今的各路明星们务必须知，虽说是时代有别，法律有进，但是你所面对的人性则大体还是那么个恒定的存在。社会的安定，一方面需要法律保证，另一方面，也需要有"出气孔"，一些尚未或无望成为明星的普通人拿名利双收的明星开涮，甚至准备好一些高挑的小丑帽，给他们"缺席加冕"，就是一种"出气孔"，起着对"气不忿"的心理加以代偿的功能。

前不久一家网站，把演艺界一些明星评为了"十大丑星"，其实那些在网上投票的网民，无非是通过这种方式，抒发了一下对已属于"公众人物"的诸明星们的揶揄罢了。有的被评为"丑星"的演艺圈人士就总没想清楚，众人仰望的"星"，其实并非"万民之神"，而是"大众玩偶"，比如一个儿童得到一个洋娃娃，开始他或她会搂着抱着，给换漂亮衣服，让其陪自己睡觉，但时间长了，他或她就会摔洋娃娃，甚至挖眼拆腿，劈成两半，要看看它肚子里究竟有些什么东西，这从头到尾的行为，都是"玩"，而洋娃娃的遭遇，也便是它作为玩偶的宿命。

如今也有把是否被糟改作为自己是否真成了明星的试金石的，听说被报纸娱乐版开了涮，也就是有人制作了小丑帽请其"入帽"，竟高兴极了，我认识一位演艺圈的人士，有一天就拿着那样一份报纸来向我展示，笑眯了，笑麻了，笑酥了，笑泥了，仿佛中了六合彩的特等奖，那原因很简单，如果那报纸不把其当成明星，怎么能不吝宝贵篇幅，在糟改其他明星时把该人捎带上，以取悦读者、增加发行量、吸引更多广告客户？

如今更有"自作自受"小丑帽，以图把自己加冕为名人的，方式多种多样，但其中不可不用的配方则是拿真正的大名人来陪衬，比如，无妨把自己与辜鸿铭、钱钟书、张爱玲、余秋雨等并列为"中国文化界百年来十个最讨人嫌的人物"；但这样做的效果究竟如何呢？至今真因此被俗众记住，果然也成为"大众玩偶"者，似尚无一例——人们或许能记住那"十讨嫌"事件，却绝对记不得制帽者本身的名字。这倒也反过来说明了世道与人性的残酷一面。

如今我们都置身在不会有人以暴力手段真把高帽子扣到你头上的现实情境里，就算有人非要给你制作一项语言构成的小丑帽，甚至那真是专门为你制作的，并加以展览、宣谕，只要你不主动去认戴，毕竟他也还是其奈你何。当然，有时候，针对你的小丑帽，或者其他什么丑怪的东西，并非恶意，倒是出于幽默，或不过是开个低级玩笑罢了，你大可不必认真应对。但也应该提醒小丑帽及其他丑怪物的制作者，即使并无恶意，也别强加于人，且要防止引发副作用。报载，2001年蛇年春节，天津一位女婿到丈母娘家拜年，他头戴"爆炸发"（一种火红的冲天型假发，应比一般小丑帽更丑怪），鼻架化装舞会上所戴的蓝色卡通眼镜，敲开门后，开门的丈母娘在昏暗的楼道背景下猛瞅见那么个魑魅对着自己呲牙怪笑，顿时晕菜，险些因心脏病急性发作而魂归离恨天。这当然是那位去拜年的女婿始料未及的。

由此想到我们当下的文化批评。小丑帽式的批评，也是颇为时兴的一种，尤其在"文化庙会"的空间里，很畅销。应该有这样一种批评存在。"文化庙会"与"文化小丑帽"的存在令我们感受到多元并存下的轻松、谐趣、嬉戏、欢快，不必总有深度，不必总那么较真……像美国的"文化庙会"就很发达，除了评"十佳"，一定还要评"十差"，不是只有奥斯卡金像奖，还有金草莓奖专门糟改某些影片影人，可以说是"小丑帽子满天飞"，但即使被人准备了小丑帽，那影片也很可能仍有票房，那影人也可能仍在持续走红。"金草莓"奖还真的准备了些草莓形状的奖座，但评奖者不会强迫获奖者去认领，也不会强行把那奖座送到人家家里，因此就不会发生类似天津女婿把丈母娘吓个半死那样的事件。

话说回来，倘若整个的文化批评，特别是文学批评，全都"庙会化"了，全成了"小丑帽子满天飞"了，那也不是好局面。摆脱了"文革"的高帽子噩梦，学到了"庙会式"小丑帽的幽默，我们应该把自己的文化空间调理得更加地生态平衡、葳蕤多姿。

2001.1.30 地坛庙会归来

顾影自赏

　　"顾影自怜"是习见的成语，虽有照镜自赏的含义，但人们在大多数场合还用来形容孤独失意的自怜情绪。这里不说顾影自怜而说顾影自赏，为的是突出在镜子前自我肯定的情愫。照镜子是自古以来人们生活中发生频仍的事情。东汉时的辛延年写的《羽林郎》诗里有句："贻我青铜镜，结我红罗裾。"那时的男子追求女子，送青铜镜已是重要手段，类似于如今情人节送玫瑰花。辛延年笔下的美女拒绝了那追求者，但一旦接受，则会如三国时期魏国徐干笔下的女子一样："自君之出矣，明镜暗不治。"在战乱年代，动荡不安的生活里，普通人是没有照镜兴致的，但驱寇得胜，置身和平，则会"当窗理云鬓，对镜贴花黄"。人在镜子前，不仅是照自己的外表，也是照岁月，照前途，照命运，照内心。"照花前后镜，花面交相映"，照得花哨，但比较肤浅，近于"臭美"。宋代陆游老迈时写《晨起》诗："齿豁不可补，发脱无由栽；清晨明镜中，老色苍然来。"这是照岁月。唐朱庆余笔下的那位新妇："妆罢低声问夫婿，画眉深浅入时无？"其实是自喻，照的是宦途前程。穷得真正的镜子都没得用，只好"瘦影自临春水照，卿需怜我我怜卿"，这是照凄凉命运。镜子不仅频频入诗，在小说里也是常见的道具。《金瓶梅》里有一段磨镜老人骗取同情的情节，连一贯狡黠的潘金莲都上了当。《红楼梦》的贾府里使用玻璃镜了，有一回贾宝玉给大丫头麝月篦头，遭到晴雯讥讽，两人在镜中含笑相视，镜子照出的是人际间的亲和默契。在中外美术史上，出现镜子的作品不胜枚举。到上个世纪有了摄影、电影、电视，不仅那里面往往少不了各个时代的镜子，而且这些东西本身就是镜子功能的放大与展拓。

虽然现代人几乎没有从未照过镜子的，但有的人照镜子不过是简单地用以解决一些实际问题，如对镜洗脸、刮胡子、描眉、检查粉刺什么的，除此以外对镜子不怎么在意，他们可归入"不爱照镜子"的一类。有些人却对镜子多了一份敏感，甚至眷恋。邵燕祥在《沉船》一书里详尽记述了他在1958年被打入另册的经过，其中有一段写到他在宿舍里伏案写检查写累了，便坐在穿衣镜对面一张软椅里，看着镜里不是自己的自己："这是我的脸，看不出是疲惫不堪，还是精神振作，但是并不衰老，头发黑蓬蓬的。我望着镜子，想要笑一下，哪怕是苦笑，却笑不出来，脸部的肌肉怠工。然而脑神经没有怠工，这时候不知从哪一道沟回传导来一句古老的信号：'好头颅，谁当砍之！'"写这些文字时，已是在事发二十三年后，但他脑中的那道沟回显然仍很康健，丝毫没有损毁。

我年轻时，虽积极争取，却迟迟未能加入共青团，那是因为被指出有"个人主义思想"，对此我是认头的，可我为另一位同学抱不平，她的不能入团，据指出最严重的缺点是"爱照镜子"！我不仅心怀不平，还"不平则鸣"，在"团课学习小组"活动里发言说：罗马尼亚有首民歌《照镜子》，电台里广播过的；说着我还哼了几句："妈妈她到林里去了，我在家里闷得发慌；墙上镜子请你下来，仔细照照我的模样……"几个同学笑了起来，主持活动者却厉声宣布说："这是黄色歌曲！爱照镜子的人，是极端个人主义者！"结果那被指斥为"爱照镜子"的女同学哭了起来。唉，我帮了她多大的一个倒忙呀！

据一位美国社会学家的抽样调查，在大百货公司入口处的大镜子前，路过的人流中有百分之六十几会主动自觉地照一下镜子，这些人里面边走边照（或放慢脚步）的多于驻足的，而驻足照镜者里，男性比女性为多，而且多出约三分之一！那驻足照镜者在镜前停留的时间一般都很短暂，平均也就三秒钟，但那三秒钟里会有很微妙的肢体语言，或稍微变换一下脸部、肩部角度，或掠一下发丝，或弹一下西服领子，或拈去衣上一根飞毛……尽管照镜者大多绝非美男帅哥，甚至多半是中年已开始发胖的男子，但他们在照镜的一瞬间里，体现出毫不掩饰的自我欣赏，这是他们对生活、对自己，基本满意的一种心态的外化。由此看来，俗世凡人能顾影自赏，是太平盛世的标志之一。像邵燕祥1958年宿舍照穿衣镜的那种情况心情，以及因"爱照镜子"而被批判排斥的种种事情，在一个越来越正常而健康的太平世道里，是应该不复再现的。

在汉语的语境里，照镜子还是一种非同小可的比喻，即"借鉴"。这里不把话题扩大到那样的范畴。爱照镜子的邵燕祥——这并非无端给他"恶谥"，我1997年有《镜前邵燕祥》一文详加揭橥，此不赘述——在1995年所出的随笔集序里说得好："文字有写给别人看的，有写给自己看的，这后者或是跟自己对话，或只是录以备忘而已。"写给自己看的文字，自己有时翻出来看，也是一种照镜子，但这应该不同于翻看老照片，所看到的，应该是从以往存活到这一瞬间的自己，面对镜子里的影像，既看到过去，也可想见将来，但此时此刻的我，应是最有存活理由的，顾影自赏的最大意义，也就是在人生之旅中，对自己基本满意，从而鼓励自己在那剩下的路途上，再以尊严、劳作、哀乐、澄明，留下坚实的足印。

2001.2.17 温榆斋

格子布

荧屏上是一个被采访的人物在说话，他的脸部被故意以格子布式的方式加以遮蔽，这种镜头前几年刚出现时，有的电视观众以为是自家电视机出了毛病，不能准确地显现图像了，现在当然连小孩子也懂得，这是电视台为保护被采访者权益的一种措施。有的被采访者不仅面容变成了格子布，据说声音也经过处理，想通过那镜头辨认出其庐山真面目加以对付的可能性被减至最低程度。这种格子布面目的人物，多半是正面的投诉者或旁证者，但有时也可能是犯罪嫌疑人，他们的出现，意味着"确有其人"，以加深观众对电视报道真实性的信任。格子布的处理方式，也从一个侧面，证明着我们社会的长足进步——尊重人的观念，既体现在保护守法公民的投诉权、揭发权、旁证权上，也体现在保证犯罪嫌疑人有陈述权、自辩权并不受人格侮辱上。荧屏上的格子布是一块文明布。

从电视上的国际新闻里，有时能看到关于美国某桩案件审判的报道，从我们所引用的美国电视镜头，所看到的往往是一幅法庭审判的示意图，并不出现庭审的真正场面。按说美国是最商业化的国家，其影视剧里暴力场面层出不穷，许多剧里会有大段的法庭审案判决场景，怎么到了报道真的案件，庭审时就不能进去拍摄？拍摄那样的"法制节目"，岂不是很好的卖点？最会卖东西的美国人怎么不卖庭审实况？如果说整个庭审过程太冗长不便——展示，那么，最后的判决场面，特别是犯罪嫌疑人被终于证明为真凶，那宣判时的一幕及被押下去的一景，怎么也不卖呢？按目前一些中国人的思路，那样来劲的镜头既能增加对观众的刺激，又能为电视台带动不少广告，何乐而不为？美国人办事的规矩有些实在不能恭维，但像开庭审判不允许电视台拍摄镜头这样的规矩，我以为是值得说上几句好话的。虽说是"人生如戏"，有"舞台小天地，天地大舞台"之说，但人类社会的有些事情，还是不能一律加以公开展示，特别是戏剧化地展示的。现在我们的电影摄影机和电视摄像机的镜头，即使用来对准真实场面，以供报道之用，也往往还是容易拍得像戏一样，甚至拍摄的动机，就是追求"戏剧性卖点"，比如有的纪实性法制节目，摄像机镜头跟着刑警队一起，刑警们的面目展示得一清二楚，这无形中就构成了泄密，使暗藏的犯罪者或潜在的犯罪者有据之采取对策，乃至筹划报复的可能；而对犯罪者被捕以及被击毙的暴力展示，任你怎么说是对观众有教育作用，其心理与观念上的负面效应，尤其对青少年而言，也是不可推诿的。在我们的电视节目里，甚至连比如高考这样的新闻报道，有时也采用了戏剧化手段，镜头里细致"描写"有关部门负责人如何亲临考场，在已经开始答卷的考生座位前亲切地逡巡视察，而摄像师有时还要把镜头推成大特写，如表现某考生持笔的手如何在考卷上移动。这样的"戏剧化报道"所求得的"生动性"有何意义？被视察拍摄的考生在干扰下派生出的心理紧张、情绪紊乱所造成的损失，很可能是难以挽回的；考生的权益凭什么要为某些"有关负责人"树立"勤政"形象而牺牲？

但是我们的荧屏上毕竟有了格子布。而且，对于警事报道方式，有的传媒也在设法把握更合宜的尺度，警匪题材的电视剧在数量过多惹得观众厌烦的情况下，也在努力超越"暴力卖点"去寻求精深的心灵探究。最近从报上看到一条消息，说某市有关部门已经明确规定，今后对包括高考在内的所有考试的报道，摄像机都不得进入考场，文字记者也好"有关负责人"也好都不得进入考场。这消息令人欣慰，切盼这样文明的观念和措施能推广到全国。

该遮蔽的遮蔽，该模糊的模糊，该淡化的淡化，该简约的简约，学会在各个相关的方面使用格子布，最后凸现的，是真正的人文情怀。

笑脸与怒脸

　　偶然看到中央电视台一个谈话节目，是把金庸先生请到现场，当着他的面讨论他的武侠小说，在场的除了一批"金迷"，还有教授、学者、评论家。这台节目的"游戏规则"，是每人发一个纸牌，纸牌一面是张笑脸，另一面是张怒脸——金庸先生自己也领到纸牌，只不过他所持的制作得比较大而特别——主持人时时向所有在场者提出是非问题，然后先命令举牌，举笑脸表示"是"，举怒脸表示"非"。记得当中有一个比较尖锐的问题是：有人指出金庸先生的武侠小说对读者的负面影响较大，你是同意还是不同意？话声刚落，怒脸如林，有的还把怒脸加以晃动表示强调；举笑脸的，这时成了极少数。主持人于是请一位举笑脸的评论家发言，他的发言大意，是说武侠小说宣扬的那些东西早在五四运动时期就被批判过了……刚说了没几句，就被一片嘘声打断，也许在录制现场他还是力排众议把自己的观点讲完了，但在剪辑好的节目里，他对武侠小说的否定性评价只构成了一派肯定（当然肯定的程度各有差异）性评价中的一朵小小的陪衬性浪花。

　　这很有趣，也耐人寻味。在电视台的这场谈话游戏里，一是有个通过主持人和最终剪辑所体现出的"权威意志"，一是有个通过现场里的多数表态所体现出的"群众意志"。

　　由此胡乱地联想到——人的联想有时容易胡乱，望谅——四十几年前的反胡风运动，发展到作家协会开大会批判表态，胡风是不是反革命分子？现场是有人举"怒脸"的（这当然是比喻），就是一位叫吕荧的美学家，他站起来发言说，他认为胡风还不能算反革命，话没说完，就被一片谴责声轰下台去了，开完会不久，他也就被送进监狱了。若设想，当场有更多的作家，都不软弱，一个接一个地站起来挺直腰板发言，都"举怒脸"，表"胡风不是反革命"的态，那么，是不是胡风也就果然不至于定为反革命，历史也就因此改写，"中国作家软骨头"的"集体照"也就不至于留耻人间？联想的结果，是不可能。一是胡风是否反革命，已由权威意志先行判定，不会因任何"怒脸"的异动而加以改变；二是被请到现场批判表态的作家里，或出于真心或出于畏惧而愿举"笑脸"的，肯定是绝大多数，在组织者来说，甚至预测为百分之百，吕荧的"斜刺里杀出"，实在令他们震惊，绝非是需要一朵陪衬性浪花而诱导出来的。确认胡风不是反革命的，除了吕荧，肯定还有，但那时或者不能被容纳进如此公开的场合，或者找不到愿意公布他们意见的公开传媒，更何况你认为胡风不是反革命的同时你也就一定被判定为反革命，所以，由有组织的多数的"群众意志"所构成的汪洋大海，也就必定把你淹没。1957年，北京大学、清华大学都有青年学生或教师贴大字报、自印刊物，发表"胡风不是反革命"、"应公开审判"、"私人信件不能作为罪证"之类的言论，开始也颇有影响，但一到"工农兵说话"，问"这是为什么"，也就立刻陷于声讨的狂潮中，后来一律划为右派，堕入炼狱，直到二十年后，才重见天日。

上面的联想，当然是"拟于不伦"。回到观看关于金庸小说讨论的那个节目，另外的感想，就是现在的世道，确实是个商品社会，参加这样的节目，若是想正儿八经地发表点严肃的学术见解，很难。整个节目，其实是配合央视播出四十集的《笑傲江湖》，所作的一个大型的广告。当然，也是为电视机前多半是嗑着瓜子的观众，提供一种轻松有趣的文化消费。我个人对金庸先生的武侠小说是持基本肯定的态度的，也曾出席过在美国科罗拉多大学举行的专题学术研讨会，还向会议提供过有几十个脚注的关于《鹿鼎记》中韦小宝形象的论文。但是我知道，即使是那样的自由发言提问的学术研讨会，也不可能让与主办者初衷截然相反的人士蜂拥参加，从而以一个接一个站出来"怒脸"说"不"，改写会议的历史记录。

电视里的这种谈话节目，游戏性、娱乐性第一，主持人问出一个"你赞成还是反对"的是非题，让举牌，如果我也参加，那我会放弃举牌，因为学术问题，焉能以如此简单的方式表态？但我也理解若干学术界人士参加这种节目，并在其中参与举牌的心态。毕竟，这样的活动绝无意识形态的压力，更不存在发完言表完态被戴上"帽子"扭送监狱之虞，出场的教授、学者、评论家都奉为嘉宾，录制时肯定可以畅所欲言，有的言论编辑时被剪掉那是无可奈何的事；播放后不管怎么说，增加了出镜率，作为"公众人物"的符码价值也就相应提升，心情想必还是愉快的。但如果有更年轻的人来问，为什么在场的知识分子都那样软弱，对五四运动时早被批判过的"武侠文化"不能一个接一个地站出来表否定的态？又设想，如果场内场外都有硬骨头的知识分子坚持"反潮流"，那么，我们所经历的这一段文化流程，将来在史书上不就会记载为另外的更纯净的文本吗？

在上述节目里，另一位举"笑脸"（就是同意"金庸先生的武侠小说负面影响较大"的判断）的，是个女学生，"物以稀为贵"，主持人立刻欢迎她发言，谁曾想她也是"怒脸派"，之所以举"笑脸"，为的就是能有次发言机会！这位"金迷"的发言内容被剪掉，但她那狡狯的伎俩却被刻意保留在了节目里。这个细节引出了我更多的胡乱联想，不过，就不再把那些思绪写出来了。

2001.4.16 绿叶居

入

你怎样脱恤衫?

　　两个华裔少年站在游泳池边，朋友让我猜，他们哪个在美国长大，哪个在中国长大？我仔细观察，两个人都很健壮，头发是一样的时髦样式——板寸，最前面的一些发丝故意保留得很长，而且染成了棕红色——两个人都穿好了泳裤，只是上身的套头恤衫还没脱下……正迟疑间，他们笑嘻嘻地脱衣服，呀，我猜出来了，朋友说我猜得对，我为什么猜对了？

　　我说，那个把套头恤衫像剥皮般脱下，具体而言，是双手先揪住恤衫下摆，把它翻掀过头的那位，一定是在中国长大的；而那个把套头恤衫像蜕皮般脱下，具体而言，是双手先揪住领口，把它提过头顶，再露出整个上半身的，则一定是在美国长大的。

　　也不仅是少年，包括少女，以至所有的能自己脱恤衫的儿童和成年男女，凡中国人几乎都是剥皮般脱法，凡美国人几乎都是蜕皮式脱法。在这微小的细节里，不同的社会族群显示出迥异的生活习惯。这种习惯是自然形成的，顽固的，难以改变的。美国的成年人不会特别去教他们的儿童提起领口脱恤衫，中国成年人也不会特别去提醒自己的孩子必须抓住恤衫下摆翻转脱衣。人们打小看熟了别人如何脱衣服，无师自通。那么，最早的中国人，最早的美国白人移民的祖先，是怎么形成各自的脱套头衫习惯的？不知有没有研究服饰和习俗的专家能来准确地解答这个问题。

朋友说，他以为美国人那样脱恤衫，是因为潜意识里，觉得恤衫正面接触过外界，不如里面那样清洁，为避免在脱衣时嘴鼻触及被污染过的正面，故而用那样的脱法。我反问道，难道中国人是卫生意识差，才总让嘴鼻接触恤衫外表么？穿过的，尤其是让汗水浸透过的恤衫，里外的清洁度实在差别有限，以此来扬美抑中，恐怕是牵强附会。朋友赶忙说，这样解释，其实是扬中抑美呢，说明中国人身体的抵抗力即免疫力强。我说还是要另辟新解才能服人。

朋友说，如今世界一体化，比如麦当劳快餐店，北京的和纽约的，走进去简直一模一样，有时候坐在那里面嚼着巨无霸汉堡，真不知究竟身在何处。我说这只是就大体而言，其实，至少到目前为止，有两个细节还是明显地存在差异。一是北京的麦当劳里，餐巾纸是由服务员在配餐时放在托盘里，往往只给一两张，而纽约的麦当劳里，餐巾纸是卡在一只大匣子里，随便取用的，用多用少随意，反正不等顾客取尽，店方总会及时地往匣子里补充。二是北京的麦当劳，顾客吃完了废弃物可以扔在托盘内外，由清洁工来收拾残局，而纽约去麦当劳吃东西的顾客，吃完了一定会把所有该扔掉的东西都搁在托盘里，然后自己端起来，去到一个有活动门的垃圾箱边，用托盘顶端顶开那活动门，把盘中东西抖掉，然后再把托盘搁到顶上或旁边的指定位置上。朋友说你这回可是抑中扬美了。北京那样发放餐巾纸，是怕采取自取的方式，有的顾客会大把抓出，浪费使用，甚至干脆拿走吧？而不能自觉地收拾残局，把清理桌面的事情交给清洁工，这恐怕只能说是卫生意识和自助习惯的欠缺吧？我说你这分析也不全对。据我所知，北京在这两个细节上也曾采取过纽约模式，但是行不通；即使是不想浪费餐巾纸，以及不想懒惰的顾客，最后也认同了餐巾纸配给与由清洁工收拾残局的措施；这里面不一定有那么多的该扬或该抑的因素，更关键的，是北京人这个群体长期所形成的思维定式与生活习俗在起作用。

在餐厅里，那两个华裔少年坐在一处吃东西。他们吃的是中餐，有道菜是蒜香排骨。他们都能熟练地使用筷子。这回是我问朋友，该根据什么细节来判断他们各自在什么地方长大？他笑道，那个把排骨两端拿在手里，用嘴去啃的，是美国长大的；而那个坚持用筷子对付排骨的，则是在中国长大的。我又问，吃带骨头的东西时，直接用手，这习惯是否意味着卫生习惯差？朋友笑了，说这就如同把恤衫翻转脱下一样，很难加以褒贬；我也笑了。

生活方式上的世界一体化，进程很快，在这种情势下，自己民族那些群体无意识的独特之处，是否应有意识地加以指认、继承呢？尤其肢体语言里的一些生动细节，不知道会不会有人下工夫编出一部有关的辞书来？

一束菊色光

朋友来电话，说在书店看到我一本新书，我马上表示会送他一本，他说："我已经买了，而且读了一半。我很惊讶，你怎么会人不知鬼不觉地写出了这样一本书？"那是一本关于中国十八世纪著名长篇小说《红楼梦》的学术著作，可是，它与一般的学术著作不同——它在表达我对《红楼梦》一书的未能流传下来的那些部分的探佚时，不仅采用了论文的形式，还利用了小说的形式，不管你是不是赞赏我的这本书，反正，如这位朋友一样，你总会认为这是一件很不容易做成的事情。很不容易做成的事，看上去却似乎得来不费工夫；严格的科学论证，却以趣味盎然的小说形式加以表达，构成了一件艺术品。最近电视台就这本书来采访我，采访者环顾着我那明亮整洁的书房说："啊，你的书就是在这里写成的。"我拿出几张照片给他们看，照片是我写这本书期间拍摄的，他们一看，下巴好久合不拢——原来，那期间我的书房凌乱不堪，不仅书架上的许多书被查阅翻看，弄得到处都是，而且还有临时借来的种种资料，连窗台上都摆满了。我告诉他们，其实，在这本书的封面下，还有着更多的书外故事，比如，来看我电脑的键盘，正是在撰写这本书的过程里，有若干个键由白色变成了灰色。一位采访者注意到，电脑桌上的可拉动台灯，罩子上有个部位留下了我的指痕印记，我说："那是我写作中常常调节灯光造成的。这个台灯罩，对于这本书来说，也是功臣之一。"

我的另一本新书，是一部大开本的建筑评论集。以小说家的身份，而又能跻身于建筑评论界，我很得意。但人们赞赏这本书，往往首先赞赏它的装帧设计。不止一个人说："啊，这封套太棒了！是黑、白、灰三色——所有颜色里最雅致最高贵的颜色！用单色制版，原来也能出这么好的效果啊！"这些人对效果的赞叹是正确的，对制版的猜测则是错误的——这表面看来简单朴素的封套，恰恰运用了非常先进的多色制版工艺，里面有着许多没在书上署名的人，以及许多被大的堂皇的东西遮蔽住的，小而琐屑的，沉默着的事物，起到了不可或缺的作用。这本书里面的版式设计也很成功——每一页上都有不同方位的"留白"，就是版心上除了文字和图片，还相当"浪费"地出现了一定的空白。中国古典绘画理论里有一种说法："计白当黑"，就是高明的画家会通过他刻意在画幅上留下的空白，去唤起观赏者丰富的想象力，以至他那没画出来的比画出来的甚至更令人觉得精彩。我的这本建筑评论集的版式设计者，在"留白"上正取得了这样的审美效果。开头连我也以为，他做到这一点并不难，只要有了"留白"的设计灵感，在版式纸上拿铅笔画画线条不就行了吗？后来我看到他留下的厚厚一摞版式纸，才知道几乎对每一页上"留白"大小、方位的设计，都要经过在十来张版式纸上的推敲，才能做出最后的决定。为此他画秃了许多铅笔。他工作台上的笔筒里，那些秃了头的铅笔，每一支都能讲述出一个故事吧？笔筒边，是一个银色的相框，里面是他母亲的照片，在四十年前，几乎每一个看过电影的中国人都认得那位有着动人微笑的妇女——她不是仅靠容貌，被潮流托起的明星，而是一位演技高超的电影艺术家；她虽然已经去世多年，但她把其艺术修养渗透到了儿子的灵魂里，当我翻看自己的这本建筑评论集，为能有那么好的版式设计而庆幸时，我在他儿子所留下的那些空白里，仿佛看到了她的微笑，那微笑里氤氲出高贵而典雅的气质。

一位画家朋友画了一系列表现中国当代人的瞬间表情的油画，人们在观看他的这一系列作品时，大都会有胸口被猛烈地撞击了一下的感受。我个人并不是太喜欢他的那些架上画，可是有一回，他用许多的摄影资料、大大小小的草图，以及那些在修改画幅的过程里，被他无数次刮掉的油彩、被他割破乃至废弃掉的画布，还有被他用坏的画笔、钝掉的刮刀、挤空的油彩锡管，等等东西，搞了一个装置艺术，面对那一片仿佛在喁喁低语的，具有独立生命的物品，我才恍然大悟——原来，他那些被许多画廊作为艺术杰作争相收藏的画幅上，仿佛随手拈来的面部表情，背后有着那么坚实而丰富的支撑！"灵感是一个方面，但还有往往被许多人忽略的，另一个方面，就是在貌似简洁、拙朴的艺术品里，实际上蕴涵着许多幕后的无名英雄。"画家这样对我说。

画家的女友是位影视明星。我称赞她在最近一部电视剧里的演出，她说："谢谢。不过，我自己还没看过。"像她这样的红星，忙着拍新的戏，不能及时观看播映的影视成品，是常有的事。我说她跳崖那场戏很精彩，她笑着告诉我，其实除了特写镜头，那场戏完全是由替身演员演的。我不由得联想到池塘里的睡莲，那些美丽的莲花莲叶下面，有着隐藏的根须。

我被邀请去观看一出歌剧的首演。因为此前我已经看过一次彩排，所以我只有捧场的心情，而不指望能有什么新的审美收获。可是这场演出却给了我一种享受到完美事物的特殊惊喜。难道这仅仅是因为它不是彩排而是一场正式演出？散场后我到后台找导演祝贺，他告诉我，与彩排不同的，仅仅是改变了背景里一束灯光的颜色，原来那束光是橘色的，而正式演出时改为了菊色，在中文里"橘""菊"同音，这两种颜色在不大讲究微妙差别的人眼里心里似乎只是一个偏红并且深点一个偏黄并且浅点罢了，但对于一个讲究高品位审美境界的人来说，菊黄色是一种不仅区别于橘色（无论是橘红色或橘黄色），而且也区别于任何其他黄色的，独一无二的色调，放在这出歌剧里，特别能营造出至尊华贵的氛围。导演带我到舞台侧面去看那些复杂的灯光设备，并告诉我为了取得所需要的菊色效果调换过多少灯泡与玻璃色片。我心中久久地储留着那束菊色光。

空嫂·门叔·男秘

最近乘飞机，发现航班上为旅客送餐服务的不仅有空姐，还有空哥与空嫂，很是欣慰。空中服务这一行业，最早由青春靓丽的女性垄断，当然事出有因，不说自明。但随着航空旅行的普及，航空公司与旅客双方都逐渐认识到，由单一的性别、年龄层与娇俏度构成的服务队伍，已不能适应各种复杂的情况与要求。比如有的男性旅客有些特别的身体状态出现，对空姐求援会有心理障碍，必得空哥来听取、帮助，才能迅捷妥善解决问题。有的女性旅客在身材容貌上存在缺陷，她们会因为置身在清一色的窈窕美女目光下而心生不快，因此适当配置些身材容貌一般与年龄较大的女服务员，只要服务态度好，这些女士会格外感到旅途愉快。

星级饭店的大门外风雨廊下，给来客汽车开门迎接问候的，一般都称门童，由清一色的二十啷当岁的男孩担任，这些男孩一旦长大特别是结了婚，也就不再干这营生，这似乎成了钢浇铁铸的行业规定。但近来有的星级饭店别出心裁，雇佣年龄在五十上下的男士充当门叔，没想到顾客反应意外地好，认为这些门叔蔼然可亲，落落大方，做事能注重细节，服务上令人备感亲切周到。有的饭店更选用了若干身体健康的近花甲男士来司此职，那就简直是门伯甚至门爷了，但反应也都很好。

在无数的电影和电视剧里，都有董事长或总经理女秘书的角色出现，那确实是现实生活的真实写照。为什么那样的秘书必得是年轻摩登的女士？在影视里，我们往往会看到董事长或总经理与女秘书产生的情爱或性爱的情节,生活里的董事长或总经理不雇男秘而雇女秘,总不会是出于这方面的考虑吧?这个行业的规则是怎么约定俗成的?如今女秘书已经被俗众习称之为"小蜜",难道这风俗就该颠扑不破?我曾问过一位老总,他说亏我问得出来,他就从来不曾想到过坐在他办公室门外的秘书也可以不是女的;又笑说如果他雇个男的,人家会不会又以为他有同性恋倾向?依我想来,办公室秘书不必具有花瓶的装饰性质,所以不但不必一定雇用美女,更不必考虑靓男,只要能胜任那份工作,就是雇个相貌平庸的中年男子也无妨。

在目前中国大陆,高级科研管理人才紧缺,但一般的人力资源不仅丰富,而且有些个过剩。因此,在人力资源的利用调配上,为创造更多的就业机会计,应该对各种行业的人才选择范畴加以展拓,不仅可以既有空姐也有空嫂、既有门童也有门叔、既有女秘也有男秘……而且,也可以反向思维,像传达、仓守、厕工、车管等工种,也未必就一定要找退休的老头儿去承担,社会上也会有一些因为这样那样的原因,学历低竞争力差或性格比较特殊的中青年,既适合这类工作,自己也愿意去做。如今世界经济文化的发展,使得各种行业特别是直接性的服务行业愈加注意人性化,也就是要更细致精确地满足不同消费者的有时是很个性化的需求,这就为雇用方与求职方都提供了更多样的可能性。在两厢情愿的前提下,打破所谓的就业常规,雇主不拘一格录用求职者,唯胜任是择;求职者去掉虚荣浮躁,谋取切实可任的职务以获酬劳;这样,最后受益的将是所有的消费者,而整个社会,也就会增添更多的色彩,更稳定也更祥和。

阔口筐与男士帕

　　一位记者电话采访我，问如何借北京申办 2008 年奥运会成功的契机，提升北京作为国际大都会的文明程度。我说需要努力的方面很多，其中先提两点，就是市民必须改掉两个坏毛病，一是随手乱扔垃圾，一是随地啐痰。后来把对我的采访刊登了出来，却只剩下一些泛泛之论，偏把我提的这两条具体的意见略去了。略去的原因，我想可能是因为觉得我提的问题太"小儿科"，或者觉得是老生常谈，了无新意吧。但我因为爱北京心切，所以还是要固执地说说这两回事，于是正襟危坐，提笔疾书。

　　说"北京市民必须改掉两个坏毛病"，你可能要跟我抬杠：难道北京所有市民都有那样的坏毛病吗？当然，不乱扔垃圾和不随地啐痰的北京市民很多，但是，乱扔垃圾和随地啐痰的北京市民，包括固有市民和临时市民，到目前为止，实在是随处可见。比如我所居住的北护城河，尽管有关部门花了很大力气来改进水质、绿化两岸，还经常出动小船，由工人用捞网清除河中漂浮物，但每天就是有不少人硬要往里头扔雪糕纸、可乐杯、一次性饭盒之类的东西，到了冬天，河面结了冰，那些随手掷下的垃圾冻在那里，沉不下也清不走，望之令人作呕，却又无可奈何。再比如我往郊区书房，所经过的机场辅路两边绿化得非常之好，应该说完全达到了国际水平，但无论何时经过那漫长的绿化带，靠路边的绿地上总是迤迤逦逦地抛弃着塑料袋、废纸、食品外包装等大大小小的垃圾，如果不是有许多市民具有乱抛垃圾的恶习，即使有少数人想恶意破坏，去造成那样的后果，恐怕也非易事——那实在构成了一项庞大的"工程"。我想读到这篇文章的人士自己一定还可以举出更多的事例。至于随地啐痰，看看公共通道上痰迹之多，问问清洁工除垢之苦，已该痛心，而在公共场所的人群里会随时听见旁边有人喉咙一响，随之"口喷莲花"，那就更是惊心动魄。特别是，有的人还喜欢从行驶的汽车朝窗外抛垃圾和啐痰——有时也不是痰，而是口水；就乱扔垃圾与随处啐痰而言，恨铁不成钢地喊一声"丑陋的北京人"，当不为过。

如今一提解决城市文明习惯问题，开出的药方总不外"综合治理"，我这里且不去综合，只就上述两项丑陋恶习，提出两项最简单最实际的解决方案。一是垃圾桶的设置，现在北京市的垃圾桶或者华而不实，或者过分秀气，布局更不甚合理，许多市民反映，手里的废弃物找不到近便的垃圾桶可扔，好不容易寻到垃圾桶，又或者进口太小太偏，难以准确投入，或者早已"客满"，只能扔在外围；我以为，现在有的地方设置一些与西方发达国家完全一样的分类垃圾桶固然必要，但更大量需要设置的，是符合当前中国国情的阔口垃圾筐；考虑到当下的北京还有若干颟顸人把金属垃圾桶偷去砸烂卖废铁换钱，莫若大量布置用竹皮编就的阔口筐，特别是像上面提到的护城河边、机场辅路绿化带等地，倘若连那样的阔口筐也还是不能解决问题，那就真应该认真考虑考虑新加坡以鞭刑对付破坏环境卫生的治城经验了！说到啐痰吐口水，我最反对痰盂的设置，鲁迅先生早在1924年写成的《论照相之类》里就写到，旧时中国人照相所照多是全身，"旁边一张大茶几，……几下一个痰盂，以表明这人的支气管中有许多的痰，总须陆续吐出"，是因为中国人（或缩小范围讨论，只限北京人）所生存的空间里空气污染太甚，还是因为体质遗传上有"许多痰总需陆续吐出"的基因？且不寻根究底地治本，先来切切实实地治标——啐痰入盂会因痰液蒸发而造成病菌扩散，喉咙痒了有痰或口水还是先以自己的手帕和纸巾承接为好。时下手帕快要绝迹，而市面上所售纸巾多是比较秀气的尺幅样式，适合女用，所以应该赶快恢复手帕的生产销售，并根据中国男士的特点生产一些尺幅大、韧性强、吸湿快的男式纸帕。

2000年曾到伦敦一游，遇上一群奇装异服、鸡冠发、花面孔的"朋克"在公园里聚会，觉得跟他们真是格格不入。但发现他们聚会结束，个个手里拿着些废弃物，满世界转悠着找垃圾桶，那种不见垃圾桶誓不罢休的神情，却又使我感动。我可不是盲目地崇洋媚外，但我得说，至少在目前我们得培养跟伦敦那些"朋克"一样的耻感——做任何污染环境的事都是万分可耻的。现在我写这篇文章，是因为兹事体大；到2008年，有谁偶尔读到这篇文章，会哑然失笑，"亏他好意思写这些ABC"，那就好了！

再给妈咪看那件衫

　　暑期为一本书签约事短期赴港,住在弥顿道新乐酒店,出酒店往南不远就是九龙公园,公园门外有著名的佰丽购物走廊,一字排开着若干中档服装精品店,因为去香港次数多了,加以对购物了无兴致,所以那天经过时脚步匆匆,目不斜视。就在我刚要把那段路走完时,迎面遇上了三个游人,看模样是两位中年夫妇和他们的儿子,那儿子透着营养充足,该是高中生吧,虽说人高马大,满脸却溢出稚气。本来我们可以擦身而过,那父亲却突然站住,问儿子:"还去那家店做什么?"儿子以一个强烈的肢体语言带出一句话来:"再给妈咪看看那件衫啊!"于是母亲脸上放出光来。这短暂的场景被我无意中撞见。我暂停数秒后,绕过他们往前走,没有回头,却久久回味着这熙攘人世中最平凡的一幕。

　　那家游客来自大陆南方何省?反正,是所谓的小资产阶级家庭吧。大概是,他们兴致勃勃地逛过了许多商店以后,货比三家,最后,那儿子觉得还是该促进母亲返回佰丽廊的某家专卖店,把那件非常中意却当时嫌贵的华衫买下。这种小资产阶级的思维、做派、情调,是否太庸俗、琐屑、渺小?本来,他们自己一家人之间,有这些微渺的情愫表露,是很自然的,但被我这么个冷眼人从旁看到听见,仿佛不仅窥视了别家的钥匙孔,还要把那锁孔里的情景显微放映,即使他们自己不难为情,我也为他们难为情。

　　记得以前读过叶圣陶的一篇小说《潘先生在难中》,具体情节忘光了,其深刻的思想内涵也不能复述，只是留下个印象，那潘先生的小资产阶级做派，非常地卑微，令读者为他难为情。现在不是"潘先生在难中"，而是"潘先生在福中"，他和妻子儿子，一起利用暑假游香港。香港的零售业是否有些萎缩？其"购物天堂"的地位是否仍旧稳固？如何使香港持续繁荣？……还有一些更其严肃宏大的话题，但"潘先生"一家却没进入那些话题，他们只是享受着当下，逛街，观光，购物，下饭馆……以至于那位"小潘"当街摇晃着已经发育得很足的身子，顿脚撒娇说："再给妈咪看看那件衫啊！"

从上世纪五十年代开始，我就一直受到严格的批判小资产阶级情调的教育。记得上中学的时候，每逢暑假，我所在的那个班级的班干部总是要发动全班同学搞活动，不是集中在教室学政治，就是到工地义务劳动，要么就搞军事游戏，这些活动当然很有意义，我也尽量积极参加，但是，暑假毕竟是暑假呀，我姐姐在哈尔滨上大学，暑假回北京，我总想跟姐姐一起单独地玩玩，就是姐姐在家里用缝纫机给她自己轧布拉吉（苏式连衣裙），我守在一旁说笑，也觉得特别惬意。有几回我就没参加那说是"自愿参加"的集体活动，留在家里跟姐姐玩，结果就被某班干部猛批："典型的小资产阶级情调！你是要姐姐还是要革命？"我心想姐姐和革命我都要，不行么？

革命不是要让人死，而是要让人活；不是要让人活得难受，而是要让人活得舒服；革命不是要轻视生产蔑视消费，而是要发展生产促进消费。如今革命的代名词是改革开放，在其途程中，巨富应当受到抑制，贫困应当逐步解脱，而小资产阶级的"潘先生"，亦即有一份稳定的工作、有牢靠的医疗与养老保险、有不可随意侵犯的休假期，比如说暑期就举家到香港旅游购物，而其没有过饥饿记忆的儿子会对母亲买一件价值不菲的衣衫大表孝心，那样的社会族群，应该得到扩展，他们的思维与情感应该得到充分尊重、理解，包括他们那看似卑微的哀乐，那溶解在日常存在之中的琐屑的人生乐趣。

说到底，究竟谁该感到难为情？究竟应该为什么感到难为情？从香港回到北京，我有时还在回味佰丽购物廊前的一幕，还在往深里思索。

提高足球"含歌量"

　　足球作为一种人类文化形态,"看台文化"是其中很重要的组成部分。当然,"看台文化"仅是"球迷文化"的一个组成部分,宽泛的"球迷文化"所涉及的空间和形式不限于"看台",但"看台"毕竟是其中最重要的载体。我在1985年的"5·19事件"(中国足球队败于香港队,赛后一些球迷有过激行为)后,迅疾写出并发表了一篇纪实性文学作品《5·19长镜头》,事隔十几年,仍有人记得,为什么? 也未必是我那文章写得有多么好,我想它的长处,无非是把对足球文化的探讨,从绿茵场内延伸到了看台乃至看台以外,把中国球迷们,特别是年轻一代球迷,他们在整个中国的体育运动从"友谊第一,比赛第二"转型于"冲出亚洲,走向世界"的历史阶段初期,那特有的心态,作了一次个案研究,并由个案推衍出对某些球迷群体心理状态的分析,吁请理解与宽容,如此而已。

　　世界球迷们已在看台上创造出了可以说是非常绚烂的"看台文化"。从"扮相"上说,从奇装异服到将国旗或别的什么具有标志性的符号用油彩涂画在身体的各种部位,那令人触目惊心的程度,可谓愈演愈烈;从"道具"上说,旗帜、号角、锣鼓、彩带、纸屑、花束、模拟人形、巨幅标语……林林总总,不一而足;从"肢体语言"上说,不仅球迷个体有种种千奇百怪的"句法",而且也有群体性的"篇章",如一波未平一波又起的"人浪滚滚";但看台上最有震撼力的,还是声音,有呐喊声、鸣奏声、鼓掌声、擂击声……往往达于极端的"鼎沸"状态。

世界球迷们的"文化交流",似乎非常地自觉,也非常地通畅,比如用油彩在脸上涂抹出"拥己吓彼"的刺目图案,"5·19事件"时的中国球迷,似乎那样做的还是零;再比如在看台上掀起一波又一波的"人浪",那时也不会;而现在中国球迷们无论是在观看国际性比赛还是国内甲A、甲B的比赛时,在看台上都很善于这一套了,似乎世界足球的"看台文化"也已"全球一体化"了。但毕竟中国球迷有着自己独特的语言,因此,当口中喊出具有意义的声音时,便充分体现出了"中国特色",这特色里不消说有许多好的东西,但是,无庸讳言,也有某些刺耳的污言秽语,如某些北京球迷情急时齐喊的"傻×"、"臭大粪"等等"国骂",这是"看台文化"中的糟粕,应予剔除。

剔除国人"看台文化"中的污言秽语,除了群策群力,编出若干健康而又能顺口溜出的好词儿,还有一个好办法,就是介绍乃至创造出能使大多数球迷乐于接受的"看台歌曲",特别是足球歌曲。我们都很熟悉从意大利球迷那里发源的"看台歌曲"《我们是冠军》,这首由J.德隆谱曲的歌唱的其实就是一句话:"噢来噢来噢来噢来,我们就是冠军就是冠军!"狂热的球迷们辅以肢体语言,反复高歌这个句子,可以达到最畅快的宣泄;这可以说是"看台文化"中的金曲魁首,我们中国球迷有时也实行"拿来主义",引吭高歌这一妙曲。

我想,我们的足球文化,特别是其中的"看台文化",实在应该大大地提高"含歌量"。《我们是冠军》那样的外国足球歌曲,固然无妨拿来运用,但更需要的是中国人自己谱写的原创歌曲,一旦传唱起来,庶几可以避免在看台上"急不择骂"。以高亢激越的曲调,健康文明的歌词,来丰富我们中国的"看台文化",哪位词曲作者能积极来做这桩有意义的雅事?有理由相信,"看台文化"中"含歌量"的提升,必将起到促进增进中国足球"含金量"的作用!你不信?咱们"走着听"!

给平凡以价值

　　1999 年好莱坞拍摄了一部《美国丽人》，"美国丽人"是美国一种常见的玫瑰花品种，那电影海报就突出着那样的一枝玫瑰花，影片里的玫瑰花，特别是飘飞与堆砌的玫瑰花瓣，有着多重的象征意义。这部影片给予了我很强的冲击力。所谓"美国生活方式"，曾是美国人引为自豪的，"冷战"时期，美国总统肯尼迪与苏联首脑赫鲁晓夫之间曾发生过著名的"厨房辩论"，美方的"杀手锏"，就是美国人大都拥有设备齐全的厨房，并有丰裕的食品，可以享受到幸福生活，苏联呢，虽说卫星上天、军备强大，一般老百姓的厨房里却"盘中羞涩"；赫鲁晓夫当时恼羞成怒，他怎么驳斥对方的，我已不记得，但我却记得自那以后，赫鲁晓夫也就把苏联所要实行的共产主义，定位于彼时所有人都可以在餐桌上享用一盘土豆烧牛肉，而这也成为了后来中苏两党论战中，中方狠批他搞修正主义的一大恶例，像我这样岁数的中国人，那时一提起"土豆烧牛肉"，就觉得是可耻的象征。到二十世纪末，美国人拍出了《美国丽人》，影片里表现的是典型的美国中产阶级家庭，他们有单栋的带草坪的住宅，家庭成员各有各的汽车，厨房里各种设备与食物一应俱全；影片里的一家人在雅致的餐厅里就餐时，在餐桌上摆放鲜花、点上蜡烛，还放送柔美的古典音乐，这虽并非每个中产阶级家庭的必有景象，却也绝非奇特罕见。但就是这部《美国丽人》，却无情地撕开了掩盖着那表面温柔富裕生活的面纱，把美国一般中产阶级人士生存的内在窘境与心理危机，予以锋利地解剖，狰狞凄厉地展现出来，真可谓惊心动魄，甚至是令人毛骨悚然。我看完这部影片的心得之一，就是对美国电影界人士能对世界上许多人仍艳羡不止的"美国生活方式"，持如此严峻的批判态度，大为佩服；该片在美国放映后好评如潮，票房奇佳，后来又在奥斯卡评奖活动中大获全胜，这是否证明着美国电影人以及观众们对自己的民族、社会，有着不怕揭丑、剖析的健康心理呢？

　　2000年初，报纸上一度刊登消息，说《美国丽人》将作为"大片"引进，在中国影院中正式公映，但后来所引进的年度十部"大片"里并没有它，是否负责引进审批的人士仔细研究后，觉得这部影片并不适宜向正"大步迈小康"的一般中国人推广？

　　的确，以中国目前一般情况而论，像《美国丽人》所表现的那种家庭的物质生活，应该是已经超出小康，而达于大富了。美、中两国国情不同，在美国，两口子只要其中一方有份稳定的工作，贷款买一栋两层楼带地下室和车库草坪的住宅，简直是"家常便饭"；当然，同样大小质量的这种住宅，在不同的地点价位会有甚至是很大的区别，我们这里且把诸如加州湾区、纽约长岛海滨地区那类地方的住宅排除在议论的范围以外，那么，眼界越来越开阔的中国人应该懂得了，以住房而论，那种单栋房子就是一般美国人居家的常态，也有住联体而单门进出的小楼的，也有单栋却不起楼而往平面上铺开的，有的房后有游泳池，有的草坪很大兼有高树花圃，但一般来说，虽有某些差别，其价位有所不同，但总体而言，都还是"小康人家"而已，与真正美国的大富人家的豪宅，如电影《保镖》、电视连续剧《豪门恩怨》里所呈现的那种景象相比，还得说是寒酸。

　　改革开放以前，一般中国人对一般美国人的生活状况不太了解，那时听说美国人住的小楼后面有游泳池，真觉得不可思议，以为是何其富贵。后来不少中国青年人到美国留学，读了学士读硕士再读博士，而且两个这样的男女结为伉俪，谋得了体面稳定的职业，于是也就贷款买了那样的洋房，双方的父母轮流去探亲时，发现那样的住法实在稀松平常，满眼皆然，房后的小游泳池也算不得什么富贵的象征；接着还会发现儿女那样的"高级打工仔"其实很苦，周一至周五要来回开两个小时甚至更多时间的车去城里公司，周六照例要闷睡以弥补透支的精、气、神，睡足后可能还得花不少的时间操起电动锄草机修理草坪，倘若未及时修剪草坪而呈现疯长状态，那社区邻里们是会予以谴责的，面子也就因此丢净，万不可等闲视之；周日则必须再开车到一处大的购物中心去采购一番，以充实业已开始空虚的厨房冰箱，及补充种种日常用品，而在那购物中心的餐馆里吃一次饭，便属难得的享受，点菜时"胆敢"点一客甜点，更是"放肆欢乐"，及至回到家中，往往又已筋疲力尽，房后的泳池，一年里难得使用几回，但池水却要破费安装蛇形电动吸秽器来保洁，这项开支又进一步督促他们到周一再去奋斗，唯一的盼头，也无非是年假，那时也无非像其他美国白领一样，钱少时自己开车去拉斯维加斯赌场一类场所"小试手气"，钱多时往欧洲等处一游，日复一日，年复一年，也就在此种"美国生活方式"中耗散掉各自的生命。

按说，已定居美国，并进入上面所描述的生活状态的中国血统人士，他们应该比《美国丽人》里的主人公有更多更深的心理危机，因为他们除了一般美国中产阶级的苦闷外，还无可避免地要遭遇种族与文化方面或显或隐的冲突，于是也有表现这种心路历程的影视作品出现，如美国华人拍摄的电影《喜福会》和中国大陆冯小刚执导的电视连续剧《北京人在纽约》等。但我就知道，因为美、中两国处在不同的发展阶段，一些已定居美国，并已稳定地跻身中产阶级阶层的，原中国大陆的人士，在回到中国大陆以后，就总觉得自己高人一等似的；明明在美国不过是一般人物，回到中国大陆却总摆出来自富国的"贵人"姿态。我就遭遇过生动的一例：某女士在美国留学后嫁给了一位美国教授（现已退休），她操持家政之余有兴致写些东西，一个偶然的机会，她得到了我的地址电话，于是从美国打来电话告诉我她即将回中国探亲，路过北京时要我把看过她作品后的意见告诉她，并将把她的作品打印稿以快邮方式寄到我家；我与她和她的丈夫素昧平生，也没得到我在美国的友人的举荐，这样一个电话过来，我感到突然，于是试图委婉拒绝，她那边却一声"北京见"把电话挂断了。大约一周后，某日午夜，我书桌上的电话忽然大响，一接电话，那边是一位女士报出姓名后劈头便说："我到了！我后天见你！"我吃了一惊，好一会儿才悟出她是谁。就算她看过我写的文章，知道我有深夜写作的习惯，这样地午夜来电，似欠礼貌，至少，接通电话后也该道声打搅吧，噫，她却没把我放在跟她平等的地位上，仿佛我按她的旅行计划帮她看稿提供意见属天经地义，如此倨傲，真令我大吃一惊。我们接下来的通话，双方语气上倒都不露棱角，那心理冲突却相当地尖锐：

"我在北京的时间很紧，明天一整天没工夫，后天晚上可以见你……"她这样宣布。

我心想，您怎么就不先打听一下，我哪天哪段时间有工夫呢？再说，我就是有工夫，凭什么就非得见您呢？

我正考虑如何回答她，她那边又兴冲冲地说："我后天晚上大概八点半回到住处（她住在一位亲友家里），你可以那时候来……"

我于是客气地回答她："对不起，我从不到陌生人家里去的。"

她显然没预料到会听见这样的答辞。稍停顿了一下，她客气地说："那……不要紧，我可以到你家里去。"

我又客气地回答她："对不起，我从不在家里接待陌生人。"

这肯定更令她吃惊，她问："咦，那你怎么把对我作品的意见讲给我听呢？"

我说："自从我不再当编辑，我就再不读任何人的未经发表的东西，无论是手稿还是打印稿，一来是忙，二来，因为我自己也写东西，看了别人未经发表的东西，自己发表出东西来，万一别人说取用了他的构思、细节什么的，解释不清……"

这当然是她更想不到的，她便说："那么，你收到了我的作品，难道就一点也没过目吗？"

我说："我并没有收到您寄来的作品。"

她说："咦，奇怪，我寄的是快邮，怎么你们中国的邮政这么耽误事儿？"

"你们中国"的说法在她来说也许非常自然，却令我大不快。我确实没收到，在没有确凿证据的情况下，怎么能断定不是美国方面而是中国方面耽误了那个邮件？

　　我们的通话可想而知是"不欢而散"。第二天中午起床后，我把这场通话学舌给妻子听，妻子说："这位女士看来就是这么种性格的人，人家请你看稿是看得起你，你何必作出那样的反应？"而就在那天中午，她寄的快邮恰好到了。

　　后来，那把我地址电话告诉她的人，见到我时告诉我，该女士之所以有这样的心态表现，是因为每次她回到家乡，那里的亲友都围着她转，这个想把儿子去认她个干妈，那个想求她出经济担保把女儿办往美国，个个都竭诚地愿为她效劳，争着陪她游览名胜古迹；听到她的住宅里有三个卫生间、两个汽车库，后院有凉亭泳池，无不啧啧称奇艳羡；她在这种氛围里浸润久了，把自己看得比留在中国大陆的人贵重，而无形中表现出优越感，凡事优先考虑自己需求方便，也就不足为奇。

　　这当然只是一个方面的例子。也有另外的例子。一位十五年前去美国，现在也定居那里，最近回来的朋友跟我说："没想到国内变化这么大！记得十年前回来，拿些在美国买来的化妆品送人，个个都高兴，显得很高级；这次又带了些回来，却简直拿不出手了，且不说在北京等处的大商厦一楼里，比这些品牌更高级的进口化妆品都能买到，就是合资的、国产的这类东西，也质量都很不错，满坑满谷不说，价钱也不贵！还有家用电器，我的印象，是比美国的还先进、还俏丽，而且便宜！一个普通的中国家庭，也在用影碟机看 VCD 光盘，这在美国却并非一般家庭的享受，像我们家和附近社区的家庭就都还在看录像带……"

　　中国大陆的经济在高速而稳定地持续增长，带动着一般中国人，特别是城市里，包括东部许多农村里的老百姓，物质生活水平不断地提升着。正当的物欲在朝满足的境界推进，横流的物欲也在恣肆地起泡沸腾。中国就要正式加入 WTO 了。这就引出了对跨国资本和全球一体化究竟是好还是坏的思考，当然，对此殚精竭虑的主要是人文学科的知识分子。

　　《美国丽人》那样的美国电影，大概是受到在美国大学里盛行的新左派理念的影响吧，它把建筑在因跨国资本的运作与全球一体化基础上而变成了人类"小康标本"的"美国生活方式"，亦即中产阶级的"雅皮"生活，给予了近乎毁灭性的批判。这是一种对当下世界经济发展与生活方式演进趋势的道义上的制衡。

但世界上的事情实在复杂。事情复杂，人心更复杂。事情往往是因地因时而异的，比如"土豆烧牛肉"，四十年前，"修正主义"曾作为"共产主义"的标志，反"修"防"修"者则以为是追求物质享受的可耻符号，事到如今，就我所定居的北京而言，那算得什么佳肴呢？无论是作为向往之物还是奢侈之物的符号，它都完全没有资格，只不过是最平凡的一道家常菜罢了。人心更往往是因地因时而异的，比如上面写到的那位女士，作为退休大学教授之妻，在美国过的也不过是一般中产阶级（而且还要偏下）的生活，但她将自己的物质生活水平与国内亲友相比，就觉得自己很不平凡。事情与人心如果大错位，那呈现的局面就更复杂。比如有的知识分子在中国大陆时观点颇右，但真到西方去待了下来，经受到种族、文化的冲撞，加以那边时髦的学问大都是新左派之类的左倾理论，观点也就左了起来，对跨国资本、全球一体化不说是恨之入骨，也是批判有加；更有中国西方两边跑的人士，那就更显得奇突，他被邀请到西方是跨国资本为背景的机构给的钱，以此从那边取了新左派之经，在中国宣传"新左"观点，著书立说，大批跨国资本，呼吁重新树起马克思主义旗帜，进行制度创新，而且得了大奖，但那奖金却又是直接从跨国财团那里要来，并以那财团的名称命名的，实在令人目眩费解。

现在我要说到另一部美国电影，就是2000年年尾推出的《家居男人》（香港又译作《缘分交叉点》），这部影片似乎算不得什么大制作，内容也不复杂，讲的是圣诞节晚上，纽约某大金融公司老板，也就是资本家兼"知本家"的那么一位成功人士，在有的下属们急着想回家与亲人们共进圣诞晚餐的时刻，还在摩天楼的办公室里兴致勃勃地布置资产并购、股票上市之类的辉煌大业，直到兴尽，才终于宣布休息；他一个人在圣诞节的街头游逛时，与一个黑人流浪汉发生了纠葛，回到他自己那豪华的公寓楼，在床上酣睡一番后，忽然醒来，却骇然发现身上趴着一个老婆，而且有一个女儿跑来叫他爸爸，举目一望，竟置身在了一个普通的美国家庭里，这令他费解，万难接受，他冲了出去，不见自己的豪华轿车，只好开上一辆廉价面包车回自己的豪华公寓楼，但那门房竟说不认识他，邻居也说没见过他，不让他进去，他再冲到公司大楼，那里也不认他，无奈他只好又回到那个本不属于他的家里，但那里面的妇女和女儿还有摇篮里的儿子都只把他当成家里人，仿佛只是觉得那一天他有些个暴躁而已……原来，他是被那个黑人流浪汉施了魔法。这部影片告诉我们，至少就纽约的居民而言，在郊区拥有一栋两层带地下室与车库的小楼是很平凡的生活状态，而影片的主人公原来是超平凡的，他在曼哈顿富人街豪华公寓里拥有两个大单元，他不想结婚过"小日子"，但有妖艳的情妇自动上门，性生活方面很能满足，连平时穿的西服上衣也都是2400美元一件的大名牌。陷入到尴尬的"小日子"里，要养家糊口，开源节流，过远离"大事业"的平凡生活，这令他苦恼不堪。但有一天，他发现了一盘旧录像带，放出来看，是他为妻子凯的生日在庭院里搞派对的种种景象，他为庆贺妻子生日五音不全地唱了歌，妻子和来宾们都欣喜若狂，这些画面令他吃惊：难道这会是我吗？也令他感动：这要真是我该多么好啊！从此他发生了转变，他喜欢上了这种平凡的家庭、庸常的"小日子"。但"好景不长"，那魔法的时限到了，他又还原到了本来状态，他竟反而不能忍受那"成功人士"的高级生活，他跑到那栋房子去，那里面的人说不认识他，他千方百计要找到凯，竟然找到了，但凯一点也不知道在魔法期间里曾充任过他的妻子，而是一位与他相近的追求非凡的女强人，正要搬迁到法国巴黎去谋求更大发展。正当凯要登机飞往巴黎时，他冲到了登机口，恳求凯留下来，一起喝一杯咖啡，他对感到莫名其妙的凯说，人生有比"大事业"更重要的东西，比如他们曾是平凡的夫妻，有两个可爱的宝宝，虽然结婚已经十三年，也经常争吵怄气，但却始终相爱，在她过生日时他曾为她引吭高歌，互相常常会以一些并不昂贵却细心准备的礼物让对方惊喜不已……凯终于被他说动，留下来和他喝咖啡，影片最后的场面是机场咖啡厅一角，他们相坐欢谈，落地大玻璃窗外雪花纷飞……

这部影片是对《美国丽人》的一个反动，还是一个补充？前者试图告诉我们，常态的"美国生活方式"的玫瑰花里隐藏着深深的失落与严重的危机；后者却努力地说明，恰恰是在最平凡的"美国生活方式"里，才包孕着人生的真价值与真乐趣。如果《美国丽人》不适宜引进到中国大陆，那么，《家居男人》是否就适宜向一般中国观众推荐呢？

中国大陆的民众正在奔小康，小康的官方标准是以人均享有的美元数目来厘定的，而美元后面则至少在物质方面体现着一般美国人的生活水平与方式，只不过，那更多的是一种方向，一种象征。以中国的底子薄、人口多，以及东西部和城乡间的不平衡，中国一般民众在住宅水平上普遍达到上述两部美国影片里所展现的那种状态，至少在新世纪的前半叶内，恐怕还是不可能的。

看了《美国丽人》再看了《家居男人》，我觉得美国的文化艺术真是多元并存、各放光彩的局面。我想他们理论上也该不止有"新左"一种，举凡"后现代"、"后殖民"、"解构主义"、"女权主义"，似乎都属于左倾的一类，这些理论当然应该向中国人介绍，中国人也确实可以从中得到某些启示，如对跨国资本进入及全球一体化进程中负面因素加强必要的戒惕；但美国思想文化界里另类的东西，不说是右的，或中间的吧——那样太容易引起不必要的误会——比如《家居男人》及其背后的理论，看来也该介绍、研究。

近一年多来，中国报刊上掀起了一股鼓吹"知本家"的劲风，树立起来一个价值标准，就是必须成为拥有目前世界上最吃香的科技与管理知识的人才算"当代英雄"，搞经济似乎就必须搞"知识经济"，不懂电脑简直无异于文盲，不上网成为"网民"差不多也就成了"愚氓"；许多报刊热衷于刊登世界或中国的富人榜，"首富""富姐""富婆"都绝非讥称而是美赞；电视上的许多广告都直言不讳地宣称他们的那个品牌是"成功人士，自当拥有"；对真文凭的崇拜达于极至，弄得假文凭的生意也便兴旺起来；还有记者报道，说是北京大学一位考古专业的博士，去到一所小学应聘，因为试讲拼音课失败，惨被刷下，写这消息的用意大概是用"一粒米"来照亮"不掌握最先进的科技管理知识成为'知本家'者，那就虽有博士学位也可能被淘汰"的"大千世界"。但很快北京大学考古专业就发表正式声明，说他们那里绝无任何已获博士学位或正攻学位的博士生有过这类的遭遇。

宣传知识的重要性，突出尖端科技与管理科学的重要性，鼓励年轻的学人在实践中学习，像比尔·盖茨那样创建高科技公司，以及尊重在守法前提下的个人财富，重视学历，在中国大陆开辟发展美国硅谷那样的新、高、尖的科技开发区，为有更多的成功人士鼓呼……这当然都是对的，然而，我以为要适可而止，要把握好分寸尺度，不要把奔小康，演化成了奔大富，这有使富者更富，而使未达小康的俗众败兴，乃至其中很大一部分反而变穷的危险；更重要的是需要有另样的声音出来制衡。

《家居男人》这块"他山石"，就对"成功人士"的价值标准予以了置疑，而把黄金般的价值判断，给予了平凡的人士、庸常的"小日子"，发出了与《美国丽人》完全不同的声音——《美国丽人》固然对美国中产阶级的虚伪生存与内心危机作出了鞭辟人里的剖析，但它隐含的价值观，还是普通人应该更有"出息"，能努力再向上登攀达到"成功"才好——《家居男人》对"美国生活方式"的颂赞里也许有并不适合我们的成分，但它对疏离了所谓"成功"的平凡人生里那些优美人性的肯定，却是具有普适性的营养，值得我们吮吸。

1998 年我第二次去美国，2000 年第二次去法国，又去了英国，在那边，我发现——其实也算不得什么发现，那本是依靠合理想象也可以明白的——那些西方国家并不是到处是"硅谷"，也有许许多多从事非高科技的俗众，过着远非天天要上网漫游聊天的凡庸生活，那边的一般人，包括大学生，崇拜比尔·盖茨的似乎并没有中国这么多，有的提起他来甚至觉得是个很无聊的人，不过是赚了大钱，发了财罢了，哪里算得什么民族英雄、青年楷模、人类精英！一个法国知名的文科教授坦言他的电脑只不过用来做文字处理，对上网毫无兴趣，更不觉得应该去学会编程什么的；一位美国诗人更是坚持手写，他没有电脑，而绝无"文盲"的自卑感；大学生辍学去开公司，他们觉得那只是辍学者个人的私事，哪里够得上什么"新生事物"？一般人都还是觉得学业应该坚持修完再去创业才好；那边固然重视文凭，却并没有达到矫情的地步，还是以实际的能力为第一位的舍取标准；经济管理固然是相当热门的学科，但也没有人人争而学之的氛围，想想也是，倘若一个国家一个民族全民都是善于"科学管理"的人士，那么，谁又来充当被管理的一线工作人员呢？我在西方到处看到普通的加油站工人、集装箱卡车司机、旅馆清洁工、商店店员、公园里的花木修剪工……也并非都是些少数民族、外来移民，还是白种青年人居多，大都面无愠色羞赧，神色自若地从事他们的职业，安度他们的人生，哪里是世界人类进入"纳米时代"，当不成"资本家"也当不成"知本家"就"必然落伍"的痛不欲生景象？他们许多家庭之所以还在使用录放机放录像带看，并不另换影碟机去看光盘，除了其他因素以外，观念上并不以使用的东西的高新科技成果含量为取舍标准；而相反的，返璞归真，过平凡而简单的生活倒成为了一种时尚。

因此，我觉得我们中国人，在目前的时势下，应该有多种声音供人们选择，或综合加以思考，其中的一种声音，就应该是——给平凡以价值。这样的"声源"，既可以从我们自己的传统文化里挖掘，也可以从西方的文化（古典的、当代的、前卫的、通俗的）里借鉴，这回我从美国两部好莱坞电影谈开，算是一次尝试，这样的声音，我还将进一步使其浑厚、洪亮，并期盼得到合鸣与回应。

2001.2.4 温榆斋

冷与热

茅盾奖很热，但茅盾却并不热，甚至于可以说是比较冷。

茅盾热过。《子夜》问世时，鲁迅先生还在，虽说鲁迅先生对《子夜》说的话不多，但认为是当时左翼文学的一项实绩，那是公允的定评，《子夜》因此在中国新文学史上占据重要位置，至今大学中文系学生必读此书，对其分析是一项重要的功课。茅盾在热力蒸腾时，遮蔽了另外一些作家，遮蔽得最厉害的，先是沈从文，后来是张爱玲。

我生也晚，沈从文算是知道，那是因为我上中学时，当时的人民文学出版社出版了一套素绿封皮的现代作家选集，其中有沈从文一本，我读过。当时未觉得好。后来知道，那本集子故意"漏选"了现在认为是沈从文最好的小说，而且，沈从文在当时的情形下，自己对其旧作有许多改动，不是将其在艺术上改得更好，而是将其在内容上改得尽量"少些问题"。至于张爱玲，对不起，根本不知道有这么一位作家，更遑论什么《金锁记》之类的作品。

1976年10月，"四人帮"完蛋；1977年11月，我在《人民文学》上发表了《班主任》，得到茅公重视；《班主任》获1978年第一届优秀短篇小说奖第一名，颁奖仪式上，安排茅公把奖状发到我手中，那是我一生难忘的时刻。1979年夏为复苏、繁荣文学创作，召开了长篇小说座谈会，茅公与中青年作者们见面讲话，其间他问："刘心武来了没有？"我站起来报到，茅公对我亲切注目，那眼光如电，启动了我的创作长篇小说的激情。1981 年茅公谢世，以自己多年积累的稿费为基础创茅盾文学奖，专门激励当代长篇小说创作，我暗下决心，不辜负茅公对我的厚爱期望，一定要写出长篇小说，争获此奖。1984 年夏我完成了《钟鼓楼》，我所供职过的《十月》杂志为我提供了到青岛避暑地修改成稿的条件，我本应将此作交《十月》发表，但《十月》稿挤，只能于 1984 年第六期和 1985 年第一期连载，我一听慌了，因为第二届茅盾文学奖的评定范围限定在 1984 年年底，怎么办呢？最后不惜得罪《十月》，把稿子给了《当代》，《当代》成全我，在 1984 年年底前发完了全稿。没想到好梦成真，《钟鼓楼》如愿获了奖。这以后我写自己的文学履历，就总要写上这件事。

也就在这前后，文学潮流的涌动，开始对茅盾本人的创作，提出了否定性评价，这倒并没怎么正式反映到报刊上，但在文学圈里，几乎尽人皆知，茅盾的创作，尤其是其代表作《子夜》，被指认为主题先行之作。也确实是主题先行，不冤枉。另外，太政治化，主题太重大，不仅《子夜》，短篇《春蚕》《林家铺子》莫不如此。这个创作路数从上世纪三十年代开始，影响越来越大，一直延续到六十年代"文化大革命"之前。在这个主流遮蔽下，不仅沈从文、张爱玲销声匿迹，其他若干文学流派和作家也都很难发挥。我的文学学徒期是在以茅盾为代表的文学主潮中度过的，主题先行于我而言正是写小说的要义。《班主任》走红不久，就有人在《光明日报》发表文章，提醒我"思考，但别忘了文学"，虽很不入耳，却是金玉良言。那时候我开始跳出主题先行的圈子，省视自己的创作，并且也暗暗地思考了一番茅公的创作。

我发现，自己最钟爱的茅公之作，是《腐蚀》。主题固然也是先行，却很注重艺术性，叙述文本生动，人物内心刻画细致入微，有许多细节溢出了所规定的主题，令人想得很远。应该说，这样一种创作追求，作为一种流派，源远流长，有着顽强的生命力。茅公的作品在"文革"将至时，也就被完全是非文学、反文学的极左潮流所批判，那时他的《林家铺子》，烈士柔石的《二月》（拍成电影名《早春二月》），还有阳翰笙的《北国江南》，遭到劈头盖脸的大批判，说这些作品肯定了不该肯定的人物，宣扬了人道主义，搞了人性论；其实，这恰恰说明这些主题力求鲜明的作品是具有文学艺术的本质性内涵的——写真实，抒发人类相通的情感与诉求。我还注意到，在上世纪五十年代末六十年代初，茅公站出来肯定了茹志鹃文笔柔美的《百合花》，并为她后来写新中国生活的"家务事""儿女情"的纤秀篇章说好话；又为被指斥为"宣扬小资产阶级感情"的《青春之歌》辩护，认为写其中女主角的几次恋爱经过是合理的、有其意义的。再回过头读《蚀》三部曲，读《子夜》，就感觉到他对性描写是既大胆而又赋予丰富内涵的，在这方面，甚至我们现在一些小说也还达不到那样的笔力。

但从上世纪八十年代，随着汪曾祺的《受戒》那样的作品出现，再加上现代派风格的小说，以及马尔克斯所带来的"拉美文学爆炸"冲击波、寻根热，还有文本颠覆的种种花样翻新，兼以沈从文、张爱玲的称王封后，茅盾为代表的文学流派式微了。但茅盾文学奖却持续升温，虽然后来有以鲁迅为名的奖项出现，但茅盾文学奖影响居上，这恐怕也是因为它是长篇小说奖，奖金虽有限，在一些省市地区却是登龙门的标志，给头衔，奖房子，无限风光，满堂生辉。

热有热的道理。冷也有冷的道理吗？我以为，对茅盾本身的创作，应该平心静气重加研究，恐怕是沈从文有沈从文的好，张爱玲有张爱玲的好，以前一度将其好处遮蔽得太厉害，一时多光大些其好其妙是应该的；但茅盾有茅盾的好，这个好，也应该参透才是；现在是茅盾的好，反被遮蔽了。我珍惜自己所获得的茅盾文学奖，我觉得，茅公寄予期望的目光，还炯炯地投射在我的心房。

2001 年 8 月 15 日温榆斋

世界名著的远与近

　　问一位青年看没看过《西游记》，他说看过呀，跟他一细聊，原来他不仅没看过《西游记》原著，就连中国电视剧制作中心拍摄的《西游记》连续剧也没完整地看过，他所津津乐道的，是香港笑星周星驰出演的那个离原著已经遥遥远远的《大话西游》。又曾问一位摩登女郎看没看过《罗密欧与朱丽叶》，她说没读过原著，但看过电影，看过电影也好，自有电影以来，莎翁这部名著多次搬上银幕，我问她看的是哪个版本？好莱坞的黑白片，意大利的彩色片？或者是前苏联拍摄的，由普罗科菲耶夫谱曲、乌兰诺娃主跳的芭蕾舞剧艺术片？原来都不是，她把拇指和食指伸直模仿手枪，嘴里发出噼噼啪啪的射击声，完了笑说迪卡皮里奥真是酷毙帅呆了！我才恍然大悟，她看到的那部是前几年好莱坞拍的"戏说"片，那部片子把时代挪到了当今，地点挪到了美国盐湖城，迪卡皮里奥扮演的罗密欧一身牛仔装，片子里充满血腥的汽车追逐和枪战场面，于我而言，是惨不忍睹的胡闹之作。

　　世界名著如今离我们有多远？如果仅仅是离得遥远，许多人，特别是年轻人不知道，不读，那倒也罢了。问题是，如今世界名著也被一些商家当做了单纯的赚钱工具，他们把匆匆组装、改造、转换乃至歪曲的商品，大批量地推向市场，向俗众推销，于是，许多俗众，特别是年轻人，以为自己已经接近乃至进入了世界名著，其实，他们反倒是离世界名著更遥远、更隔膜了。

中国自己的四大古典名著，原来只由少数指定的出版社负责出版，人民文学出版社出的是由专家校订过的，附有注释的普及本，古籍出版社出的是几种有研究价值的不同版本，虽然不能说是尽善尽美，但错讹确实很少，购买、收藏、阅读的价值无可怀疑。近些年，到处有出版社出四大古典名著（有的不是出四大，而是扩大到十四大、四十大甚至更多），开本大小不一，版式形形色色，有的封面十分华美，用纸也很考究，但是稍微懂行的随便翻开抽查，就会发现问题很多，或所据版本鄙劣，或疏于校对考订，或胡乱断句，或脱漏严重，错讹迭出，如米掺沙。这样的"新印古典名著"，我看还是远离为妙。

外国文学中的名著，原来我们的翻译界工作是十分认真的，出版社接受一部译稿后，一定要由懂外文的编辑，或请社外的行家，逐句对照原文加以校订，几经打磨后，方能付梓。也许那速度确实慢了点，有改进的必要。但现在呢？有的出版社并没有能通读原文的编辑，也敢接受译稿，光凭那译者提供的中文稿，就敢定盘子推出。有的翻译小说，译者署名陌生，读来却觉十分可疑，似乎得是照抄前辈某译家的文字，不过是搞了点把人名中的马丽换写为梅丽，把"虽然如此"换成"尽管这样"而已。试问：这样的"世界名著译本"，我们究竟是拥在怀中好，还是畏而远之好？

世界名著是我们的文化之母。但是，由于当下形形色色的"伪母"很多，都鼓着奶头摇着奶瓶在向我们召唤，许多"伪母"提供的汁液不能说有毒，但营养量稀薄，甚至含有不少杂质，因此，千万要懂得有奶并非都是娘的道理。

世界名著这个概念，含量很大。非专门的文学研究者，只要选取其中的一小部分来阅读，也就足够提升自己的精神境界、审美趣味和文学修养了。有位年轻的朋友来对我说，他想走近并走进世界文学名著，但业余阅读时间实在有限，问我能不能先给他开十本小说的单子。我说那当然可以，不过这只是我个人的一种意见，仅供参考吧。我开的单子如下：(1) 曹雪芹：《红楼梦》(2) 鲁迅：《彷徨》(3) 李劼人：《死水微澜》(4)《沈从文小说选》(5)[法] 雨果：《九三年》(6) [英] 狄更斯：《大卫·科波菲尔》(7)[俄] 陀斯妥也夫斯基：《被侮辱与被损害的人》(8)

[丹麦]安徒生：含有《柳树下的梦》的《安徒生童话选》（他的"成人童话"就是优美隽永的小说)(9)[美] 海明威：《老人与海》(10)[阿根廷]《博尔赫斯小说选》。这些名著的版本，当然要细心选择，一定要认准真娘，莫见"奶瓶"就认作娘，更莫认差了遭上狼外婆！

破案破出学问来

　　这是一本破案的书。开篇就写到美国加州伯克利大学一位被视做"后现代主义之父"的名教授主持一次会议,突然短暂停电,灯亮后,发现他已被谋杀,而且是被施用四种方式杀害的——脑瓜被枪击出一个窟窿,背上戳了把银剑,面颊上射进了一只飞镖,刚喝过的酒杯打翻后正冒出硫酸的味道。在场的几个活人自然都成了嫌疑犯,包括他的妻子、法国哲学家、俄国语言学家、他的年轻女助手、英国小说家、日本女教授。于是来了警探亨特,对上述人等展开了询问调查。真奇特,真抓人,让人翻开就不忍释手,可以一口气读下去。

　　然而这本书的目的却是介绍后现代主义这样一种学问。后现代主义上世纪后半叶就像落到宣纸上的墨滴,从西方向全世界各地的社会科学领域里浸润弥散,中国从上世纪八十年代末至整个九十年代,不仅大学讲堂与社会科学界里有"后现代热",还影响到文学、电影、造型艺术、小剧场话剧、建筑设计、工艺美术等广泛的领域,有的代表性人物还被冠以了"×后主"的称谓,杂志上多有相关的文章,翻译过来及自我发挥的专著也颇多,跨过世纪以后,这股热乎劲还不见减退,因此,不管你是一听后现代主义就喜欢,就好奇,还是一听后现代主义就反感,就纳闷,首先,你该把究竟什么是后现代主义,闹个明白,是不是?可是,如果不是专门做学问的人,不想去读那些后现代主义的大厚本原著,而想轻松速成地了解有关后现代主义的 ABC,那么,就无妨来读美国人阿瑟·A.伯格的这本

《一个后现代主义者的谋杀》[1]，该书 1997 年出版，现在还属于"刚出炉的面包"，热腾腾，香喷喷，没想到中国这么快就推出了译本，我建议阅读趁早。

学术专著深奥玄妙，自不可免，但介绍学术知识的书如果写得艰涩枯燥、佶屈聱牙、味同嚼蜡，那可真是既浪费写作者的时间更耽误阅读者的工夫，可惜现在我们有的这类文章书籍仍患有此类疾病，实在应该改进一番了，而伯格的这本书，把虚构的人物与真实的后现代主义大师纠葛在一起，巧妙地引领读者在阅读破案故事的过程里，把后现代主义究竟是怎么回事儿梳理得水清影晰，这种介绍新知识（无论自然科学还是社会科学知识）的手段，实在值得我们借鉴！

特别令人高兴的是，广西师范大学出版社印制的这本译著极其精美，里面还穿插了几百幅彩色与黑白的现代主义和后现代主义的艺术作品，不光有架上画，更有装置艺术、行为艺术、观念艺术、人体艺术……特别难得的是，除西欧北美的作品外，还有难得见到的当代俄罗斯、东欧、南美和中国自己艺术家的最新创作，因此，这本书也成了一个丰富的艺术展览会和资料库。

从某种意义上说，这本书的出现是对艰涩枯燥文本的一次正义的谋杀。我们应该支持这一行为！

---

[1]《一个后现代主义者的谋杀》：美国阿瑟·A. 伯格著，洪洁译，广西师范大学出版社 2001 年 1
月第一版，定价：88 元。

她在追寻红气球

我们乘坐的小车猛地一震,出车祸了!是一辆大货车在环岛抢行,从右边把我们那辆小车的前杠板撞飞了。开车的许以祺先生是位美国公司驻京法人,同车的有坐在后座的我和妻子晓歌,以及坐在前面右边座位的台湾旅美女作家李黎。出得汽车,我惊魂未定,却只见在出事那一刹那间最最危险的李黎,落落大方地站在道旁,满脸微笑地先问晓歌再问我有没有问题,接下去,她饶有兴趣地观察警察怎样赶来处理这桩事故,以及连带出现的种种情景。一辆华丽的高级跑车在事故现场旁戛然停下,开车的女士出来直奔许以祺,满脸关切,一再问他受没受伤。李黎忍俊不住,跟我说这个许仙(许以祺笔名)怎么到处有保护神?原来那是许仙经常去光顾的咖啡馆的女老板。跟着又有附近加油站的一个小伙子主动跑来把那撞飞一旁的前杠抱走。许仙笑说这里离他公司很近,所以各路熟朋友很多。专门处理涉外事故的警察开车抵达,迅速判定责任全在卡车司机。李黎注意到一位手拿雨伞的老年妇女始终站在一旁围观,还不断地向其他短暂观望的过路人提问题、发议论,她跟我探讨:那妇人是怎样一种心理?李黎就是这样,对世界、生活、事件、人、人际、人的心理与情感,充满观察、探究、体味的兴趣,甚至在离家万里以外的地方险些罹难之后,也还有此"闲心"。难怪她的小说和散文写得那么好!

和什么样的人相处最愉快?富有情趣的人!读什么样的作品最舒服?富有情

趣的文字！我和李黎自1978年相识以来，书信往来，相聚多次，交换新作，谈笑不倦，算得好朋友了。我们那友情的基础，就是彼此都觉得对方——也包括她的先生薛人望和我的妻子吕晓歌——颇有情趣。这次她回大陆，是因为儿子小明高中毕业，作为毕业礼物，她出资并亲率这个只有两名成员的旅游团先赴上海后到北京。在上海游周庄，满眼是人，秀气的景物仿佛被一团团的云翳遮蔽，小明来自地广人稀的美国，怪讶莫名；在北京八达岭长城，人也很多，但雄伟的长城任是人再多，也仍兀立凸现，小明一直登到最高的敌楼，那天回到下榻的长城饭店对李黎说：妈妈，我现在才明白你为什么要送我这个礼物！告诉我这些个情况时，是在北京的恭王府花园，我和我的助手鄂力陪李黎游览，小明自己留在饭店到健身房练健美。我们买了每位五十元的高价票，那是配备导游的，但很快我们就觉得导游小姐的讲解未免浅薄且多有来自肥皂剧的戏说，于是就请她自便，自导自游起来——我们都知道对恭王府与《红楼梦》的关系，"红学"界有考据也有争议，于是一壁走，一壁聊：这院子里翠竹葳蕤，那边厢芭蕉油绿，潇湘、怡红隐然在焉；这假山底下可似凹晶馆？那上面的月台分明是凸碧山庄！……到一处出租清装拍游戏照的地方，我问李黎你敢不敢拍，她笑得好灿，说人生只一回，新鲜有趣能几次？于是她穿上古式旗袍，戴上缀着大红牡丹的两把头，扮了一回慈禧，又拉我穿戴为皇帝装坐在龙椅上跟她合拍了一张，那是一次性干版相，照片出来她拿在手里端详，乐不可支，说回到旧金山薛人望看了非笑个仰翻；我回家就把照片给晓歌看了，她笑说李黎能去演清宫剧，你不行，瞧你怎么呆成了那副模样？李黎就这般活泼有趣，我请她到白魁老号吃烧羊肉，还叫了豆汁，我一再警告她豆汁可能是尝不得的，有的外来人曾沾齿一次终生恶心，她便非要尝它一尝，尝了以后说哪里有你说的那么厉害。

　　李黎是台湾从事纯文学创作最重要的作家之一，曾获得过联合报的短、中篇小说奖，也多次担任过评奖委员。她的长篇小说《袋鼠男人》和中篇小说与散文集1999年由作家出版社作为"李黎系列"推出，受到大陆读者欢迎。这回临走她送我和晓歌两册由台湾联合文学出版社新出的散文集，其中有一篇写到她到了巴黎不去游览那些著名的名胜古迹，而是特意去寻觅一部上世纪五十年代的老电影《红气球》里所出现的偏街僻巷，这很能体现她的性格情趣，也具有深层的意蕴。李黎曾是 1971 年轰动世界的以美国华人留学生为主的"保卫钓鱼岛运动"的积极分子，这也是她能以在 1978 年成为最早来大陆访问的台湾作家的契机。1996 年她在《廿五年后，这一天》一文里写到："时光流转，仿佛回到上一次，生命才刚开始，才刚领悟了某种意义……那一个春天和这一个秋天，中间隔着一个生命中的夏季……和四分之一个世纪。从这一天以后，又会有怎样的预言，关于一个人的生命、一个国族的历史？"在李黎丰盈的情趣里，其实有着非常坚实而深刻的宏大思考，她所追寻的生命与历史的意义，正如碧蓝天空的红气球，彰显无疑，而要接近、把握，则又须不懈地付出创造性努力。

2001.8.17 温榆斋

一根针与一把刀

我不记得在《上海文学》上发表过多少篇小说了，但 1979 年 1 月写成了《这里有黄金》，很快发表在了《上海文学》，这事却还清楚地记得。二十二年，在历史长河里只是短促一瞬，但若是一个生命，那可足能从呱呱坠地成长至大学即将毕业。我很想知道 1979 年出生的青年人现在读到这篇小说会生出什么感想。

文学的发展，是否一定要喜新厌旧，不断地颠覆？从留在历史的轨迹上看，凭新奇制胜，以颠覆为乐，那确实有很多的车辙屐痕；从审美价值的角度衡量，则不管怎么样地花样翻新、异军突起，则文学之所以为文学，自有其非线性存在的稳定特质，我以为，那特质里，有爱，有善，有美，这些基本元素，是超越时间、地域、民族、性别，以及不同宗教信仰，而满布于文学之中的。

《这里有黄金》的文本，当然深深地留有那一历史发展阶段的投影，但里面有一个细节，写到一个人半夜里摸到一间屋子里，举起一把刀要杀熟睡的仇人，却在一刹那间看见了一根针，那是仇人为女儿缝一个玩耍的布包，还未完工，插在那碎布连缀的布包上的……杀人者在那根针面前犹豫了，最后放下了屠刀。不管时间怎么磨洗 1979 年我写下的这个文本，一根细针能战胜一把屠刀，这个细节仍能使我自己珍惜。

已经过去的一个世纪里，人类使用过太多的兵火刀枪，甚至于发明出原子弹、

深 夜 月 当 花

氢弹、中子弹、洲际导弹……正在开始的这个新世纪,人类能不能以良知、宽容、善意的心针,曳着相互理解、让步谅解的长线,缝合上世纪留下的伤口,在心灵中刺绣出告别残忍的美丽图案来呢?

2001 年 1 月 17 日温榆斋

半个世纪一座楼

接到"红楼梦文化学术研讨会暨周汝昌先生《红学精品集》首发式、周汝昌先生八十华诞、周汝昌先生研红五十周年纪念大会"的通知，因会期与我早已在定的一项创作活动相叠，所以不能跻身这个盛会了，但心头涌动着一些思绪，亟欲申舒。

自己因为从少年时代就嗜赏《红楼梦》，所以对相关的"红学"著作，也多所涉猎。《红楼梦》不消说是一部奇书，"红学"呢，似乎就更奇更诡，作为一门学问，它时热时冷，热的时候，几乎是"全民评红"，冷的时候呢，又只剩下极少数的一些人在角落里用功。回想起来，以往的热，也有热出毛病来的一面，甚至把"红学"跟政治紧紧地挂起钩来，以至学术问题成了政治问题。现在"红学"是个低潮，不但算不上显学，恐怕要属于学术上的冷僻门类了。"红学"的过冷，也令人遗憾。现在有的年轻人，肯花大力气啃读乔依斯的《尤里西斯》中译本，这当然并不是坏事，但却不能精读，甚至不愿翻阅《红楼梦》，我以为就非佳象了——对此，通过类似"红楼梦文化学术研讨会"这样的活动，推动"红学"再掀波澜，以激活公众，特别是我们民族的年轻传人们的阅"红"兴趣，实在是很有必要的。

扳指数来，我所熟悉其论"红"著述的"红学"大家，如胡适、俞平伯、吴组缃、王昆仑、吴世昌、吴恩裕、何其芳……都已成为了古人，现在在中国大陆从事"红学"研究，并成绩显著的老前辈，在世的不多了，周汝昌先生可算是仅存的若干硕果之一。周先生从 1947 年起开始研"红"，1953 年推出其《红楼梦新证》，立即在"红学"界和读者中引出轰动。从那以后的半个世纪里,除了"文革"中一度被迫中止,迤迤逦逦,他一直执著不懈地将其全部心血贡献给了这门学问,现在华艺出版社为其集中展示了其半个世纪的研"红"精品,除《新证》外,还有《曹雪芹小传》《红楼梦真貌》《红楼访真》《红楼梦与中华文化》《红楼梦的真故事》,计六部七册。这不仅对他个人的学术努力是一种难得的告慰,对海内外关注"红学"的人们,以及一般的《红楼梦》爱好者,也是一桩可喜的事。

当然,稍微熟悉、关注中国大陆"红学"界现状的人们都至少是感觉到了,周先生的研"红"观点,这些年来备受争议,甚至有的专业刊物连篇累牍地对其一系列观点进行严厉的批判——当然不是政治性批判而是学术批判——就是在一般《红楼梦》爱好者和"红学"兴趣者当中,周先生的某些论说也还不能令人服膺。但周先生的"红学"研究,恰在这样的冲击考验中,推进得更细密也更坚实了——这回六大本的《周汝昌红学精品集》,虽都是已往的旧著,却经过了认真的修订,清除了灰尘,拭亮了精华,读来既如老友重逢,又令人耳目一新。

我以为最难得的是,周先生以半个世纪的努力,在"红学"上形成了其个人的一个逻辑自足的学术体系。这是很了不起的。搞学术研究,光是会铺陈材料、炫耀博学,气象终究嫌小;在一点上提出创见固然可贵,但建立不起体系,成绩也就有限;至于只是在那里批判别人,自己并不能拿出多少新鲜的意见思路来,那样的研究者,就更难令人佩服了。一句话,创建体系才是学术研究的硬道理。周汝昌先生在半个世纪中,毕竟是建起了一座阐释《红楼梦》的大楼。你可以说那并不能算是一座漂亮的大楼,但你总得承认那毕竟是一座无法加以抹杀,更不可以轻亵拆毁的学术大楼。笔者与周先生略有交往,也曾与其通信论学,虽对周先生非常敬仰,在若干"红学"的具体问题上却也固执己见,并不轻易苟同。但读了修订过的《精品集》以后,我从心眼里说,周先生所构筑的研"红"大楼,实在堪称是一座七宝华厦,基础坚固,结构匀整,回廊九曲,七穿八达,大堂恢弘,小室精雅,门外见山,窗外借景,布置周到,回味无穷。周先生首先从"曹学"入手,考证出《红楼梦》的著者曹雪芹的祖籍、家事、到他那一代前后由盛而衰,对照书中所写，证明该书是著者以其家族身世感受为蓝本的带自传性的创作；并使用本来不多的材料，尽可能地复现出了曹雪芹的一生；又在"版本学"和"脂学"（对《红楼梦》流传中手抄本上署名"脂砚斋"及相关批语的研究）上花大力气，下大工夫，进一步证明现在通行本八十回后不但绝非曹雪芹原稿，而且完全违背了他的初衷；更通过对现存的清恭王府前身演变过程的考据，强有力地证明了清代康、雍、乾三朝权力斗争与曹家浮沉的关系，以及对曹雪芹思想感情发展所产生的影响，证明书中的"大观园"在现实生活中也是有原型的（这或许可称之为"大观园学"）；曹雪芹的原著既然八十回后散失，那么，那些散失的篇章里，究竟都写到些什么呢？周先生通过《红楼梦的真故事》，将其在"探佚学"方面的成果集大成地加以了展示；而笼罩在一切之上的，是他作出了《红楼梦》是中华大文化集中体现的结论，他论及庄子和曹雪芹思想的异同，中华文化中"痴"的蕴意在该书中的发挥，并试着补足了书末本已拟好而失传的"情榜"，又提出原书应是以第五十四回、第五十五回为分野，前后各为一扇，整部书大体以九数为一小单元，全书应共一百零八回……他的诸种论证，互为照应，钩稽严密，而表达方式又颇流畅生动，虽是"学术大楼"，一般读者入其浏览，亦会感到花团锦簇、步步入胜，也许有的读者会在某些"景点"前疑惑摇头，但总体而言，恐怕都不能不感佩其气势的轩昂峻丽。

　　周先生早些年眼睛就已近乎失明，看书需用高倍望远镜一个字一个字地"撷取"，而且耳朵也严重失聪，我与之交换意见时就不得不贴近他高声慢语，但在这样的身体条件下，他仍坚持着"红"学研究，时有新的文章发表，真是很不简单。前面提到，那么多的资深"红学"家都离我们而去了，现在像周先生这样的资深"红学"家，也该当做国宝，格外加以爱护吧！我谨祝"红楼梦文化学术研讨会"圆满成功，并祝周先生健康长寿，继续不断地给他已建构成的学术大厦添砖加瓦，当然也期盼"红学"界在争论中加强人际团结、学术协作，并能促使一般民众，尤其是跨世纪的一代新人，阅读《红楼梦》的兴趣能持续升温。

1998 年 11 月 6 日于绿叶居

期待新翻竹枝词

　　我有两个故乡——一个是祖籍四川，一个是自八岁后定居再未离开的北京。我落生于成都，在重庆度过了童年。这样我自然是既会说四川话，也会说北京话。普通话虽然以北京话为基础，却不能画等号，一些从南方来北京工作的人能说普通话，却并不会说北京话，甚至听不懂某些北京土话；就是北京土生土长的年轻人，有的也已经听不大顺老一辈的北京土话，比如"老鹰（爷）儿偏歇（西）啦"是"太阳快落山啦"的意思，三十多年前我在中学当老师时，跟传达室的葛大爷对话时常常挂在嘴上，现在我儿子若不跟他解释，他就闹不清那是在表达个什么。

　　但是，四川话跟北京话属于同一个语系，二者的亲缘关系，可以找到许多的例证。比如七言四句的竹枝词，至少一千年前就诞生于四川了，却又在一二百年前盛行于北京。唐代诗人刘禹锡就写过不少竹枝词，比如我们非常熟悉的："杨柳青青江水平，闻郎江上唱歌声。东边日出西边雨，道是无晴却有晴。"有人考出，竹枝词这名称的由来，是当年民间的吟唱者要在每句之间加进垫音，那垫音便是"竹枝、竹枝……"刘禹锡则说："里中儿联歌竹枝，吹短笛击鼓以赴节。"我小时就学会唱四川民歌："太阳出来（罗儿）喜洋洋（欧），（郎罗），挑起扁担（郎郎扯，光扯）上山冈（欧）……"下面两句去掉垫音是："手里拿把开山斧，不怕虎豹和豺狼。"后面还有两段。我觉得，这样的现代民歌，很显然是跟古代竹枝词一脉相承的。

　　明、清两代，竹枝词不仅在北京俗众中盛行，也有不少文人墨客对其感兴趣，甚至热衷于写作竹枝词。这风气在民国初期仍未消退。大量的竹枝词记录了身历者对当时京城市民生活的印象，具有可贵的史料价值。清代北京市民"宣武门前看象房，慈云寺外坐冰床，逛来二闸无多日，丫髻山头又进香"，很会忙中找乐。繁华之地大栅栏"画楼林立望重重，金碧辉煌瑞气浓；箫管歇余人静后，满街齐响自鸣钟"，但一般俗众平日逛不起那类地方，他们的生态是"零星货物满天街，黑市才收小市开；茶馆门前收古董，又邀隆福寺中来"。那时造福民众的市政建设十分简陋，"马蹄过处黑灰吹，鼻孔填平闭眼皮；堆子日斜争泼水，红尘也有暂停时。"同是女人，"名门少妇帽如花，独坐香车爱亮纱；双袖阔来过一尺，非旗非汉是谁家？"而"贫家妇女满胡同，蓝布衫名'一剪穷'；斜截凉簪歪挽髻，清晨太半发蓬蓬。"清代像著有《桃花扇》那样大部头传奇的孔尚任，也写过《燕九竹枝词》，其中一首是："金桥玉洞隔凡尘，藏得乞儿疥癞身；绝粒三旬无处诉，被人指作丘长春。"这就展示出了社会最令人揪心的一面。

　　许多竹枝词还生动细致地描绘了北京的民俗土产、娱乐方式，有的以竹枝词形式记录时事、针砭时弊、讥讽贪官、抨击颓风。竹枝词的写法，比打油诗注重"画面"和"色彩"，但比起典雅的格律诗来，当然较为鄙俗随意，但它琅琅上口，令人感到亲切、自然，在当时常常转化为数来宝、子弟书、莲花落、什不闲等曲艺演出的唱词，故而流布广泛，渗透到市民生活的意识、情感深处，是不应对之忽略、歧视的一种通俗文艺门类。

　　我以为，竹枝词这种形式，即使在进入到微电子时代的今天，也未必就没有它偏存一隅的空间。正是：世纪更迭新潮炽，人人争诉创新志，新枝原从老根发，期待新翻竹枝词。

候春的秋叶

　　那是去年深秋，一夜北风吹过，我到乡间书房外的小院里检视，满地落叶，满眼枯枝。四季轮回，秋来叶落，无足怪，亦无可叹。我持帚扫叶，小院在我眼中仿佛一篇经过修改的文章，渐渐清爽起来。处理完落叶，我在小院中徐踱步、细观察，发现那紫玉兰靠下的一个分枝上，还有一片秋叶未落。根据前几年的经验，玉兰树的叶片跟小院里其他树木——核桃、樱桃、丁香相比，数量较少，但叶面较大，质地较厚，秋来即变色，风过易坠落，往往是，其他那些树上的叶片尚未落尽，玉兰枝桠却已全然赤裸。那天的观察虽令我微惊，过后也就忘记。

　　回城后忙于俗务，又应邀去了趟澳大利亚，再到乡间书房，已然是隆冬了。澳大利亚此时正入盛夏，在那里满眼绿树繁花，倏忽回到北京的这个乡间小院，竟是地道的冬景，地上有没化尽的残雪，几株三年前自植的树木枯枝横斜，这地球真是奇妙，飞机旅行真是便捷……正这么思忖，忽然，看到玉兰树上的那片秋叶，竟还静静地守着枯枝，再环顾其他树木，一叶不存！于是，凝视那片玉兰叶时，就仿佛在一篇有待修改的文章里，有个跳眼的词汇入眼，它究竟是妨碍文气的赘瘤，还是提神醒心的妙笔？

　　整个残冬，到了那小院，我就要去观察——后来不仅是观察，而是欣赏，乃至质询于那片叶子。作为一片秋叶，它久久地保持着鲜润的活力。开始，它虽然变了颜色，从深绿转化为暗红，却还有着蜡光。后来，它边缘有所蜷缩，叶心却依旧明亮。马年腊月底，玉兰枝端悄然膨起，那是正缓缓孕育的花苞的初级阶段。羊年春节过后，大地微微暖气吹，玉兰花苞如套鞘的小楷羊毫。那天，最早的一缕春气似隐似显地游丝般掠过，正在小院里舒展肢体的我，看到玉兰树上的那片秋叶，终于谢幕般地，以极其优美的旋转曲线，袅袅飘落到地下。这又让我吃了一惊。很长一段时间里，我习惯于它的不落，以为它是贪恋生的享受，拼足力气只为了抗拒自然规律。在它飘落的那几秒钟里，我觉得树上的那些膨得越来越壮的花苞，至少有几个，仿佛在感动地颤动。啊，花苞在吟唱感激那片迟落秋叶的颂歌。那是一片候春的秋叶。尽管它早已不能为树木光合出营养，对新一代的花朵和叶片无法作出实际奉献，但它那为新一轮生命的诞生，努力地守望春天的精神，却仿佛一道强光，照亮了新花新叶的前程！

每次凌晨回城，总爱预约村里小谢的出租车。今天也不例外。进城一路上，我们爷俩总是言谈甚欢。村里开出租车的还有几户，但人家都是人息车不息，或两口子，或两兄弟，共同承租一辆车，只需上交一笔"车份钱"，就日夜都能有进账。小谢爱人色弱，开不成车，他就一个人开。村子离城约三十公里，一早进城的过程往往是空驶，夜里运气好时，恰遇上有顺路的，可以拉客、回家兼顾，但多半也只好是空驶返回。这样的境况，比起一车双人的开法，自然辛苦许多，而收益却比人家要少一半。小谢已过不惑之年，本来在村子附近开发的楼盘里，有份物业公司维修部的工作，每月一千元的工资，养家糊口也不算太困难，但他却有个宏愿，就是一定要把两个女儿，培养为大学生。镇子上当然有中学，但毕业生考上大学的几率奇低，考上好大学的例子则尚待零的突破。小谢的大女儿和小女儿现在都考进了区里知名度很高的十二年制寄宿学校，一个上到初二，一个上到高一。女儿能考进去固然不容易，能为女儿交上那所有的费用，对他那样一个村民来说，则更不容易。据他说，供两个女儿上这样学校，一年至少需三万元。他现在每天进城拉活，平均在十四小时左右。深夜回到家里，爱人总是马上从灶上把热菜热饭端到桌上，跟着就把一盆热水搁到他脚下，伺候他一边吃饭一边烫脚。他三百六十五天，只歇车五天，其中四天是去学校开家长会，一天是大年初一，在家跟亲人团聚。有次我包他的车去北京大学开宗璞大姐的长篇小说研讨会，开完出得会场，却只见他的车，好久不见他人影，原来他是第一次进北大，忍不住各处张望一番，开车送我回家的路上，他眼睛跟充了电一样，一再地说："我要让她们考进去！我要再奋斗十来年！您别再问我累不累了，我值得为她们累！值得！"这天我请他送我回城，话题自然还是他的一双女儿，他说他要一直供到她们读完硕士，他知道，到读博士的时候，就有工资了，那时候他就完成任务了，他要跟她们姐俩说，要好好歇歇了，要跟她们妈妈，逛逛风景名胜了……因为实在太熟，跟他交谈也就放言无忌，我脱口问道："倘若她们哪位，考不上大学呢？"他自信地说："不会有那样的事。"他告诉我，小女儿最近一次作文，老师出的题目是《出门时刻》，其他同学多半写自己离开家的情绪，她却写的是假期时，目睹父亲一早开车出门进城拉活的感受，老师给了满分，还推荐给一家杂志发表了。大女儿呢，最近一早给家里打电话，跟她妈话儿成串，她妈让她跟爸爸说话，电话是共听状态，她却忽然无声，她妈问怎么啦，又以为电话坏了，他却明白，那边女儿一听他的声音，想到是他不辞劳苦挣钱供她们俩姐妹上这样好的学校，就忍不住流眼泪，一时说不出话来了……小谢跟我讲到这些琐事时，泪光在眼角闪烁，我也就不言语了。按说，该把小谢比喻为强壮的树干，或碧绿厚实的叶片，那一双懂得用功的小姐妹，则该比喻成破鞘欲放的紫玉兰花，但情感波涌浪卷时，联想就往往逸出一般逻辑，而进入更复杂丰富的境界，正是在这时候，我联想到了小院玉兰树上那片苦苦候春的秋叶，以及那叶片终于徐徐飘落时，那尚未从鞘皮里蹿出，但已膨起的花苞的微微颤动……

《常回家看看》这首歌，流行已久，屡唱不衰。提醒晚辈及时安慰寂寞中的老人，甚至已经成了电视广告中频现的套路。叶子该落时落下并不可惜，秋叶候春竟然不落只是个案。抚养与赡养，应是人生的美丽循环。其实我们受之父母的最重恩德，往往并不是在他们老时，而是在他们生命中最珍贵的壮年时期。老了，无实用价值了，但一片玉兰秋叶苦苦候春，直到新一轮花苞膨胀欲放前夕才释然离枝，这一悲壮雅丽的个案，启示着我们，要更深入地去体味天下父母心。我们或许都能"可怜天下（正在作为的）父母心"，我们一定也能"可怜天下（已无法作为的）父母心"吗？生生不息的人类啊，在你栖息的大地上，有多少这样的细节，这样的个案，值得你以心灵亲近……

玻璃翠

那次参加一个笔会，费用是一家物料公司赞助的。公司总经理是一位热爱文学的中年妇女，参加活动的作家此前大多不懂何谓物料，她就拿出两只高筒玻璃杯来，举例告诉大家，一家大宾馆落成，投入使用前除了家具等大型用品外，必然还要配备些小东小西，"比如我手里的玻璃杯，一个宾馆需要的数量非常可观，而且要经常更新换代，我们公司就是专门向他们成批供应这类日用物品、消耗材料的……"介绍完她的公司，她就宣布将赠送我们每人一匣那样的玻璃杯，每匣 8 只，是钢化玻璃制品，不怕跌落磕撞的，说完就演示，将左右手各握的玻璃杯用力相撞，谁知一撞就全破裂了，哄堂大笑中她十分尴尬，忙又拿出几只玻璃杯，连撞带摔，这次确实体现出了钢化玻璃的非凡品质，无一破损。她对大家说："再怎么钢化，玻璃总还是玻璃，你们使用的时候，还是别跟我似的故意去摔碰显摆吧！"

我头一次见识钢化玻璃杯，是改革开放初期，一位熟人从日本访问归来，带回了一只，他不但自己经常故意松手将其跌落地下，而且还特别乐意将其塞到别人手中，鼓励将其摔碰。记得他命令我将那杯子"完成自由落体运动"时，我真的很心慌，那毕竟是只玻璃杯而不是锰钢杯啊，犹豫了好几分钟，才哆哆嗦嗦地撒了手，杯子落地发出咣当脆响，我闭上眼睛再睁开，还在地上旋转的杯子竟发毫无损！后来熟人们见了他那杯子，有的就会不请自摔地当新奇玩意儿取乐，谁知有一回一位熟人只是轻轻地把那杯子从桌上往地下一拨，杯子一落地便在我们面前碎成了一片玻璃渣儿，大家顿时惊呆了，杯子的主人深呼吸了一下，才解嘲地说："钢铁战士也还是会衰老，会去世的啊！"

如果把人比作玻璃杯，那么，钢化玻璃杯，就好比是具有优势的个体。或者学历高，留过洋；或者地位显，言如鼎；或者名气大，人气旺；或者财富多，生意大；或者竟兼而有之，俨然时代骄子；这样的人士当然比一般人经得起震荡，不会轻易破裂。这些人在钢化自己的过程里，备尝艰辛，弥足自豪，但是钢化所获得的品质，应该用来造福社会、关爱他人、提升自己，而不应该产生高人一等的心理，觉得反正自己具有优势，因此就满不在乎起来，故意地摔碰显摆，恃学历而移花接木，端官架子说官话玩忽职守，守吃老本甚至停耕辍织却自嘘虚名，夸张露富狂妄推行以蛇吞象的计划……这样的"钢化玻璃杯"，就算主观上还不是想背德违纪犯规触法，客观上却难免招致种种尴尬抨击追究惩罚，甚至身败名裂，最终化为一堆不成器的碎玻璃渣。

其实，就我们每一个普通人来说，性格里都可能有类似钢化玻璃的成分。我们常说的一个词是脆弱。仔细想来，脆比弱可怕。弱，往往从外在形态上，就让别人和自己多一分戒惕，因此，弱点一旦挑明，也就比较容易注意克服，为人处事能够低调，危害性也就因而变小。脆，好比玻璃，外在形态上，是硬而透明的，人心理上多半有这种"脆点"，不少"脆点"还加以自我"钢化"，比如觉得自己是"强人"，"心到必然功成"，"永不言败"，或者觉得自己"反正问心无愧"，"他人其奈我何"，因此该缩手时不缩手，该放弃时不放弃，该妥协时不妥协，该心软时不心软，该求其次时偏硬撑着去拔尖，为人高调苛刻，也就好比总是故意地把钢化玻璃杯往地上扔，以为无论如何自己的"钢铁决心"是可以经受强烈震荡的，结果呢，眈当一声，竟然破裂粉碎了，后悔莫及。其实，早该意识到，自以为是钢铁硬的东西原来是玻璃脆，而且，即使硬如钢铁，也有老化的时候，要居"硬"常思"脆"，自觉地克服"脆点"，实事求是地对待社会、他人和自己。

有一种草花，叫玻璃翠，植株叶片半透明很像浅绿色的玻璃，开出的红花如缄默之唇。这花很容易栽养，建议有志于发现、克服自己"脆点"的朋友都养上一盆。不仅是因为玻璃翠这花名谐"玻璃脆"的音，仔细观察，你可以发现这花的茎叶一方面真如玻璃般凝实晶莹，一方面又显露将其一掐必断的脆弱特性，它的生长，是把自尊、自强、自傲、自爱，与自戒、自慎、自审、自惕结合在一起的，常常面对这样一盆草花，比常用钢化玻璃杯喝饮料，更能获得人生启迪啊。

眼角眉梢

看人要看眼角眉梢,最早是母亲告诉我的。第一回也并非直接告诉我,那一年我还在上小学,姐姐已经上到高中,她约了几个同学来家里玩,有男生也有女生,我混在他们中间厮闹,非常快活。当中去了趟厨房,只见妈妈正在那里跟爸爸说话,爸爸对妈妈前面说的话似乎不以为然,妈妈就把姐姐的小名和一位男生的外号并提,对爸爸说:"别看他们总隔着几个同学⋯⋯唉,看人要看眼角眉梢啊⋯⋯我真有点担心!"爸爸进屋以后是否特别地去观察了姐姐和那位男生的眼角眉梢,我不得而知,我回到姐姐他们中间以后,特别注意了一番,无甚收获,后来就玩笑一处,把这事淡忘了。

上到初中以后,爱上了文学,于是发现,诗人也好散文家小说家也好,经常地要写到人物眼角眉梢的动静,甚至剧本的提示部分,也会特意地说明"眉尖一颤,眼珠一斜"。姐姐阅读文学书籍领先于我,那时已经上了大学,暑假回家,我就把这眼角眉梢的问题提出来讨论,姐弟至亲,无所避忌。我就连她高中时的眉目传情事也举例其中,姐姐笑道,现在若你见到我们聚在一起,那眼角眉梢造出的句子肯定不一样了,人就是这么在社会上生活,心里意思,脸色上不想显露,面部肌肉容易控制,但眼角眉梢很难驾驭,一不留神,就终于还是会抖落出来。姐姐悟性虽高,但那时所悟,多半还是来自书本启发,真到了漫长的生活实践里,她仍多有未能衡出眉眼高低的失误。

"文革"期间，父母所在的一所外地部队学院也闹翻了天，后来更酿成激烈的武斗，父母只好逃到北京避难。我那时虽然已经在中学工作，还没成家，住的集体宿舍，学校里乱成一锅粥，自身难保，无力安顿父母。父母暂住姐姐家，但姐姐家也在部队大院，虽未武斗，气氛也很险恶。那天我陪父母上街，忽然与父母一位老朋友两口子邂逅，惊呼热中肠后，大家移到远离人群的树阴下说话。我看他们对父母友情依旧，便忍不住提出，因为我和姐姐那么个具体情况，可否由他们收留父母一时？他们连说可以可以呀，我正吁出口气来，母亲却坚决地谢辞，父亲也说我姐姐那里还好，而且也不想多留，只要得到他们学院宿舍恢复水电的消息，也就马上回去。和那对伯伯伯母分手后，母亲认真地对我说："你怎么看人还不懂得看眼角眉梢？"她指出，人家心里确实想收留他们，但眼角眉梢流露出许多的难处，这种年月，怎能给人添非同小可的麻烦？

从那以后，人际交往中，看人看眼角眉梢成为了我的习惯。特别是社会转型之后，纯真渐罕，人性深处的东西上蹿，作为社会人，大多有了更多的可资倒换的面具，或具有所谓不动声色的超级定力静气，人际交往中礼数掩蔽真意，客套包藏二心，衡人表面已难，遑论知心。这也未必是世风日下吧。这样的人际交往，有利于保护各自隐私，有利于把法律法规合同契约置于情感之上，有利于按游戏规则谋求利益的最大化、避免一念之善所引来的依赖或一念之差带来的损失。但是，无论如何，绝大多数人，仍不免在瞬间里，通过眼角眉梢，把心中隐秘的情愫泄露出来。眼角的一星泪光，眉梢的一刹轻颤，往往胜过宣言檄文。就我自己来说，不怕从眼角眉梢道出肢体语言、面目肌肉表情和一般话语难以表述、难以尽述的心灵隐语，令人感受回味；就他人来说，那眼角眉梢有意无意所传递出的信息，是我读人世大书最好的钥匙，读懂了别去点破，悟在心中，常常反刍，可作滋灵补品。

只结一颗樱桃

去年在乡村书房窗外种了一棵樱桃树，今年初春开出了一些白中泛红的小花，回城多日，仲春时节去到那里，头一桩事就是看结没结出樱桃。我凑近细细检视了好一阵，才在枝腋间找到了豌豆般大的一颗青果，不禁大失所望。

虽说是"樱桃好吃树难栽"，但今年只结出一颗樱桃这个事实，还是很让我伤感。记得去年栽这棵樱桃树时，我心中一直充溢着宏大而飘忽的思绪。想到华盛顿小时候乱砍樱桃树，受到训诫后发奋建立功业，后来终于成为美国第一届总统。还有契诃夫的剧本《樱桃园》，那里面的年轻人在砍伐樱桃树的叮锵声中告别了泛着霉味的旧生活。是宋人蒋捷的句子吧：年光惯会把人抛，红了樱桃，绿了芭蕉。樱桃成为春逝的标准符号。还有齐白石的画，画上是一盘鲜丽的樱桃。中国自古以女子的"樱桃小口"为美。记不清是清代谁的句子了：满巷人抛果，羊车欲去迟。那所抛的果子就是红樱桃。这里面暗喻着许多的女子在对一位潘安式的男子飞吻。还有前些年叶大鹰拍的那部电影《红樱桃》。镜头里的红樱桃又成为了对一个特殊时空的情感载体。近年在国际影坛走红的一位伊朗导演还拍了一部《樱桃的滋味》，把对生死问题的哲学思考提升到了新的高度。樱桃真能引出非常丰富的联想。种下樱桃树以后我曾有过绮丽的梦，梦里有我面对满树肥硕的红樱桃搓手赞叹，以及将许多艳红的樱桃馈赠别人的镜头。

面对及眉的树上的那唯一的青樱桃，我有万念俱灰的念头从心底旋生。这是我步入老年，创造力萎缩的征兆么？这颗青果，过些时候能膨鼓红艳地成熟么？记得《红楼梦》里有"御园却被鸟衔出"的句子，一只小鸟通过叼走树上的一颗樱桃，即可减却皇家花园的春色，许多的小鸟都来衔果，则可以终结整个园林的生命力。我该如何守护这树上唯一的樱桃呢？倘若有一只鸟来把它衔走，那么，我今年岂不是粒果无收？

因为我的樱桃树只结了一颗樱桃，心烦意乱的我不能在书房里平静地读书写作，我走出村子，穿过田野，走了老远，最后不知怎么地走到了一个新开发的小区的边上，那里有个超市，我曾骑车去那里买过日用品的。因为并不想买什么东西，那天我没进超市里面，只是在它周围漫无目的地踱来踱去。于是我发现超市一侧新设立了三个颜色不同的并列的新垃圾桶。忽然有招呼我的声音，定睛一看，是平时在温榆河边散步时常碰见的离休干部老乔。我们互问："您到这儿做什么？"我忍不住就抢着把自己因为树上只结了一颗樱桃而沮丧的事情说了。这时来了个扔垃圾的中年男子，老乔迎上去，蔼然地指导那人按分类规则往桶里扔，那人并不领情，嫌老乔多事，老乔也不生气，还是耐心地跟他讲垃圾分类的意义，后来又有两位妇女来，她们问为什么废电池还要另扔一处，老乔就跟她们讲明道理。等没人来扔垃圾了，老乔对我说："能结一颗樱桃，那很好呀！我原来也是满腔的雄心壮志，恨不能拼力做下一万件事，而且都是大事，而且还希望毕其功于一役……现在我却觉得，无妨从最小的事情做起，而且要非常耐心地去做，也不指望一做就有终极性的效果。我就好比是只结一颗樱桃的老树。今年我给自己定下的目标，就是这么一个：在小区里义务为垃圾分类回收作宣传监督工作。如果到今年年底，小区的垃圾分类回收能够坚持下来，而且养成分类抛扔习惯的人数有所增多，那我的这颗樱桃就算红熟甜美了啊……"我正沉吟，老乔拍拍我肩膀说："干吗那么满脸愁云？你那樱桃树还年轻，只要你好好养护，樱桃只会是一年比一年结得多呀！"

返回书房的路上，我脸上的愁云一定在迅疾地消散，我感觉到春阳泻落到了心湖，思绪的波纹玫瑰开绽般漾动。我走到自己的樱桃树前，弯下腰细看那颗还是青色的小果子，琢磨着，我该怎样从浮躁中警醒过来，从小事做起，为自己所置身的社区，哪怕只是兢兢业业地结出一颗红润鲜丽的樱桃来……

碰头食

　　那是去秋一天的下午，植被丰茂的温榆河边，我坐在马扎上画水彩写生，老杜走来走去地采集植物叶片，而汪哥儿则坐在他那辆本田雅阁里，把四扇车门全打开，仰着身子，双手枕在脑后，享受穿过车体的"过堂风"。

　　我们三个是偶然相识于温榆河畔的。我在离河不远的村子里辟了一间书房，写作之余爱到河边画风景；老杜离休不久，他们干休所就坐落在河东天竺镇，他喜欢采集植物花叶制作标本；汪哥儿别人都管他叫汪总，在河畔高档别墅区里有栋欧陆风情的小楼，有时开车路过温榆河就离开公路把车滑到河畔草丛中，他说是"透气补氧"，我却从他那眯眼凝思的神态，判断他多半还是在盘算生意经，因为问起来他比我和老杜小两轮还多，所以我们只叫他汪哥儿，他每回都拉长声音应承，很受听的样子。

　　我们又遇到一起，热络地互致问候后，便各司己事。忽听"咩咩"之声，一群绵羊约有三四十只，跟随一位羊倌移动了过来。羊倌是个四十多岁的汉子，我们都跟他打招呼，他也就站住跟我们拉家常。我、老杜、汪哥儿互相虽说也曾在问答间有些个自我介绍，究竟都留有相当余地，但那羊倌听了几句淡问，在我们并不曾寻根究底的情况下，却把他家乃至他们村的种种情况自动透明。原来放养这样一群羊，一年下来的收入约一万二千元。他说羊爱吃碰头食，所以必须每天轰出圈放养。同样的植物，你去割来放进圈里喂它们，它们不爱吃，必得它们自己边走边觅食，才又香又欢。当然，入冬后，留下的种羊只能圈养，喂储存的饲料，那风险就特别大，甭说染了病，就是厌食，胃口不香，不愿交配，也够人烦的。

羊群欢快地寻觅着香甜的碰头食，渐渐远去，羊倌也就跟我们道别，随着去了。夕阳裹到身上，暖酥酥的，我画好了画，老杜夹妥了标本，汪哥儿下车看画和标本，仨人闲聊起来，都发表了一番从碰头食引出的感慨。

我说作家写作，最好也还是从"碰头食"里获取营养。阿根廷有个著名作家叫博尔赫斯，长期在图书馆里工作，博览群书，浮想联翩，他的小说灵感差不多全来自于"圈食"，虽然奇诡精致，究竟缺乏时代脉搏生活气息，好多年里好多人都说他该得诺贝尔文学奖，但直到前几年他溘然仙逝，仍与该奖无缘，倒是像君特·格拉斯那样的爱吃"碰头食"即乐于追踪现实发展轨迹、撷取鲜活素材的作家，虽争议很大，倒能"蟾宫折桂"。当然奖项也并非评判作家成就高低的圭臬，从读者角度衡量，白菜萝卜各有所爱，我自己所钟爱的文学创作，还主要是吃"碰头食"那种路数的产物。

老杜却说哎呀快别提"碰头食"，在位的时候，整天吃"碰头食"，这顿是宴请别人，那顿是别人宴请，该到哪儿吃饭，全听秘书提醒，就是"工作餐"，往往也得司机送接、秘书引进才知道订在了什么地方，一年到头难得在家里吃顿"圈食"。直到离休以后，这才知道"圈食"比任何生猛海鲜、法式大餐都更可口，那因为连连吃"碰头食"而形成的滚圆"将军肚"，现在凭借"圈食"加步行采集植物标本，才算平复到可以拍侧面照的形态。

汪哥儿听完我们的话呵呵笑，说二位老伯你们怕都猜不出我的心思。他说对他来说，把握事业的关键是既要有充足的"圈食"，更要善于吃"碰头食"。搞经济，无"圈"就成了"皮包公司"，无"圈粮"就只能是整天想着"空手套白狼"，不仅难获成功，还容易酿成大祸。但是光知道"守圈"，只靠"圈粮"那是吃不成"壮汉"的，必须还要善于吃"碰头食"，就是绝不能错过机遇，一定要带露折花，常保鲜活。他说经济活动都带有一定的投机性，吃"碰头食"是一种投机行为不假，但投机要以"游戏规则"厘定的范围为度，羊是天然知道什么能吃什么有毒绝不能沾，搞经济的人吃"碰头食"可没那个"本能"，所以，要在实践中磨炼，在岁月中成熟……一顿话，把我和老杜听呆了。

那天晚上我在书房灯下检视自己的水彩写生，画面上有在柳林下蒿草中觅食的羊群，我忍不住在画角题上了"碰头食"三个字。

妹妹头

　　搞电脑软件的小聂是我的忘年交，那天他满脸放光，双眼喜悦外溢，兴冲冲地对我说："你猜，阿霖这回送给我什么了？"阿霖是他的女朋友，一家美国公司驻北京办事处的白领，他们那样的摩登青年总是不断地花样翻新，我就知道难以猜出，催他："快告诉我吧！"他拿出一双毛线手套给我看，我不免摇头："这算得什么呀？大不了是个什么名牌罢了，你怎么仿佛得了稀世宝贝似的！"他把那双手套戴上，十指用力屈张，强调说："她自己用毛线针织的！"我立刻明白了，这在他们那一代人尤其是那一阶层里头，此举此物确实非同小可。我想向小聂表述一下自己的感想，还没组织好语言，他却先概括上了："很古典，是不是？"

　　不久以后小聂和阿霖喜结连理。婚后有一回小聂又这样赞美阿霖："哎，她其实很古典的，真的很古典！"我让他略举一例，他就说那回一个朋友在新居里搞"派对"，大家一起玩扑克，想出许多罚输家的方式，什么扮鬼脸呀，学小狗叫呀，这些阿霖都接受，但是后来一位男士提出来，女士输了要让男士吻脸颊，别的女士嘻嘻哈哈没认真反对的，阿霖脸上虽说还挂着微笑，却严辞反对。我对小聂说："咦，那回参加法国大使馆的酒会，阿霖不是也按法国人的礼仪习惯，见了面，不论男女，都主动伸过脸颊去挨一下吗？"小聂笑说："那在法国也是很古典的礼仪啊！"我抬杠："那么，她拒绝游戏输了让男士亲吻，未必是古典想法，倒说不定是很新潮的女权主义者的思路呢！"小聂就咂咂舌头说："你呀你呀，怎么对'很古典'这个赞美,理解起来就这么迟钝呢?"

其实我何尝迟钝。只是觉得小聂所举的例子,尚不足以表达出他想表达的意思罢了。强调古典,是因为新潮(或者叫前卫、先锋)在时下颇有波涛汹涌之势,涉及文化的各个层面,一直渗透到社会生活的细微处。新潮有新潮的道理,即使一时还道不清那个理,或者竟不想"讲理",既已来潮,必有远由近因,我们先不必大惊小怪,而且,今日我们视为古典的事物,无一不是伴随着某一历史时期的新奇、新锐、新潮的风气而出现的,只不过许许多多的事物或早或晚地随潮落而消逝湮灭,独它们能"江流石不转","水落而石出",仿佛大海边屹立的礁石,获得了久远乃至永恒的生命,任凭再有新潮一次次地扑来退去,它们只是望潮微笑,默然自蠹;而不能坚实的新潮,也就总是一次次地在古典礁石上撞为飞沫,展一时的风采,闪片刻的辉煌,然后被淘汰,被遗忘。

在眼下社会大转型的情势下,新的法制系统在确立中,新的价值观念和道德观念在生成发育,新的人际关系、新的个人自处方式、新的家庭及亲属关系也正在调整中,这里面都有新潮在起良性推动的作用,但是古典的精华,应是一切新事物萌生、发育、成熟过程中的支撑点;而且,尽管自愿独身、非婚同居、丁克家庭、多次离异、单亲家庭乃至无涉法律两相情愿的露水姻缘,这些事物都渐渐浸润到了我们的日常生活里,甚至也不能说它们都是转瞬即逝的新潮,但在它们还没有成为古典的眼下,那种非常珍视童贞,非常郑重地对待结婚,非常期盼做父亲和母亲,结婚后非常重视家庭,把父爱母爱充分释放,把白头偕老和天伦之乐视为人生幸福的关键,这种中外皆然的古典观念,古典情怀,古典追求,还是应该成为我们生活中最常态的,主流的,受尊敬,乃至令人生敬畏心的存在。

最近小聂拿了一幅画给我看,是他在家里画的炭笔写生,画上阿霖斜俯着头,深情地望着怀中的婴儿专注地喂奶。我非常感动,由衷地赞美:"很古典,真的很古典!"我注意到,画上的阿霖的发型是个妹妹头,就是上方有厚厚的刘海,两侧头发与额上刘海间大体构成正方形的那么一种古典式样。还是在半个多世纪前,母亲告诉我女孩子那样的发型叫妹妹头。小聂说,他喜欢妹妹头,阿霖也说,以后就一直保持那样的发型。我刚说了句："那又何必？"小聂笑道："我当然知道，在社会愈加多元的情况下，不仅女的，男人的发型也可谓乱花迷眼，何妨时时更新，岂不活泼有趣？别人时时更新，我们可以一旁欣赏喝彩也可以视而不见，自己呢？抱定古典也是一种追求么！美国有位靳羽西，原是著名的电视节目主持人，现在做化妆品生意，她的系列产品非常新潮，时时更新，但她的发型就是古典式的妹妹头，多年没变过；还有咱们都熟识的女作家陈祖芬，二十年前的照片上她就是妹妹头，现在还是，她的文章可是与时共进，不断出新哩……"

　　小聂把那幅《母与子》赠给了我，我挂在书房墙上，凝望良久。古典，是人类文明最宝贵的结晶。新潮，是筛淘出有望补充进古典的事物的强劲助力。能在新潮中游泳，却又能恪守古典情怀的人，即使不能都称为时代骄子，也总是有福之人吧！

一剪梅

　　钟点工小孙有回望着我忍不住抿嘴笑，我问她笑什么，她反问我："您怎么每个信封都要拆开呀？"原来，请她帮忙的有很多家也是信件很多的，但那些家的主人从来都只是挑出些必要的拆开，其余的径直当做垃圾扔掉。有位评论家，因为兼着几种奖项的评委，还对某些排行榜有权威性影响力，所以各种赠阅的报刊新书，还有难计其数的邀请函、讨教稿、求情信，雪片冰雹般涌到他家，他开头还皱皱眉头，后来连表情也没有，只是坐在沙发上，用脚推推那些从地板上码起一尺高的未开封邮件，嘱咐小孙拿去及时处理掉。小孙拿去当废纸卖之前，是必须拆封归类的，虽然她识字有限，经手多了，对许多牛皮纸大信封上的机构名称，以及若干报刊的报头封面特征，渐渐熟悉，因为我所拆开的报刊与那位评论家相同的种类不少，见我居然每回一一照拆不误，除了留下的，其余以"对角线阅读法"浏览后，也是请她拿去处理，与那位评论家的区别不过是五十步与百步之差，因此禁不住笑我"多此一举"。

　　小孙虽然笑过我，但如今只要见我散步回来，坐到沙发上，面对一摞邮件，就会马上把我书桌上那把绿柄剪刀取来递到我手中。我拆任何邮件，不论大小厚薄，一律不用手撕而用剪刀开封，这习惯她也知道了。有的邮件看清封皮就会知道拆开它只是耽搁工夫，但我还是必用剪刀开封，取出内容用眼睛匆匆一扫。究竟我是怎么养成这种每信必拆的习惯的？细究起来，母亲对我的影响是决定性的。

　　在我童年记忆里，不仅永远镶嵌着母亲慈蔼的面容，更有她那祥和的语音。我很小的时候，母亲就教子女们吟诵过一首宋词，她所强调的是这样两句："云中谁寄锦书来？雁字回时月满楼。"她告诉我们，古时候有人把书信系在大雁的腿上，也有人把书信塞到鱼的肚子里，寄给家里；她说让大雁带信的办法好，因为并没伤着大雁，让鱼带信的办法很不好，因为要把那鱼杀死，剖开肚皮取出信来。后来我才知道，母亲跟子女们讲这些的时候正是抗日战争最艰难的阶段，父亲在重庆工作，让母亲带着孩子们回乡下躲日本飞机的轰炸，因此书信来往对父母来说成为生命的支柱之一，但彼时邮路难以顺畅，那两句宋词成为了母亲常吟诵的心音，也就成为自然而然的事情了。

　　长大后我读宋词选，知道母亲吟诵的是李清照的《一剪梅》，但词选里印的是"云中谁寄锦书来？雁字回时，月满西楼。"我去告诉母亲，她把句子记错了，母亲却坚持说她当年拥有的刊行本里就是没有那个"西"字。母亲说李清照选用《一剪梅》这个词牌真是别具匠心，因为用剪刀把信封剪开，抖出里面的信瓤时，确实有获得一枝梅花的感觉。我笑着批评母亲："您的感觉太个人化了！"母亲承认，还跟我说，其实人在一生里，会有很多感觉是个人化的，因为那往往跟个人的某些特别的遭遇相关联。她因此又提及很早的时候，有一部无声电影《一剪梅》，阮玲玉主演的，那部电影就告诉人们，给别人的信是绝不能乱拆的，给自己的信则无论谁写来的都应该拆阅。母亲去世多年以后，我购得《一剪梅》的光盘，以极大的好奇心观赏了它，发现那是一部从剧情到手法都很幼稚的言情片，阮玲玉当时的演技也还稚嫩，影片绝对没有母亲概括出的那个关于对待邮件的主题，但影片里确实有几处细节与信有关，其中一个细节是阮玲玉扮演的那位小姐把丫头递给她的一封信拆看后立即撕成几半，但等丫头离开后，又捡起来拼拢细看。啊，我明白了，观看这部影片时母亲是一个特殊观众，那细节一定触发了她对自己生命历程中一个重要关坎的感受。是这样，没错，记得母亲跟我们子女讲过，当年她作为父亲的未婚妻，长期跟我爷爷婆婆住在北京，婆婆去世后有了个后婆婆，爷爷一个人去往广东参加大革命去了。这位留在北京的后婆婆先是逼我们父亲离家闯荡，后来就想方设法要把母亲轰出家门，父亲当时没在社会上立住脚，行踪不定，无法接出母亲完婚，一个弱女子，往哪儿去呢？正当绝望之时，一天她发现所住的小屋门外的泔水缸里，漂着一封撕成几半的信，她赶紧掏起来，拼合起来细辨字迹，原来那是爷爷的老友孙炳文写给她的信，说是听到了她的情况，甚为同情，让她赶紧按地址到他家去住下，再商谋下一步的出路。显然那是后婆婆故意把那信扔到她门外泔水缸里的，以此既表示对孙炳文和她的轻蔑，又借此让她能够看到信上的信息，自动"滚蛋"。孙炳文是中共早期党员，在"四·一二"白色恐怖中被杀害，成为彪炳史册的烈士。母亲被孙炳文收留后，受到熏陶，思想更加开明，并在其帮助下终于与父亲正式结合。以母亲的这段故事为戏核，其实可以拍出比当年那部言情戏更有深度的《一剪梅》来，不是吗？

尽管母亲与信件的关系里，有不少非常个案的因素，但那绝不能拆阅别人的信件，以及给自己的信件无论如何都要拆阅，在这方面的叮嘱与以身作则，作为对我们子女为人处世的教养之一，仍是值得珍视的。二十多年前我暴得大名，邮件量猛增，一部分是为约稿而寄赠我的报刊，一部分是从各处转来的读者来信，亲友的来信相比之下数量最少。那时母亲住在我处，我在她面前将所有信件一一开拆，有回我剪开一本杂志的封套后，才发现上面虽写着我的地址却是寄给另一同行的，听我"呀"了一声，母亲问我怎么回事，听我告之后她嘱咐我要把那杂志转寄人家，并附信就没看清封皮便贸然拆开道歉，我不耐烦起来，跟母亲说那不过是寄刊的人把我跟那位同行的地址打印错了，反正双方都能得到杂志，何必那么啰唆？母亲没再说什么，但脸色很不好看。把所有邮件都拆完后，我到底还是给那位同行打去了电话，开头他呵呵笑，说这太算不得件事儿，后来听我说到母亲的意见，他沉吟了一下跟我说："为你高兴，有这么一位给你好教养的母亲……你跟伯母说，我会很快给他们写信，让他们把给咱俩的打印签更改过来！"对于所拆开的读者来信，我浏览后常把内容转告母亲，有的来信者不谈对我作品的印象意见，却是让我替他解决冤情，母亲对我不能作复能够理解，但肯定我一律拆阅的做法，她说："虽是一面之词，但总能让你多知道些人间的事情和各样的心思，也算是开卷有益吧。"

　　母亲去世十几年了，她哪知道当今世界上不仅有匿名信、恐吓信、敲诈信、开拆即爆的炸弹信，更有塞进炭疽的害命信，以及不管你愿不愿意硬给你寄来的种种推销商品的广告。如今我每天接到的邮件仍然很多，其中就包括一些不知道从什么地方弄到我地址便寄来的商品广告。我意识到，恪守母亲那凡给自己的来信必拆开方是为人之礼的教诲，不仅没必要，也难彻底履行，可是习惯使然，一旦面对成摞的邮件，便禁不住剪刀大动，而且往往还会浮现出关于《一剪梅》的种种联想，觉得绝大多数寄我邮件的机构与人士实在都是出于善意，启封后仿佛真有剪下的梅枝在氤氲出阵阵清香，对母亲的怀念也便随之酽酽旋起，真个是"此情无计可消除，才下眉头，却上心头"。

仨瓜俩枣

林大哥因肺炎住院，去探望他前我思忖了半天：给他带什么东西去呢？一般都是带鲜花和水果，鲜花虽美但很可能携有不利病人呼吸道的潜藏物，还是带水果为宜；考虑到有些水果如菠萝、芒果是热性的，不能带，于是最后决定带比较温润的仨瓜俩枣：西瓜、白兰瓜、甜瓜各一，台湾大枣两盒。林大哥在病榻上见了我非常高兴，他的嗓音还是振玉般清亮，大慰我心。说起我送仨瓜俩枣的事，笑个不停。原来他们父女都觉得我所送的慰劳品最具创意。我承认，送仨瓜俩枣除了表层那润肺清火的意义，确实也还隐含着更深层的意绪。这深层隐衷能被林大哥意会并使他粲然，反过来成为了对我的一种宝贵慰藉。

算起来，跟林大哥不间断地交往，有二十四年了。君子之交淡如水，相互的慰安馈赠，仨瓜俩枣足矣。特别是精神上的仨瓜俩枣。林大哥论革命资历非常之深，自从以林斤澜为笔名发表作品以后，其特异的文字风格与深沉的意蕴引人瞩目，但他从未曾得到过与此相称的荣宠，倒是屡遭不公正的对待，虽如此，他总以宽厚仁恕之心待人，我只不过是沐其善雨的许多人士之一。在那斗人成风的时段里，林大哥也因莫须有的"历史问题"被揪出批判；二十二年前，人们因"伤痕"未愈，大都思之痛彻肺腑时，林大哥跟我提起当年挨批斗的情景，却告诉我：在会场上他一直在为那两位被指定为"主发言"的女士担心，因为那本是两位柔弱娴雅的女士，从内心里实在恨不起他来，任务摊到头上，又不得不硬着头皮强作义愤，二位那边高声念打倒他的批判稿，他这边直为二位捏一把汗——因为那时曾有因紧张把稿子念错，念出"现行反革命"大祸的；等到终于念完而未出口误，林大哥才为二位得以解脱而暗暗庆幸。这是林大哥为我"谈往"的仨瓜俩枣一例。他说来淡淡，我听了心里却生出酽酽的感慨。人在危难中，却还能为胁迫于发难者一方中的人担忧，这是怎样的仁心善意啊！

　　林大哥不曾拥有过什么权势，但他多次在关键时刻，以自己所能奉献于他人的"仨瓜俩枣"，起到相当于给人"落实政策"的心灵慰藉。改革开放初期，他在家里把三茬有过节或隔阂的同行约到一起，摆"团结宴"的事情，曾被许多人称颂，可惜有的人早忘到脑后。在关键的时刻能站出来为失势的人说公道话，这在文化人里面是并不多见的，林大哥却总是虽三言两语却仗言无忌。林大哥对文学的要求很苛刻，文字意蕴上对己对人一律严格以求，你想博他两句泛泛赞词很难；对汹涌的文学新潮，林大哥一方面以开放旷达的心怀对待，一方面江流石不转地继续自己独创性的精雕细刻。但林大哥能够绝对摈弃功利地客观评价作家作品，前些时我们一起在国际艺苑喝咖啡聊天，我提到一位被许多人所不解不忿的作家，他却认真地说："那是个性情中人！"后来他读了那位作家的新长篇小说，写来短笺称道。他的评论往往只是仨瓜俩枣般朴素简洁，却往往一语中鹄、洞穿三札。一次文友们在天津小聚，畅谈文学，他似乎不经意地就文学语言问题说了三句话："写中国话。写好的中国话。写自己的中国话。"这"仨瓜两枣"抛出来，大家先是笑，后是愣，最后引出了热烈讨论。你细琢磨吧，这三句话既针砭了时下文弊，却又出语友善，催人深思，促人努力。

　　盛席华筵、浮言谀词是一种交往，仨瓜俩枣、仁心慧言也是一种交往。在人生路上跋涉，把握住真正值得珍视的人际关系，实在必要。奉送物质上的仨瓜俩枣是容易的，像林大哥那样能时时把精神的仨瓜俩枣竭诚献人，圆满那样的功德，是不容易的。默默敦促自己：有榜样在，好好仿效吧！

地 母

　　黎频女士去世了。她是北京人民艺术剧院的老演员。我最早对她有印象，是十多岁时看了电影《龙须沟》，她和叶子一样，演的是北京底层的劳动妇女，演得惟妙惟肖，令人感觉她们本来就是那样的人，只不过是被拍纪录片的人偶然地把行迹拍下来罢了。后来我随年龄增长才懂得，她们那叫表演艺术，是深入生活，刻苦揣摩，再经名导演指点，才塑造出那样浑然天成的舞台形象的。

　　改革开放以后，上世纪八十年代中期，北京人艺历经浩劫后，欲重振雄风，于是刻意从剧本抓起，大概是想广种薄收吧，连我这样的从未写过剧本，写小说也起步不久的人，他们也热情约稿。记得那时就是黎频出面跟我约。她先打电话，后来还把我约到她家去过。说实话，那时候她在我眼里已经是个老太太，心想也难怪改做组织剧本的工作，这样的人，恐怕再难登台的了。黎频约稿的方式是随意闲谈，先使双方熟悉，再调动对方的编剧可能性，绝不揠苗助长，只等瓜熟蒂落。但我这人在编剧方面实在是孺子难教，不但至今没给他们什么剧本，甚至关于在她家的交谈究竟是些什么具体内容，事后竟完全回忆不起来了，单只记得她家临窗有盆一品红，长得实在怪，可以说是长疯了，又像树又像藤，直往屋顶上蹿。

　　后来，我的长篇小说《钟鼓楼》被改编拍摄为电视连续剧，叶子被导演邀演一角，极为出彩，那以后更多已经退休的老演员被请上了荧屏，焕发出青春，到九十年代我的中篇小说《小墩子》被沈好放编导录摄，他告诉我基本上用的是北京人艺的班

底，有已经走红的濮存昕，也有那时还不为人知的岳秀清，还有在剧本改编上参与
不少好意见的修宗迪，甚至连胡宗温、张瞳那样的老台柱也热心地来跑龙套，他顺
便说到演祖奶奶的是黎频，我当时并没怎么在意。《小墩子》播出以后，黎频担纲
的一角大放异彩，外行有的来问我："是从哪个胡同里找来了这么个真婆子？"内
行赞誉的不少，比如林大哥斤澜，他不仅是小说大家，也是剧作家，本身也登过台的，
就跟我说，黎频的祖奶奶真不得了，坐在那破藤椅上，破蒲扇那么一摇，哼那么一
声，角色立马就活了！看样片的时候，好多人跟我说，你再写个《小墩子后传》吧，
唯独黎频跟我说，最好再写个《小墩子前传》！原来，是因为小说里写到，早年祖
奶奶的情人因为没能娶上她，赌气在她嫁去那家的门外，栽了棵臭椿树，后来那树
蹿高变粗如巨帐，电视剧的场景里也出现了这么一棵树，这个细节读者和观众未必
那么注意，但黎频为了塑造出血肉丰满的艺术形象，显然一直追溯到小说与剧本之
外，从生活和情感库藏里去挖掘可利用资源，心中甚至已有了这人物"前传"的轮廓，
这不仅体现出了可贵的敬业精神，也说明她那样的演员有着多么厚实而灵动的修养。

　　《小墩子》以后，黎频一部戏接一部戏地演，是戏瘾太大，还是导演们不能
放过她这样的"现成活祖母"？她偶尔跟我联系，几次是为了帮她哥哥李德伦找
到我，德伦大师去世后的追思音乐会，票是她给的，我和爱人去听，遇到她，她
说我写的那篇关于他哥哥的《从忧郁中升华》，德伦大师很看重，病危时亲自编
定一本谈往论艺的书，嘱咐此文一定要收。我问她又在演什么，她说参演一部关
于清末名丑刘赶三的剧，刚拍的一个镜头里，她扑倒在地还滚了老远，这话吓了
我一跳，在那戏里她肯定又只不过是片绿叶，值当这么玩命地去演么？

　　没想到前两天接到她女儿电话，告诉我她以83岁的人生结束了大地之上的
演艺生涯。鲁迅先生在悼念保姆阿长时说："仁厚黑暗的地母呵，愿在你怀里永安
她的魂灵！"但我以为一贯乐观旷达的黎频，到了地下也不会放弃她一生爱好的
演艺事业，说不定她就会在地下舞台上，扮演出一个仁厚然而光明的地母，使那
里聚集的亡魂们，都能从精湛的艺术里获得慰藉！

2003.5.8 温榆斋

何处在涌泉？

那天应中央电视台 10 频道邀请去录一个节目，录完正往大院门口走去，忽然听见有人在身后叫我，扭头定睛一看，惊呼热中肠，是久违了的谷文娟大姐。她说："我从背影上就断定是你！"但看到我正面时，她笑说："老了老了……"她的笑容像当年一样总带有些揶揄的味道，头微微晃动着，我不忍心说我觉得她变矮了，低头望着她只是傻笑。10 频道"绿色空间"在谷大姐爱人他们单位的招待所里租屋搭棚录像，谷大姐他们宿舍也在那个大院里，正好下楼散步，我们因此不期而遇。

我告诉谷大姐已到耳顺之年，她眉毛耸动，大概是在推算我们当年认识的时候我才多少岁，也许是同时意识到我也在推算她那时才多少岁，就爽朗地说："我今年七十三了，早退下来啦！"我们心里都掀起了往事的烟云波涛，却一时不知从何说起。我只说了句："当年你对我是有恩的……"她也没歉词，仍是一脸灿烂的笑。看得出她在为我高兴。仅仅因为我仍在继续二十四年前开始的事业，没有停歇，她就为我高兴。她的这份高兴，实在是再次施我以恩德。

与谷大姐的这次邂逅，引出我许多的回忆，以及复杂的思绪。

二十四年前，即 1978 年，那是个历史转硬弯的年头。我在 1977 年 11 月发表了短篇小说《班主任》，又在 1978 年春天发表了短篇小说《爱情的位置》和《醒来吧，弟弟》。杂志负责人和编辑对这些作品的出世当然起着关键的作用，但作品的推广，还需要一个很重要的渠道，就是电台的广播。那时候我那些作品，以及另外一些作家的作品，如卢新华的《伤痕》，王亚平的《神圣的使命》，陈国凯的《我应该怎么办》等等，被称为"伤痕文学"，是有争议的；邓小平同志复出以前，当时最高领导人还在强调"两个凡是"，从理论领域到文学领域，思想解放的潮流屡遭阻挡，那时的文学杂志报纸副刊刊登那样的作品，特别是电台文艺部将其朗读或改编为广播剧，都还要承担一定风险，必须以胆识和锐气，热情甚至激情，才能迅速地将其发表播出。就是在那样的情况下，谷文娟作为中央人民广播电台文艺部的编辑，连续编录了我的《班主任》、《醒来吧，弟弟》，以及另外一些作家的作品，使当时还不能及时看到报刊的人们，特别是还在农村插队或在边疆生产建设兵团的年轻人，从电波里一下子听到了跟"四人帮"那时候完全不同的声音，以至于印象深刻到终身难忘的程度。有的那样的听众，后来见到我，跟我细说当时情况。那时农村里安装着很多的高音喇叭。地头的电线杆上也有。在"四人帮"倒台以前，那些高音喇叭里充斥着诸如"批孔""批邓"的肃杀之声，1977 年里的声音里虽然多了批判"四人帮"的内容，却仍在肯定"无产阶级文化大革命"。那时时兴把高音喇叭的音量调至最大，传出的声浪在广袤的田野上滚动弥散，遇到丘陵山谷还会发出轰隆的回音，透过听觉给人心灵的震撼是无可逭逃的。因此，1978 年仲春，突然有一天他们从那高音喇叭里听到了谷文娟等编录的节目，内容上对"文革"发出了质疑，宣布了爱情在人生中有合理位置，配乐里出现了贝多芬的《命运》旋律，又有轻柔的絮语与抒情的琴音，这让在田野中的他们惊奇、惊喜，"世道要变了"，他们也因之释放出了求变履新的青春情怀。在这样的田野聆听里，他们感受到被启蒙的喜悦与激动。于是他们记住了那些作品与作者的名字。许多这样的青年是先听到广播，再去找报刊书籍阅读相应文字的。到了现在，有的文学史家可以说那还不是文学，有的批评家可以嘲笑那些文本的僵硬幼稚，我们自己也可以真诚谦虚地一再地申明那时候实在还没有真正迈进文学的门槛，但是这些都改变不了一个基本事实，就是包括我在内的一些人那时因为时代机遇，思想潮流，文学复苏，加以有这样的广播托举而名噪一时，纷纷涌进文坛，命运发生了重大转折。虽然后来随着时间的推移,我们各有各的浮沉哀乐,但这一事实,无论回忆起来时是自豪还是赧颜,都已嵌在了历史年轮里,不可更改。

　　1978 年年底,中国共产党十一届三中全会胜利召开,改革开放大势初定,文学的潮流急速奔腾,虽然争论不断,风波不少,但人们心态越来越乐观勇进。那时被谷文娟改编录制的广播剧可以说是播一出红一出,作品因此广为流布,文学评奖活动中,也就成为了一张无形的巨大选票,作品因此获奖,作家因此得福,不是中国作协会员的可望立即入会,有机会被派出国访问,所在地甚至有奖励住房的。记得那时一些作家见到谷文娟真是笑面如花,不知该怎么亲近她才好,还曾有人私下里来问我:"究竟怎么着才能让谷文娟看上(作品加以改编播出)呢? "在那时经常是由冯牧等作家协会领导主持的活动中,我就看到有的人指着谷文娟背影跟旁边的人小声说:"那就是她……"仿佛见到了一尊真佛。

　　但是到了1983 年以后,大概是因为新电影渐渐多了起来,而且大多是由新小说改编的;电视机开始普及,电视剧也开始活跃,许多电视剧也都取材于小说;广播剧在这种情况下就渐渐不那么稀罕了。于是文学界对谷文娟的黏糊,似乎也就逐步地变成了疏离。到1985 年以后,许多新锐作家已经不清楚谷文娟是何许人也。我自己也顾不上和谷文娟保持联系,她究竟还在改编录制些什么广播剧,不清楚也不想去收听了。

　　时过境迁,世态炎凉,这些词语我们用滥了,但真正锥心地体会到这些字眼里的人生况味,也不是那么容易的,不是我们太迟钝,倒也许是太聪明了。文学史家称为是"新时期文学"的那个阶段里,对推动那时的文学复苏、发展做出贡献的新闻界人士,是颇多的。我记得的就还有中国新闻社的记者甄庆如(现在他使用甄诚的笔名),他有时一天向海外发出数篇关于中国文学复兴的报道,像巴金的言论,艾青的新诗,丁玲的复出,王蒙等的改正,中国作协创办全国优秀短篇小说和中篇小说奖项,劫后的第一个作家代表团的出访,等等,这些消息都马上被港、台及世界各处的华文报纸抢着采用。还有新华社的女记者郭玲春,她写报道总愿意使用富有新意的文体,还写了不少有深度的专访。电台方面的人士也绝非谷文娟一个。我知道的就还有一位王成玉，他在中央人民广播电台的青年节目里，播出了很不少的新小说，我的《爱情的位置》、《穿米黄色大衣的青年》就是他组织的，他能请到像董行佶那样的能以声音塑造人物的艺术家来担纲朗诵，使这些小说在群众中的流布更如清溪般畅快致远。那时候绝无"红包"现象，也还没有"炒作"一说，这些人士尽全力宣传新作品新作家是出于高度的工作责任心，更是出于由衷的呵护热情，他们使许多我这样的人名利双收，自己却名利双无。随着岁月推移，他们与红火的"知名作家"的距离渐行渐远。后来很少有人再忆念这些人、这些事。记得上世纪末有一回一些同行聚谈，我提起了这几个人，有的不知道也不想知道他们是谁，这倒不算什么，可是就有知道的讲起其中某某的轶事趣闻，涉及私生活，多为尴尬事，边说边笑，大为不屑。即便其所说的全非谣言，也无伤大雅，但自己名利双收，周游列国，甚或还有了官职荣衔，对人家"不过还是那么个角色"，甚或改换为更不起眼的角色，持此种态度，毋乃有失厚道乎？

"滴水之恩，当涌泉相报。"这是我们背得烂熟的古训。因为没有什么新意，不能为诡奇的新潮文本增色，倒可能令那些只喜欢颠覆风格的读者嗤鼻，有的作家已经很少再加以引用。但我们的双脚，难道应当从这样的道德基石上挪开吗？检讨我自己，也很惭愧。记得 1988 年我在杂志主编任上，有一天忽然接到谷文娟从美国的来信，说她随在驻美机构工作的爱人暂住美国，希望我们能给她按期寄杂志，我就此事与管财务的副主编商量，都感觉到如果按期给她寄赠，那么相应地就该给另外的许多海外人士寄赠，初步拉了拉名单，因为邮费很贵，单位经费有限，算起来实在吃不消，也就叹气作罢。现在扪心自问，怎么就不能由我个人自费给她按期邮寄呢？不承认是舍不得钱，那么，承认不承认是舍不得时间和精力？更应该承认的，是心里面已经不那么看重她，过了河了，她也不是桥了，自己日理万机，国内海外，要应付的人际丝缕纷乱，对她仅存一份淡淡的忆念，似乎也就仁至义尽了。

回顾这二十四年的写作历程，予我有滴水以至更多恩沐的人事真是不少。我真涌泉相报了吗？也许只有一例，那就是冯牧仙逝后，在他家中的遗像前，我献上自己一幅水彩画后，着实发自肺腑地飞泪嚎啕。其实我后来在文学观念上与冯牧已经疏离甚至有所龃龉，但我的登上文坛，他实为第一扶植者，这是永远不能忘怀，也永远不该讳言的。

　　细想起来，真要履践以涌泉去报滴水之恩，恐怕也实在很难。滴水算起来总不会很少，自己又哪有那么多泉眼可供喷涌呢？环顾人世，熙熙攘攘，营营苟苟，恩将仇报的事情不少，何处在涌泉报恩？那样的风景实不多见。但与谷大姐的邂逅，毕竟牵出了这许多的思绪，像滴滴清露，还是像汩汩活泉？那天分别时，我们都没有询问记录对方的电话号码，偶然相遇，比着意联系，似乎更有淡如水的君子意趣，也许，不必涌泉，心存一份善意祝福，而终于相忘于江湖，更是真实的人生，也更符合真实的人性吧。

缪大姐的门

陆续在传媒上看到一些谈论"小资"的文章，这些文章所描述的"小资"，在时下的中国内地，大体以城市青年白领为骨干，他们通外文，懂电脑，收入不菲，但绝非暴发，不爱存钱，潇洒消费，喝星巴克咖啡，用宜家家具，长假旅游，短假泡吧，餐饮消费实行 AA 制，有的夫妻亦如是；健身、美容是他们工余的必修课，穿戴上或一身名牌，或凸现个性；沙壶球、蹦极、野外烧烤、假面派对……这些对我这一辈人陌生的事物，已融入他们的日常；精神消费方面，他们里头有的读博尔赫斯，听斯特拉文斯基，看基耶斯洛夫斯基的《十诫》光盘，有时看几米漫画，听朱哲琴，交流对《周渔的火车》的观感……最近又有"布波族"的概念出现，就是把"小资"中的佼佼者的特点归纳为"布尔乔亚"加"波希米亚"，经济上小康，精神上浪漫，既尊重传统、尊重家庭，又特立独行、勇逆俗流……尽管这些关于"小资"的描述、论说多有含混、矛盾之处，而且被定位于"小资"的社会族群也常被尖刻地讥讽，但总的来说，"小资"绝不再是一个恶谥，那些讥讽者的出发点也不是要"灭小资"，而是向自以为是"小资"者发出嘘声："你不配！"

我对时下的"小资"缺乏研究，对针对时下"小资"的讨论没多少发言权。我只是想把自己耳闻目睹、亲身感受的一些往事，写下来供时下研究、论述"小资"的人士作一参考。

我进入少年时代，是上世纪五十年代初，那时候针对知识分子，开展了轰轰烈烈的思想改造运动,这场运动所要改造的思想之一,就有"小资产阶级思想"。记得我曾混进过大人们开会的会场,偷看那会场上的情景。开会有什么好看的?如果只是些在那里发言、喊口号的会,自然没什么好看,但也有那样的会,带有一个阶段的总结性质,在发言之后,会有些表演,当然都是业余性质的表演,形式相当粗糙简陋,什么三句半呀,快板书呀,相声呀,合唱呀,舞蹈呀,哑剧呀,等等;节目的内容都是思想改造的心得成果。我印象最深,直到今天仍如在眼前的,是一个哑剧。表演者是个女的,人们叫她缪大姐,那时候大概三十多岁,她自编自演的那个哑剧叫《过门》,舞台上竖着四根木条构成的一个门框,她一上场,人们就哄堂大笑,不是她化装得怪模怪样,她还穿着平时的衣服,就是那个时代几乎每个城市妇女都穿的一种"列宁装",齐耳短发,带扣襻的黑布鞋,只是没戴那时候流行的"八角帽",大概是怕表演中不慎弄掉地下;人们笑,不笑她打扮,那笑什么?原来,她上场时,身上背着大大小小许多的包袱,那些包袱里实际上可能只装了些蓬松的纸团,但她表演出不堪重负的痛苦表情,弯着腰,吃力地朝那个门走去。当时跟我一起混进会场的孩子,有的实在不懂她那是在表演什么,不耐烦,没多会儿就溜出去了,我却觉得自己能懂,没走,一直看到底。其实不难懂,很概念化,很幼稚的。台上那个门,横梁上写着"欢迎革命者",而缪大姐身上的那些大大小小的包袱,也都贴着醒目的标签,最大的一个上面,写着"个人主义",其余的,我记得的有"享乐主义"、"自由主义"什么的,缪大姐背着这些包袱想挤进那个门,自然是妄想,试了几次都被门框挡回,甚至跌倒在地,于是她以种种肢体语言表达自我改造的过程,首先是跺脚把那些坏"主义"的包袱一个个地扔掉,到最后,她身上只剩了一个"小资产阶级感情"的包袱,她做出犹豫、舍不得的表情,坚持还背着,想用诸如侧身、顶在头上种种取巧的办法混进门去,始终不能过门,她便很不情愿地打开那个包袱,呀,大包袱里滚出许多的小包袱,这些小包袱的性质都由粘在那上面的纸条标明,也许是我早慧,更可能是由于实在好奇,我一直记得许多纸条上写的字样,有"多愁善感"、"爱情至上"、"风花雪月"、"琴棋书画"、"温文尔雅"、"怀旧情绪"、"眷念家庭"、"温情脉脉"、"悲天悯人"、"孤芳自赏"、"心慈手软"……最让我惊讶的是，还有"洁癖"、"喜静"，最令我费解的，则是"淡淡的哀愁"。缪大姐大概是想把自己思想改造的过程细致展示，接下来的表演比较拖沓。她似乎最难割舍的，就是这个"小资产阶级感情"的大包袱。把这个大包袱打开后，她先挑出几个小的，比如"心慈手软"什么的扔到一边，其余的还包在一起，企图就那么过门，还是过不去，于是不得不再作减法，记得她最最后扔掉的，就是那"淡淡的哀愁"，全扔干净了，身上完全没有任何包袱了，她拍拍衣襟，挺直腰板，昂首阔步，顺利地迈进了那个大门，于是热烈的掌声响起。

我的父母兄姊，全是知识分子，那时候全被划定为小资产阶级，他们都很自觉地参与思想改造运动，克服小资产阶级感情，当然也是必修的功课。缪大姐过门的哑剧，一度成为我们家人互相勉励的话题，我渐渐长大，上到高中，也就常被提醒"要过好缪大姐那个门"。"缪大姐的门"这五个字成为一种象征。为什么不说"革命者之门"？因为无产阶级本来就在门内，这门是考验像缪大姐那样的"小资"的。我这一代人，是在以"小资"为秽臭的氛围中形成认知的。我在青年时代，常为自己到头来竟不能割舍"小资产阶级思想"与"小资产阶级感情"而羞愧万分，心灵经常陷于困惑、自责、忏悔、挣扎的复杂状态中。"个人主义"当然是万恶之首，我们那时是绝对皈依集体主义的，我真是尽力地只做对集体有益的事，不作对集体有丝毫损害的事，但我却不能放弃某些自己喜欢而并不妨碍集体的事，比如，我从小喜欢写作，梦想能成为一个作家，很早就尝试投稿，而且我写的稿子都是绝不悖逆那个历史阶段的主流话语的，但这一爱好、行为还是被指认为"想成名成家"、"走白专道路"。我高中还没毕业，听到大人们议论到缪大姐被划为了右派分子的消息，内心里很是震惊，但也像大人们一样地懂得了谨慎，当着外人绝不乱说乱议，自己静处时心里只有悲哀与无奈，我想，如果连那样一位能把"淡淡的哀愁"也坚决抛弃掉的人，也终于还是进不了那扇门，勉强进去了也还要被扫地出门，那么，"小资"是不是到头来只有死路一条呢？我的这个想法，不幸而言中，那就是"文革"的到来。如果说"小资"在"文革"前还有脆弱的中间地带可以立锥，仅是受到批判，被责令改造，那么到了"文革"期间，"小资"就彻底地与"大资"与"反动"画了等号了。打响"文革"第一枪的那张北大聂元梓等人的大字报，刚播报刊登时我根本不懂，甚至糊涂到以为跟我那么一个非党的卑微存在没什么关系，但接着发表出的社论《撕掉资产阶级"自由、平等、博爱"的遮羞布》、《横扫一切牛鬼蛇神》，以及在此号召下接踵疯狂的"红卫兵"暴力行为，令我感到极度恐怖。就在那场狂飙般的"横扫"中，缪大姐的人格尊严被彻底践踏，她也就"自绝于人民"，"红卫兵"宣布她成为了"不耻于人类的狗屎堆"，"缪大姐的门"这个意象在我心中再浮现时，所旋出的念头情绪真不敢向任何人泄露。

缪大姐的悲剧已然成为历史旧迹，我试图跟几位时下的"小资"讲讲"缪大姐的门"，有的只对她那哑剧场面觉得滑稽咯咯咯笑，有的不耐烦听完宣称"柔弱的心拒绝残酷文本"，其中还有一位不以为然地跟我说："现在全民奔小康，也就是全民奔'小资'，而且现在的'小资'是真'小资'，有自己的住房、轿车等不动产、动产，更不用说还有拥有股票、证券、外币的……别说是'淡淡的哀愁'，你就是'浓浓的哀愁'，只要不违法，那算个什么问题？谁管得着？那'缪大姐的门'，如今已经拆了没有啦！你咀嚼这些个陈芝麻、烂谷子，有什么味道？"

时下，是历史延续过来的存在，我总觉得，我以上的几辈人的生命，在这同一空间中的思想、感情轨迹，不但自己有进一步咀嚼、消化的必要，也有让下一辈了解、分析的必要。究竟什么是"小资"？"小资产阶级思想"究竟怎么界定？"小资产阶级感情"又包括哪些个内涵？如果当年"缪大姐的门"界定得并不完全准确，那么，准确的部分和不准确的部分各是什么？在当年算是准确的部分里，又有哪些是时下已经改变了判断标准的？当然，我更想弄明白的，则是时下"小资"的思想感情究竟有了哪些新内涵？这些新内涵真的只要不违反法律法规，就都应该予以肯定吗？还有没有需要改造，或者说调整的部分？

记得那是1963年夏天，缪大姐在消失了好几年后，又出现在我们那个街区，那时我已经知道，她被划定为右派分子，主要一条理由，就是她那回当众表演了那个哑剧！她衰老了许多，脊背都有些佝偻了，那天她买菜回来，走在胡同里，一群孩子朝她嚷骂："臭右派！"有的还捡起石子朝她掷去，她站住，用全身力气对那些孩子喊："我已经摘帽了！摘帽了！"那些孩子怪叫着散去，她手中的菜篮在喊叫时落在地下，里头滚出几个茄子，其中一个滚到了路经那里的我的脚下，我稍微犹豫了一下，拾起那个茄子，送到她面前，于是我们两个人的眼光有极短暂的接触，我从她的眼光里，感受到了一种令我难以拒绝的东西……那是我们最后一次，也是仅有的一次近距离接触，那时我已经过二十岁，而且已经工作，我那时没跟任何人晓，后来世事纷繁，也曾将那感觉雪藏，现在，当我写这篇文章时，那个夏日胡同里的邂逅情景却浓酽地浮现心头，我想说，如果在我和缪大姐那短暂的目光接触里，我们双方都感受到并难以抑制、排拒的那个东西，就是小资产阶级感情的话，那么，我将珍惜它，直到我生命的最后一刻。

2003.3.21 温榆斋

非量化因素

    电子技术使我们进入了数字化时代。数字化也就是量化。似乎一切事物都可以最终地解构为数字。故去不久的美籍华裔历史学家黄仁宇在他的一系列著作里反复强调数字化管理的重要性，认为中国近代史上之所以有百多年落后于西方，就是因为长期缺乏量化思维与管理手段。现在我们中国进步极大，数字化已经渗透进我们的日常生活，比如我们用光盘听音乐看电影，那些曼妙的声音绮丽的画面其实全是一连串数字记录的回放，量化的程度越高越细，则效果就越好。我们的住房条件更可以用一系列数字来形容：建筑面积多少，使用面积多少，每平方米值多少钱，装修花费多少，物业管理费多少……甚至连四季阳光射入窗内的总时数也可以估算出来。无论是整个社会的发展还是我们自身生活品质的提升，进入到自觉、严格、细致、准确的量化程序，得以用数字化体现出来，当然都是可喜的事。但是，我们生命中仍有着值得珍惜的非量化因素。一位微电子专家说过，不要以为精微的数字化手段能够模拟表达一切，比如说，一对夫妇站在摇篮边，当他们都默默注视了摇篮里的爱子后，又抬头相视的那一瞬间，他们的表情，尤其是洋溢在内心的情感，那是无法量化，而又坚实存在的因素，这一因素比其他所有把他们结合在一起的可量化因素，包括他们的年龄、学历、收入、住房条件等等，更为紧要，是无价的——所谓无价，也就是无法以数字衡量价值，因而尤其珍贵。

再举一例，我到过许多人的书房，哪一位的书房给我印象最深，最令我羡慕呢？那是在挪威奥斯陆郊区，一位汉学家何莫邪的书房，若问我他那书房怎么个好法，是面积大、藏书多、装潢雅致还是光照足、设备全、舒适恬静？以上这些因素都是可以量化的，像装潢，可以从投资额上量化；恬静，可以从外来声音的分贝值上量化；而他那书房以可量化因素而言，其实并不能占到上风，不仅面积并不怎么阔大，窗户朝向欠佳，全年进光的烛光值总量不高，如果用仪器测量其空气流动的日平均值，其数值恐怕也未必令人欣喜；但他那书房里的非量化因素，比如说那样一种不身临其境绝对感受不到的氛围情调，却是令人流连陶醉的。近年我在北京东郊农村找了一间书房，因为离温榆河较近，将其命名为温榆斋，我就特别注意将其非量化因素营造好，在那里面写作，我有一种身心融入了温榆河周边大自然彻底舒张的感觉，这感觉无法用数字表达，甚至也很难用文字描述形容，是一种情感的涟漪在推衍，一种诗意的云霓在闪现，构成我生命中最可宝贵的要素。

我们常有焦虑。仔细检验便会发现，所焦虑的，几乎全是可以量化的东西，而且焦虑的具体思维模式，也是十分数字化的。也不能说以数字化手段焦虑可量化事物就不好。就做事的社会效益与自身合法权益而言，重视可量化因素不仅必要而且务需认真。但必须消弭焦虑中的不良成分，关键在于要把那些多余的数字剔除。一位熟人跟我说，他一度曾为自己住宅里只有一个卫生间，而昔日有的同窗家里却享有两个甚至两个以上的卫生间而陷入自觉形秽的焦虑，但一次他却在仍住在胡同杂院，如厕还需出院的一位同窗家里，目睹身受了其家人间无法用数字量化的那种温馨亲情，竟如醍醐灌顶般清醒过来，再不让几个卫生间之类的量化焦虑败坏自己的心情。

在一个数字化的时代，一个人在精神上能自觉地保持些不必也不可量化的，与数字无关的情愫，那真是一种福气，而且，这样的人多起来，人际间也就不必将一切都加以量化了，那么，在数字化程度越来越高的时代步伐中，氤氲出以情感和诗意交织的非量化因素，也便构成了整个社会愈加祥和的吉兆吧。

底线守卫者

又争论了一番！跟我争论的薛人望，是美籍华裔科学家，在史坦福大学的研究所从事生命科学的研究，我跟他结识，是在 1978 年，那是中国大陆改革开放春风吹拂的初期，大约正当关于"实践是检验真理的唯一标准"的争论进入高潮那一阵，他应有关部门邀请来北京访问，那时他还不是美国护照，是以台湾旅美学者的身份来访，属于粉碎"四人帮"后最早到北京访问的台湾旅美人士之一，他在从事专业性交流之余，提出想跟我见面，作一次采访，因为他虽然在台湾和美国学的都是自然科学，但从小也热爱文学艺术，他的妻子李黎是台湾旅美的著名小说家、散文家，他们读了我 1977 年年底发表的小说《班主任》后，都很感兴趣，访问我，就是想从《班主任》谈起，再涉及中国大陆文学的发展走势。我同意接受采访，有关部门安排我们在华侨大厦见面，那次李黎并不在座，于是，一个搞自然科学的就同我这样一个属于人文科学领域的写作者对谈起来。那回我们没有争论，基本是他问、我答，后来他将采访记发表在香港一家杂志，篇幅很大，据说影响也不小。但从那以后，他的科研工作越来越繁忙，或者说他是越来越入迷，我跟他妻子因为是同行，来往、交谈倒比我跟他为多。听别的美国朋友说，人望在对遗传基因的研究上成绩斐然，获得过生物学方面的仅次于诺贝尔奖的一个重要奖项。他倒从未向我提起此事，就像李黎多次得过台湾重要的文学奖项，也总是淡然处之一样。

我两次到美国，都在人望、李黎家住过。1987 年他们还住在圣迭戈，人望当时在圣迭戈大学任教，那回在他家闲谈，他讲到男人怀孕产婴从科学技术上已经是完全可以做到的事，我听了觉得惊奇，却不反感，从人文的角度，科学技术的进步能让男人分担孕育下一代的任务，可以进一步促进男女平等，良化社会，从伦理上不仅不悖伦，倒扩展了父爱的领域强化了父爱的力度，这很好嘛！后来李黎在人望提供的研究成果基础上写出了长篇小说《袋鼠男人》，台湾、大陆都出版了，台湾还拍成了电影，我认为这部作品是当代科技与文学嫁接出的奇葩异果。

但是 2000 年去美国，却在他家跟他激烈地争论起来。史坦福大学是以高待遇将人望从圣迭戈大学挖去的，到了史坦福，不用再授课带研究生，就是埋头在实验室里搞基因以及相关领域的研究，涉及克隆生命。我们的争论，就围绕着克隆人展开。人望认为，克隆生命的技术是人类在生命科学方面最值得自豪的进步。我却对此深怀忧虑。我说，科学技术的进步是否一定都是好事？现在人类应该冷静地深思一番了！我以为，当下人文科学的重要任务之一，就是要对科技的迅猛——或者说是凶猛，甚至可称为狂暴——的推进，设置底线，而人文科学领域的人士，包括作家，应成为这底线的守卫者。人类对毁灭性武器的研制，正威胁着人类的和平生存；人类对地球资源的开发，以及全球城市化的进程，对自然生态的破坏已经达到触目惊心的地步……这些且不论，现在生命科学的研究，已达到不仅理论趋于完整，实验趋于成熟，而且技术上也趋于可行的地步，"科技进步是把双刃剑"，这话已经有很多人说过，我也认同，基因研究确实给人类认知自身、预防和医治许多疾病带来了实际的好处，但我跟人望说，如果这方面的研究，特别是技术层面的推进，达到可以随意克隆生命的程度，那么，我就觉得那超过了底线，不再是双刃剑，而是把徒具伤害人类的单刃刀了。我们的争论在他家客厅里从晚餐后持续到深夜，这里不能缕叙双方的论点与论据，只简单概括我的观念吧：克隆人的技术如果推进到不仅可以产生婴儿，而且还能以成熟的器官与身体组织直接组装生产出"肉质机器人"，那么，就会派生出严重的人文问题，首先会与人类的几大宗教信仰直接冲突，再就是派生严重的伦理危机，人类的良知结构、自由信念、人道追求……都可能紊乱甚至瓦解，总而言之，人的生命应该是大自然的组成部分，应保持一定的偶然性、神秘性、自在性，才能建立基本尊严，人与人相处也才合乎天理人伦，如果人的生命是可以像汽车一样组装，甚至批量生产，并受组装者控制，那么，这样的科学技术，就是超出了其应有的底线！

2002 年冬，人望李黎伉俪到上海小住，没来北京，打电话向我问好，没想到我与人望竟话赶话地又在电话里争论起来了。那些天传媒都在报道某小教派宣称他们已经克隆出了婴儿，对此人望嗤之以鼻，他告诉我对人的克隆技术虽然推进很快，但也还有若干环节并没搞掂，那小教派不可能真正掌握了克隆人的技术，完全是骗人。但人望仍认为一旦克隆人的技术彻底搞掂，实施克隆人并没有我说的那些问题。他说他和同事们所从事的研究，意在以生命复制技术来造出完好的人类器官，以在医学上做出贡献；他说他对克隆多利羊那样克隆人之所以不感兴趣，完全不是出于人文前提的考虑，只是觉得"无聊"罢了。他逼问我：你对试管婴儿、"袋鼠男人"不是都能够接受吗？怎么再往前跨一步，克隆人，你就那么痛心疾首？我当然还是强调个体生命的尊严基础就是其自然属性，这自然属性可以加以适当调理，却不可完全忽略不计……我在电话里听见了李黎的笑声，人望最后也笑了，说：人文领域的人士都要充当所谓科学技术不能超出的那个底线的守卫者吗？好呀，我身边每天就守着一个啊！

一篇短文，难以尽述我的理念，现在把与友人的争论粗略地写下来，供读者诸君参考，如能引发出一番大争论，那更求之不得！

我危险，请接近

　　说来惭愧，我是直到十来年前，看了谢飞根据刘恒小说改编的电影《本命年》，才有"本命年"这一概念的。我对属相上的事一贯马马虎虎，从小父母灌输给我的是公历纪年的意识，虽然知道自己属马，但从不相信"流年运程"之类的说法，也很少以马自喻。小说和电影《本命年》虽然绝非宣扬宿命论，但故事里面的那个主人公，毕竟是在"本命年"里遭劫毙命，这切合一般俗众那"本命年"是个"坎儿"，需要格外小心才度得过去的说法。

　　怎样理解"本命年"是个"坎儿"？曾有人对我说，1966是你"本命年"，赶上了"文化大革命"，吓得半死不是？1978又是你"本命年"，赶上了改革开放，一举成名不是？这应了"本命年"要么坏得要命要么好得出奇的说法么！但这个说法是不能成立的。1966哪种属相的都遭遇到"文革"，而同是属马的其处境也不一样甚至大相径庭。1978哪种属相的都能沐浴到思想解放的春风，当时有幸趁风而起、登上文坛的并非都属马啊！依我看来，人的属相，基本上与外界的事物无关，"本命年"里未必一定赶上社会的政治、经济、文化等方面的大变动，无论是那一年里的好事或坏事，其成因里都不包括比如究竟是龙年还是狗年那样的"本命年"因素。

　　但"本命年"的说法里，也确实有某些合理因素。这因素不在外部，而在内部。人的生命发育，一是生理上的，一是心理上的。以十二年为一个生命的大年轮，从心理发育的角度上看，确实往往会成为一个大"坎儿"，也就是构成了一个危险期。过渡好了，会呈现好的状态；过渡不好，则会派生出很大的问题。

把阴历、阳历结合着算，首先是十二三岁的那个"本命年"。那多半会是一个少年人的心理危险期。过渡不好，要么早熟，失去应有的童真，导致行为上的越轨；要么心性从此滞留不进，此后总也难以长大成人，害怕进入"大人的社会"。这一阶段自己往往是混混沌沌的，能以度过危险期，多半是因为学校、家庭的教育、引导比较得法。有时候学校老师和家里父母也并不曾特别从心理辅导的角度来化解少男少女心理上的隐秘焦虑，但因为老师和家长自己的心理状态比较健康，无形中起到引领作用，使孩子得以顺利穿越这个"本命年"的"心理窄门"。

然后就是二十四五岁的心理危险期。这个"本命年"里的心理危机有时会爆发得格外猛烈，有时则会因深深的自我压抑而构成表面无事的"定时炸弹"。从心理状态上，这时会趋于两个极端，一是成为"愤青"，对社会，特别是对长辈，尤其是对固有的传统、规范，打心窝里喷溢出反叛的激情，特别容易受极端理论蛊惑，追求颠覆性破坏性的快感；一是成为"懦青"，自卑，懦弱，形不成任何主见，而又并不能真正进入传统与规范，特别地害怕长辈、领导、权威、强人，总是自觉形秽而又找不到提升自己的途径。有的青年在这一阶段里，心理上"愤"与"懦"相交织，时而气壮如牛，时而胆小如鼠，真该反叛时不敢上阵，不该妥协时却屈膝顺从。在这个"本命年"危险期里，学校老师和家长所能起到的心理辅导作用一般都比较有限，因为当中横亘着一条无可避免的"代沟"。这一时期里，真正称得上挚友的人际关系一般还不多，同龄的"发小"心理波动率相近，很难互为舒解，而好的"忘年交"这时一般都很难遇上。我以为，这个心理危险期的平安度过，主要还是靠优秀、健康文化的引领。优秀文化里包括经典，比如贝多芬的交响乐和鲁迅的著作，健康文化包括通俗的只流行一时的，比如某些校园民谣和某些电视连续剧，凡能在文化接触上自觉不自觉走近这些作品的，都可能因其对心灵的滋润而化解掉盲目的"愤"与板结的"懦"，穿越心理骇浪，顺利地驶向"而立"之年。

三十六七岁与四十七八岁这两个"本命年"里的心理危机，一般存在两种危险，一是自我肯定过头，觉得功成名就，前途似锦，心理欲望从加法到乘法乃至乘方，膨胀到如就要崩裂的气球而不自知，因而导致行为上的冒进、冒险、冒傻气，甚至会因藐视道德、法律而犯错误乃至触犯法律；一是自我否定过头，觉得老大不小而仍成不了气候，前景暗淡，"心理黑板"上是一片乱七八糟的糊涂账，对自己万念俱灰对别人尤其是同辈人的成功妒火中烧，因而导致行为上的怯懦、游移、错乱，甚至会酿成厌世轻生或"与汝偕亡"的惨剧。

时下针对以权谋私的社会现象，有所谓"五十九岁现象"一说。确实有不算太少的公务员在面临退休的前夕"加大贪污力度"，或竟从大体清廉滑落到贪污受贿的深渊。这里不去探究其外在的社会因素，单就五十九、六十这个"本命年"的心理失衡而言，恐怕是当事人没能揽好"人生定位"的缰绳。人生的意义究竟是什么？置身市场社会，面对富人群体，活到第五个"本命年"的人，容易忘记人生的真正意义是对社会对他人有贡献，在获得尊严与尊重中感受快乐；容易忘记能维系小康生活，享受天伦之乐，就是莫大的幸福；而让大富、暴富的诱惑迷住心窍，急于把自己放到商品的秤盘上，去用酒色财气为砝码，衡一衡自己的"分量"，结果往往是觉得自己"亏大发了"，既然公家不能提升自己的"价码"，那么，对不起，趁此刻手中有权、麾下有人、对面有求、肥己有方，就"顾不得许多"，捞取"最后一筐鱼"了！当然，处在六十岁这个"本命年"的"坎儿"上的社会人士里，也会有一些人心理上会冒出另一种病态，就是再难以适应新事物，沉溺于怀旧，要么愤世嫉俗，要么心灰意懒，这心理危机又转化为生理上的疑神疑鬼，总觉得自己"不行了"，仿佛人生的幕布，也该就此落下。

要迈过上面所说的后三个"本命年""坎儿"，除了以优秀文化陶冶自己，我以为，亲人朋友的襄助变得越来越重要。相对而言，亲人对自己更大的作用是情感的支撑，而朋友对自己更大的作用则是心理的舒解。这里所说的朋友是严格意义上的，不等同于工作、生意、创作方面的合作者，更不包括酒肉朋友、麻将牌友，越是跟自己在具体利益上不相关联的朋友，越珍贵，能倾听自己吐露焦虑，予以抚慰，已是挚友，倘还能作出分析，该批评处批评，该肯定处肯定，给予忠告，那就是诤友了。这样的朋友，需在人际中作减法产生。到了人生的第四、五个"本命年"，这样的朋友，包括"忘年交"，总该有几个了，其实，即使只有一两个，亦足矣。

我以为，人生的第五个"本命年"基本上可以说是心理危机的最后一道"坎儿"，这个"坎儿"度过去了，心理上一般就会越来越平静了。今年我这匹"马"就正处在心理发展的最后一个危险期里。透视自己心理，发现不健康的波动因素有以下几种：过分地害怕热闹，太不合群；自以为对人性的黑暗看得越来越透，心情有时过分沉郁；不能进入蔼然可亲的"老爷子"状态，有时还撒"青春火气"……这当然危险，但是，除了"自诊自治"，我切盼朋友不要因此厌弃我，我的体会是，越在这样的"讨厌"状态下，越需要朋友的关爱，请以各种方式接近我：来电话，发"伊妹儿"，写信，约到彼此家里茶话，约在外面餐聚、逛街、游览……相对地，我也会对处在心理危险期的朋友，不待其提出，便主动予以关怀；得意时相忘于江湖固然不错，困难时相濡以沫实有必要。

"本命年"是"坎儿"的说法给了我们这样的启示：生理健康靠自己，心理健康靠朋友。朋友啊朋友，我危险，请接近！

"布波裙"

苏珊来电话，久未闻其声，不免对她自报的姓名多了两声"哪位？"她就在那边大笑起来："不是'苏三起解'的那个苏三，是苏珊啊！"我眼前马上就浮现出她的……老实说，不是面容，而是她身上的那些名牌服装，我说："嗨，你呀，找我约稿吗？你又跳槽到哪家新创刊的地方啦？"她笑说："这回是想去您家借用一样东西！"我正觉得奇怪，她说："您让阿姨接听吧，我是问她借呢！"只好把移动机头拿进里屋递给正看报的老伴，她俩说笑起来，我便退回书房敲自己电脑去了。

下午苏珊应老伴之约飘然而至。她的相貌我还是捉摸不定，两年间跟她见过几次面，每次发型都不一样，头回见她嘴角下有颗黑痣，再遇上却又没有了，记得问过是不是动手术拿掉了，她笑告那痣本是粘上去的，而且是法国的一种名牌假痣，弄得我自叹孤陋寡闻。但她每次的服装都很讲究，有的不用她自己说出，我也懂得那是名牌。这天她头发剪得齐耳短，蓬松而不乱，素面素唇，看上去格外大方；身上照例穿着休闲服，我问又是什么名牌，她头一回没道那牌子而是晃晃头说："管它！"

老伴跟她说笑中，我才闹明白，苏珊带来了一块绸料，是要借我们家的脚踏缝纫机，请老伴当指导，自制一条裙子。我不禁问她，何来此雅兴？她一边跟老伴剪裁缝制，一边嘻嘻哈哈跟我"从实招来"。

　　苏珊说，灵感来自电影《周渔的火车》，巩俐那一角时时在银幕上飘动的蓝花绸裙，真让人醉倒！我说，是呀，孙周用了些特写来表现那裙裾的飘逸灵动，很美！轮到苏珊惊讶："您也去电影院看它？"老伴说："我们一起去的，只是没买情侣座，怎么，我们这把年纪，就欣赏不来了么？"苏珊乐得拍手："呀呀呀，原来知音处处有！"于是她接着说，周渔的形象，征服了她，也不仅是那条蓝花绸裙，她本来就具有周渔的潜质，今后要更自觉地过诗意生活！

　　我问苏珊，因为看了这么一部电影，就非要自制一条蓝花绸裙，岂不又太幼稚了吗？苏珊说如果单是模仿，也确实无非追星族而已，但她这样做又是有理论指导的，她认为那电影实际上也是那一理论的派生物，什么理论呢？就是"这个族那个族全都不如布波族"！布波族啊，我说也看过传媒上一些介绍，敢问那跟这裙子有何关系？苏珊便一边踏缝纫机一边侃侃而谈："布尔乔亚，就是小康人士，衣食无虞，体面大方，在这前提下，不去追求物质上的符码价值，而是追求诗意生存，这裙子就是诗意生存的一种符码，现在我顿悟了，名牌不必排斥，但小康胜大富，按自己心意挑选，以至亲手缝制的非名牌服装，胜过仙衣华裳！波希米亚，其实可以理解为自由择业，钱是要挣的，规则是要遵守的，但何必一天到晚地为名利奔忙？合不来，就离开，跳槽不仅给自己带来更多机会，也使社会如流水般活泼生动，而且在所谓事业之余，找些空闲，自己做一条绸裙，或其他什么喜欢的东西，岂不一大乐事？……"她伶牙利齿一番抒发，听得我和老伴忍俊不禁。

　　缝纫机久未使用，临时注了些油，那轧裙的声音不像蜜蜂嗡嗡倒像小鸟嘤嘤，看着这么一个青春焕发的女郎缝制"布波裙"，我思绪万千。"布波"一说，是新的摩登话语。自改革开放以来，有多少摩登话语自西接踵而来，并且被本土化过？来时电闪雷鸣，走时如风远去，但几乎全都留痕此处人间，我书房存的近二十多年的国产电影光盘，其中一些就构成着一道可以循踪索骥的轨迹，直到2003年公映的这部《周渔的火车》。"火车"没多久便会开远么？那飘逸的蓝花绸裙没多久也便会被别的符码夺眼么？但从这最新留痕上前瞻，我心中漾出许多的欣喜。

不是评论电影,我知道孙周的这部新电影也引出了尖锐的批评;更不是讨论"布波"
这个概念以及相关理论,我也知道这方面有不少尖刻的回应;那么我在写些什么?
写一种心绪吧,这心绪里最浓酽的成分,好比一块方糖,溶解在时代与世界的咖
啡杯里,将苦涩与甜蜜加以中和。

吉凶不在鸟音中

莲姊来电话,说窗外几只灰喜鹊正落在杨树枝上喳喳欢叫,让她心情非常舒畅,还把话筒举向窗边,然后问我听到了没有。她曾对我说,她要把生活中舒心的事情尽量放大,同时把败兴的事尽量缩小,喜鹊叫她觉得很吉祥,乌鸦叫她却不去往凶兆想。她是利用喜鹊欢叫调节自己的心理呢。

莲姊的闻鹊道吉,可以算是一种"小迷信"。这类的"小迷信"其实是一种自我心理暗示,社会上大多数人都有。即使是非常了不起的人物,在生命的某些小时段里,在某种特定的情境下,也可能会对卜测吉凶产生些许兴趣,试为占卜,姑妄听之,只要并不真正沉溺其中,不令其把科学理性的思维遮蔽搅乱,一般来说,没什么危害,甚至还能对绷得过紧的心理弦丝,增加些戏谑的弹性。

中国汉族人,没有统一的宗教信仰,而且其中很大数量的人士是无宗教信仰的。无宗教信仰,并不等于不能以良性的理念来作为黏合剂,使个体生命与自然、天道、社会、群体融通。我们的历史传统里,有儒家、法家、道家等可以改造利用的思想资源,全盘接受与一棍子打烂都是不对的,应去其糟粕,取其精华,注入外来的营养,综合利用,使其焕发出崭新的光彩。忽然想到了《红楼梦》里的林黛玉,这是一个与贾宝玉在冲击封建礼教方面有着同样的反叛情怀,而且有些时候甚至比贾宝玉表现得更勇敢更决绝的杰出女性。她曾对贾宝玉说:"死生有命,富贵在天,也不是人力可强的。"她引用孔夫子的八个字,听似消极,其实正是取了儒家思想中不信乱力神怪的精华，表现出面对生命逆境的超常冷静，这也成为了她争取恋爱婚姻自由的勇气源泉。这个细节是曹雪芹写的。高鹗的续书总体而言我觉得糟糕，但他为林黛玉设置的两句对话却还可取。一句是林黛玉说："但凡家庭之事，不是东风压了西风，就是西风压了东风。"这句话为毛泽东激赏，用来比喻两条路线斗争，在上世纪六十年代前后普及为大众语言，还曾出现过《东风吹》那样的歌曲。就林黛玉本身而言，能说出这句话意味着她对封建大家庭里的权利斗争"门儿清"，非常理性。另一句话是听到檐外老鸹呱呱的叫了几声以后说的："人有吉凶事，不在鸟音中。"

科学与理性，是人类文明的核心。科学仍在继续发展，人类确实还面临着许多当代科学尚未能破译的领域，未破译则产生神秘效应。人类的理性更有待展拓融通，未展拓融通则会令歪理邪说乘虚而入。有人打出"东方神秘主义"的旗号，不讲究精密的科学实证而热衷于模糊把握，不实行数字化管理而陷入含混敷衍，那是很危险的。2001 年 11 月 5 日《深圳特区报》有《春都何以跌入困境？》一篇报道，说本来以专门生产火腿肠的春都集团公司盲目扩张以后，由盈转亏，情急之下，从全国各地物色了一批"算命大师"作为智囊团，大到人事任免、投资决策，小到领导出差的方向、办公室门的朝向，全都听命于"大师"的吉凶判断，1997 年集团颓势大暴露后，竟安排全体中层以上干部集体聆听"大师"们讲"意念"，结果到如今春都上百条生产线全线告停，亏损达 6.7 亿元，还欠下 13 亿债务。据我所知，国外的一些大企业，特别是香港特区的一些企业家，也有请"风水先生"，以"东方神秘主义"补实证科学之不足的，但那都只不过是像莲姊那样的"小迷信"，主要的意义还在平衡心理，以对付世界时局诡谲一面，而并不会像春都集团公司老总那样完全沉溺在了大迷信的旋涡中。看来春都集团实在该多多引进林黛玉那样的，有着"吉凶不在鸟音中"的健康精神的白领——当然，身体应该比林妹妹好——并让其进入领导层，曹雪芹有一回还写到，林黛玉跟贾宝玉私下议论："咱们家也太花费了，我虽不管事，心里每常闲了，替你们一算计，出的多进得少，如今若不省俭，必致后手不接。"她还是个有统计学头脑的数字化管理人才呢！

话茬还是回到莲姊那样的最一般的社会存在上，不管是离退休的，还在岗的工薪族，还是下岗的兄弟姊妹，以及一般的白领人士、在校学生，包括仍在农村的和到城市打工的农友，面对着确实有诸多未知数的生活现实，我们的心灵上一定要有理性的乔木，在这前提下可以容纳一点闻鹊生喜的"小迷信"花草，但最好是能够有林黛玉那样的彻底唯物主义信念："人有吉凶事，不在鸟音中。"任凭来自何方的邪种想往我们心灵里栽下大迷信的幡竿，都能自觉地加以抵制。

别临时摆动舌尖

忽然接到三十年前教过的一个学生电话，他说刚从牙科诊所回到家里，不知怎么的就想给我挂一个电话，问询了好大一圈，才得知我的电话号码，听到是我接听，他高兴得不行；我却有点懵懵然，不禁笑问他："你怎么牙齿有了问题会想起我来？我可不是牙医啊！"他那边笑得更欢，说："您还记得吗？有一回在课堂上，您出了一个问题后，跟我们说：谁也别临时摆动舌尖……"

我一时想不起来，他就提醒我，啊，我终于想起来了！

老实说，对于我在中学的教学生活，"文革"前的一段，比较愿意回忆，遇到教过的学生，也特别地有亲切感，"文革"中的一段，则有不堪回首的感觉，那时教过的学生遇到我多半热情洋溢，有的还真诚地跟我说："原谅那时候我们不懂事。"我却往往还是宁愿把那些因为他们"不懂事"而造成的对我，以及对整个教师群体的从精神到身体的伤害，埋藏在记忆深处轻易不加检视。打电话来的那位，属于所谓的"小三届"，就是在因"文革"突然爆发而滞留在学校的"老三届"都被安排上山下乡去"改天换地"，以及刚进校门课椅还没坐热就被匆匆打发到"生产建设兵团""屯垦戍边"的"六九届"离校以后，到"文革"结束之前，进入中学的那几批学生。教"小三届"，一方面在"知识无用"的社会氛围里难以施教，另一方面，毕竟校园里的狂暴局面暂告一段落，像我这样的青年教师，也就尽量本着良心，钻些空子，争取多给学生一些有用的知识。记得那时上自习课，可温习的知识并不多，我就会去口头出一些问题，游戏似的活跃课堂气氛，或者用蜡纸铁笔刻写、油墨辊子复印——现在的年轻人怕都不认识这样的工具了——印出的篇子上会有一些浅易然而令当时学生觉得无比亲切有趣的问题，这些口头或纸面的问答都是不计分数，而且我跟学生相约"勿与外人道"的。有一回，我就问他们："谁能准确地说出来，自己嘴里有多少颗牙齿？"一时竟无一人举手，我就接着说："对自己的身体都缺乏理解，这怎么行呢？谁也别临时摆动舌尖，去舔着算牙齿的数目！"同学们全笑了，最后，我允许他们同座之间互相张嘴点数，得出数目，然后又告诉他们门牙、犬牙、前磨牙、臼齿的区别，让他们自己分析每种牙齿的功能。三十年后打电话来的学生，在电话里回忆出更多的例子，比如我发给他们的篇子上，印出阴历初一到三十的三十个格子，让他们在每个格子里画出当夜月亮的形状；又让他们把从自己家到学校的一路上所看到的植物，在"乔木"、"灌木"、"草木"的三个格子里加以填写；还有一回是问他们知不知道自己的十个手指的指纹有几个"箕"、几个"斗"，竟都从未注意过，于是我跟他们讲到群体的共同性和个体的差异性，讲到破案时指纹的重要性，等等。那三十年后事业有成的学生在电话里对我说："感谢您，能在那么个时候，给我们这样的启蒙，这些年老同学碰到一起，聊起来，都觉得那些看起来非常浅显、零碎、细枝末节的小知识，实际上在我们的青春发育期，起着非同小可的作用，我以为，那就是最原本的人文情怀的熏陶！"他的评价似乎是太高了，但他的电话引出了我更多的回忆与思绪。也是教"小三届"的时候，有一回一个男生干部对几个女生不出操跑步、跨越障碍"学军"非常气愤，对我居然准予她们休息更怒不可遏，有个本也该请假的女生则因为"一不怕苦二不怕死"去参加了激烈的军训操练，裤腿里流出了经血，那男生干部竟斥责她"军训还揣瓶红药水，真是假革命！"这事情发生后，有天在自习课上我就问他们："为什么你们有的被叫做男生，有的被叫做女生？"这问题一出口，不啻爆响一声惊雷，后来我自找台阶下台，课后"工宣队"领导找我谈话，还算理解我的动机"并非要流氓"，但严正指出我那样做的效果是"腐蚀青年"，这就是三十年前的世道人心。

深 夜 月 当 花

三十年河东,三十年河西。河西是开放的空间,到处是革新的足音。但是朴素、浅显、本原而且似乎属于细枝末节的启发性知识,仍然具有魅力,比如洪昭光教授的养生讲座,会把许多人从对宏大的前提、深奥的理论、神秘的功法、玄妙的偏方的盲目迷信中一下子解脱出来,原来要想健康长寿,首先要像少年人先知道自己有多少颗牙齿一样,把自己是怎么回事弄清楚。当然,当前的社会,尤其需要不仅弄懂自己,而且还要弄懂他人,弄懂群体,弄懂时代,而所有的弄懂都必须从最朴素、浅易的起点上自觉地及早入手,"别临时摆动舌尖"。那天一位沾亲的白领丽人来对我喟叹:"原来我算起来自己朋友不下几十个,现在身陷困境,才发现真正的朋友只有一个,而且,她以前被我排在朋友名单的很后面……"我听了回味了许久。是的,比如"谁是我真正靠得住的朋友"这样的问题,也得从最朴素、浅显的基点上,去加以求解。

关于完美的思考

多次对自己说：一定要追求美，却一定不要追求完美。

那道理其实很简单，因为自己的存在，从本原上探究，就已经不完美。比如说，眼睛太小。即使去做割双眼皮的美容手术,恐怕也还是不能"人人见了皆以为美"。

更何况，在以往的生活道路上，留下了，不说是很多吧，却也有相当数量的，其中有的还可以说是触目惊心的过失。尽管大体上而言，从外在方面说都已画了句号，从内心方面说都凝结出了教训，可是，一切不能抹掉重来，自己的生命历程已然不完美。怎么办？因为已经不能完美，就爽性沉沦，或干脆把自己毁掉么？

再往细处推敲，自己的性格就不完美。倘若说作为一个社会人，所需的道德可以修炼到完美，但自己的生命还有非社会性的因素，比如说性格即为其一，性格是很难改造的，尤其是，性格里那最核心的东西，也许是，由染色体所命定的，根本改不了，改了也就没有"自己"了；如果说自己意识到，性格有明显弱点，从而陷于焦虑，那么，"活着，还是死去？"整个儿不成了个哈姆雷特了，除了在悲剧中死去，别的出路在哪里？

人一定要尽可能地接近美、进入美。契诃夫借《万尼亚舅舅》剧本里一个人物的嘴宣布："人的一切都应该是美的：面容、衣裳、心灵、思想。"但那个人物，我记得是个乡村医生，他很有品位，不俗，却也有很明显的缺点，他说那话，恐怕也主要是激励自己和别人，尽可能向往美、融入美，而并非在发表"完美主义宣言"。

可以宣喻美的必要，但不要发表"完美主义宣言"。这是我的一个很朴素的想法。

倘若要不要完美，仅仅是针对自己，在那里焦虑，倒也罢了。如果是，把必须完美的想法，施之于他人，那可就麻烦了，甚至于，会派生出非常可怕的思路。

尤其是，先设定自己完美，然后以己度人，结果发现周围的生命存在，用"芸芸众生"形容都太宽容了，必称之为"臭鱼烂虾"，甚至视之为"如蝇"，那思路可真是令人不寒而栗。

光是停留在思路，或将这思路撰成"美文"，或许还不失之为多元文化格局中的一种"异彩"；倘越过这一步，进入到操作，那可不得了，被判定为"臭鱼烂虾"和"蝇类"的，恐怕只能像当年奥斯维辛集中营的被判定为"劣等人种"的犹太人一样，给送进毒气室"实际解决"掉了！

自己设定自己完美，是容易的。但他人却不一定都承认你完美。承认的，怎么都好办，或奖赏鼓励，或抚慰宽恕，或不动声色，或竟嗤鼻对之："谁要你来凑趣！"不承认的，可就难办了。

尤其是某些不仅不承认，还公然指出自己缺点的人，为维护自己的完美尊严，那就必须弹压、荡灭！而在当今世界上，把不完美的异己者压服、消灭，竟空前地困难。

自己设定自己完美，还会使自己的心灵陷于极端地偏执。比如，自己在以往的政治运动里，伤害过某些人，本来，那原因是不难分析出来的，有当时特殊的外在影响，有自己当时的错误认知，那年代里的那份不完美，原来是并不怎么严重的，也是不难画句号的；可是，为了坚持自己完美，即一贯正确的信念，即使大多数人们现在都形成了"那样搞是错误的"的共识，自己也还是坚持"没有搞错"，那股子坚持的劲儿，倘若仅止是成为一种"个人保留"，倒也罢了，如果自己有些个权力，并使用起来，搞成个超出"个人保留"，造成继续伤害无辜的局面，那样地"追求完美"，就离美、离善、离真，不啻是背道而驰，而且驰离到十万八千里以外了!

完美,是一种乌托邦。

乌托邦作为一种向往,能激励我们去接近美。心想乌托邦,书写乌托邦,吟唱乌托邦,都是人类精神生活里很必要的成分。乌托邦向往是许多中外古今文学艺术作品的灵感源泉。

但是,把乌托邦付诸实际操作,而且是急于求成的操作,那便会酿成灾难,甚至会形成浩劫。

对此,我们应当警戒。

遭遇个性

　　早就知道上世纪五六十年代法国有"新浪潮"电影出现,其主将德吕佛(FRANCOISTRUFFAUT)拍了部极为出色的《四百击》(THE 400 BLOWS),但一直无缘观看,直到最近购到这部电影的光盘,才得一览究竟。这部黑白影片在摄影上堪称尽善尽美,特别是长镜头的运用,开一代电影语言之新风,尤其结尾一段,成为世界电影史上永留美誉的经典。但这篇文章不是谈电影,更不是研讨电影流派和摄影技巧的。这篇文章只想借这部电影为由头,来讨论一个教育领域的问题。

　　《四百击》这部电影的具体内容,是表现一个十三岁的问题儿童的逃学经历。这样的学童一般被称为"问题儿童",他们在课堂上坐不住,对老师总有种对立情绪,不服管教,成绩自然也差;在家里,他们往往不能得到父母真正的关怀,要么与父母关系紧张,要么就是互相以谎言来敷衍相处;在校外,他们惹是生非,甚至在逃学的过程中会违规犯罪。影片里的学童安冬尼因偷盗父亲供职的银行里的打字机——虽然因销赃失败而又将其送回——被送到了教养院,他在那里面也不思悔改,影片最后表现他逃离教养院,奔向海边,著名的长镜头,正是用来表现安冬尼的这一段逃亡过程的。尽管影片始终以一种纯客观的视角来叙述,但看到这个结尾,所有的观众都会感到德吕佛是把同情心完全灌注在了安冬尼的身上。安冬尼疾风般跑过村落、田野,终于来到海边,似乎得到了解脱,脸上现出了朦胧的微笑，影片到此也就戛然而止。

有评论家指出，《四百击》通过安冬尼的遭遇，抨击了陈腐的教育方式，张扬了个性解放的旗帜。其实，在各种样式的文学艺术作品里，以这样的视角来表现学校教育与学生个性之间冲突的例子很多，而且，把同情心放到有个性的学生一边，而把教师与教育方式乃至教育体制放到被质疑、被批判地位上的作品，不在少数。我们随便一联想，便能很快想出比如中国古典戏曲中的《春香闹学》里大胆的丫头把腐儒塾师戏弄得狼狈不堪的场面，以及英国那部著名的小说《简·爱》里所描写到的女主角在寄宿学校被罚站板凳而绝不屈服的情节。

我们都知道有各种各样的教育，对少年儿童来说，有一般性的教育，也有针对特殊对象的特殊教育，比如苏联当时就有过专门收留流浪少年（而且多半至少有轻微犯罪记录）的学校，在这方面有着杰出成就的教育家马卡连科还曾从切身体验里提炼出了一部作品《教育诗》，这部介于报告文学与长篇小说之间的著作在上世纪中叶曾在中国产生很大影响，直接有益于当时中国工读学校的教育；因为这种对特殊学童的教育与对一般学童的教育具有教育理念与教育方法上的共性，所以当时几乎所有从事一般性教育的中小学教师也都读过《教育诗》，并从中受到过不同程度的启发。这部如今看来已经老掉牙，而且被人们几乎遗忘的著作，其中有很重要的一个教育思想，就是一定要尊重被教育者，尊重什么？尊重其人格——除了统一的人格外，也一定要包括每一学童互不相同的个性。尽管苏联已不复存在，但我以为马卡连柯的这部《教育诗》仍应再版，仍可作为与德吕佛的《四百击》等作品并列的参考资料。

上世纪，在发动"文化大革命"前夕，毛泽东曾与他的侄儿毛远新有一次关于教育革命的谈话，那次谈话充分昭显出毛泽东本人从少年时代就形成的强烈个性，那就是反权威、反潮流、反规范、反束缚，正是在这种个性的参与下，他才在中国和世界历史上成就了那样的业绩。但是，那次私下的谈话后来被推广为一种普遍真理，在"文化大革命"中起到了摧毁正规教育的作用，不但并没有使参与"教育革命"的学生获得真正的个性解放，反而使其在一片混乱的文化废墟中更加迷失了个性。毛泽东的这一私下里包括反对一切考试，"抄一遍也好"，强调自学以至鄙视教授等激烈内容的谈话，现在很少再有人提及，更谈不到对之作学理化（比如在心理学领域）的研究。其实，如果不把其作为必须严格加以推广执行的"最高指示"，而当做在教育与个性的关系上的一种基于浪漫情怀的一家之言，那就也跟德吕佛的"新浪潮"电影《四百击》一样，是一种独特的参考资料。

在"文化大革命"末期，北京还有所谓"黄帅事件"，这个反"师道尊严"的事件因为出现在那个特定的历史阶段，并且被纳入了"批林批孔"的政治框架之中，因此演变成"教育革命"中更大的一次灾难——几乎所有学校的玻璃窗都被学生以革命的名义砸得稀烂精光。事过境迁，人们大都不愿意再提起这回事儿。其实，如果把这件事从那时的政治中剥离出来，黄帅作为一个小学生，她在日记里对那位与她产生矛盾的教师所表示的不满，以及教师对之所作出的反应，是这样一个问题——施教者遭遇学生个性后产生出摩擦与碰撞。

现在中国的教育模式以及教育界状态有了很大的变化。一般九年制义务教育中，"问题学生"或许较多，其实"问题学生"的问题往往并不一定是个性问题，其本质可能更多地在于家庭和社会的不良影响，并且本身也可能确实存在一定的道德品质缺陷。现在的高中教育，特别是一批民办高档学校（有的从小学到高中各年级都有），因为生源或者是自身优秀，或者是送他们来就读的家长热切地期盼他们优秀，再加上入学都有一定的选优程序，因此，学生一般很少出现课堂纪律问题，像《四百击》里安冬尼那样的故事可谓罕见，再加上无论是毕业后想考上国内的名牌大学，还是想成为"哈佛女孩刘亦婷"的同类（据说《哈佛女孩刘亦婷》那本书已经发行达一百万册，购买者大都是这类学校的学生与家长），都必须老老实实地准备考出好分数，尤其像"托福"或者"雅思"，要想顺利通过那就必须很好地与教师配合，并且发奋努力；在付出了相当高昂的学费以后，还要在学校里按毛远新记录的那个谈话来对待教师和功课，或者还要酿成"黄帅事件"，高举反"师道尊严"的旗帜，与教师关系紧张到砸教室玻璃以泄愤，或效仿当年的"白卷英雄"张铁生那样对待考试，恐怕都已是不但绝不愿行也不可行，成为简直不可想象的事情了。

然而，在实施教育过程中，教师遭遇学生个性，产生摩擦碰撞，中外古今皆然，现在无论是怎样的学校，也概莫能免。教育，尤其是小学和中学教育，其重要功能，是使成长中的个体生命接受群体积累的常识，以及接受"合群"的基本训练，这从根本上说，是对学生个性实施一种必要束缚，过去中国民间，大人把小孩送去上学，常说成是"牛儿拴鼻绳了"，就体现出这样一种认知。但学生的个性是各种各样的，有的比较容易就范，有的可以把个性深藏起来，有的就难以收敛个性棱角，因此与教师摩擦碰撞。

近年来多有介绍西方国家教育状况的文字，尤其是介绍美国的中小学教育，往往报道那边上课时教室里一派活泼气氛，桌椅可以不必整齐排列，教师教学如同带着学生作游戏，学生则完全不必正襟危坐，自由发言，热烈讨论，一句话，那是尊重个性的教育，重素质提升而轻表面成绩，这类文章对之多是一唱三叹的基调。其实即便美国，小学和中学教育也还是贯穿着把个体训练为能与群体、社会和谐存在，这样一种将个人规范化的明确目的。而美国学校里也经常会出现校园危机，严重的甚至使用真枪实弹，流血死人，而究其深层缘由，则是某些个体生命的个性在被驯服过程中感到压抑得再难忍受，于是陡然恶性爆发。

我们必须坦率地承认，任何一种教育必给予受教育者个性一定程度的压抑。我自己当过学生，虽从未因内心的压抑愤懑公然反叛过，但那种个性不得充分舒张的记忆铭心刻骨至今未褪。我珍惜自己曾有过的为维护个性尊严而进行的内心挣扎，也同时感谢好的教师在潜移默化中提醒我作为一个社会成员不得不进入最基本的群体规范，懂得了在这种归依中适度收敛我的个性锋芒不仅利群，而且也利己。我也曾经在一所中学任教，我遭遇过学生相当顽强的个性抵触，也曾在与之摩擦碰撞的过程中两败俱伤，但我任教不久便很快能意识到知识可以传授，规范可以推广，而千万别试图去改变学生的个性——那其实是不可能加以改造的，如果你以为是改造成功了，那么，要么是那学生以高超的虚伪蒙蔽了你，要么是那学生在你的启示下懂得适度收敛外凸类的个性于你于他人社会以及于自己都有益无害。对上世纪末本世纪初出现的民办高档学校——一度被称为"贵族学校"，那显然是不恰当的符码——我了解甚少，但我愿提醒这些学校的人士，即便在你那校呢里没有明显的纪律问题或师生冲突，而且办学者、众师生，还有身不时时在而心却时时牵的家长们，在争取一个透过高素质好成绩而获得一个好前程这一点上有着最大最高的利益趋同性，却也不可能没有潜在的遭遇个性问题。对个性的尊重开放如何与对公性的训练约束掌握得恰到好处？过分恬静安适，充满悦耳读书声的校园，是否遮蔽了若干深层次的问题？而个性在无形压抑下的自动蛰伏，是否会在学生的未来生命阶段突发为悲剧事件？写到这里我想到大约十来年前发生在美国爱荷华大学的卢刚杀人事件，杀人者在此前不但绝无犯罪违纪前科，而且一直被认为是品学兼优，所以特别值得作深入的个案研究。或许，在即使完全没有表面化的个性冲突的情况下，施教者也主动爽性把个性问题这层"窗户纸"捅破，甚至和学生一起加以讨论，达成某种共识，才是素质教育达到高级阶段的标志之一？

　　制造机器人——或者叫人工智能物——尽管需要非常高超精细的科学技术，但毕竟没有什么个性问题来添麻烦。教育活生生的人，将其训练成可供社会使用的"人才"（或"人材"），则总会有个遭遇其个性的问题。我不知道在教育学领域里，这个遭遇个性的问题已经有了哪些研究成果。我企盼有关人士能重视这个问题的深入研究。

万事开头易

　　那一年我十四岁，忽然想当作家，怎么个当法呢？给文学类刊物以及报纸副刊投稿呗，我把家里吃饭的八仙桌上的凉水瓶推开，铺开了稿纸，写起了小说。我把少先队到香山过队日，发生过的一桩真事加以变化，写当队旗不慎掉到山崖上的松树上时，几个队员的不同表现；一连三天，在做完功课后写它，竟很顺利地写成了。于是装进信封，在右上角写明"邮资总付"，第四天上学的路上，投给了《少年文艺》杂志。这篇小说虽然被退稿，却使我尝到了"开头"的乐趣。把自己的心愿付诸实践，实在并不如想象的那么艰难。

　　那一年我十七岁，忽然想当话剧导演，怎么个当法呢？去投考中央戏剧学院导演系呗，我大摇大摆地去了，从数百考生中，居然闯进了仅剩十来个人的最后一轮复试，毫不脸红地朗诵了鲁迅的《狂人日记》，还演了一个小品。尽管到头来还是被刷了下来，至今并不后悔，毕竟我想做就去做，勇于"开头"。

　　那一年我十九岁，被分配到北京十三中（原辅仁中学）那样一所颇有名气的中学去任教，而且一去就教初二，初二的学生一般是十五岁，听说我只比他们大四岁，一些亲友同仁都为我捏把汗，怎么压得住阵脚啊！可是我拿脚一迈，也就迈进了教室的门槛，第一堂课，居然平平安安地支撑到下课铃响，开头还是并不难。

　　这就是我的人生经验：万事开头易。至少是，万事开头并不一定都像人们告诫你的那么艰难。关键是你要勇于实践。后来我遇见过不少的人，他们有着这样那样的向往，也往往具备实现那个心愿的至少是部分的条件，机遇就在他们眼前，障碍也很有限，可是他们总觉得万事开头难，犹犹豫豫，优柔寡断，畏首畏尾，裹足不前，其最好的结果，也无非是述而不作。他们徒白了少年头，一生总是任由外在的波流挟载而行，甚至到了老年，离退休了，一些积淀多年的欲望上扬起来，比如想弹钢琴，欲粉墨登场，想写小说，欲割双眼皮美容……实现这些欲望的钱也有了，闲也有了，可是，还是开不了头，"这么大年纪学弹琴，不让人笑话吗？""七老八十，装扮出来自己照镜子不也得吓一大跳？""小说是那么好写的吗？也没经过正规训练！""满头白发跨进美容院？纵有那个心，哪来那个胆！"……所剩不多的时日在分分秒秒地消逝，他们人还在，心不死，可就是"开不了那个头"——其实，只要冲决心理上那些多的堤防，开头有什么难？你只要去做就是了！

对于年轻人来说，更应确立万事开头易的信念。要知道，"万事开头难"的"老人言"，多半只适用于对已然有所发端的事情的回忆，是一种"后怕"式的自我肯定与"给历史定位"的欣喜之言。

实在也并不是想否认凡做事都有难为的一面。开头当然有开头那特定的难为之处。不过，经的事多了，对比之下，就觉得同开过头之后的，持续发展中的难处相比较，伸脚迈出第一步，还是容易一些。

改革开放的开头难不难？其实，很多打头阵的人，那时就是凭着一股正义之勇，并没想得那么四角周全，便实践上了。后来遇到种种复杂情况，要坚持下去，实在是更其艰难。

打头搞乡镇企业的，打头搞民间跨副以货换货的，打头搞高科技股份公司的，打头炒股的……一直到打头在文学上写朦胧诗、在小说中引进意识流手法和文本颠覆、打头搞行为艺术和拍摄能在西方 A 级电影节夺魁的影片、打头使用气声唱法演唱流行歌曲和搞摇滚的……回想起来，那"开头一脚"甚至是在不知深浅的情形下踢出去的，最难的是什么？是往下健康发展，是不畸变，不失足，不沉沦，不被湮灭，不被遗忘，不落伍，不停步，并直到如今还保持可持续发展的实力。这就是说，即使开头确实也难，但从战略上把开头想得容易一些，建立一种"开头容易持续艰难"的心理定式，对年轻人来说，有利于心性的成熟，对于成年人来说，有利于在环境的变化中加强自我调适的能力。要时时提醒自己：考取易，学成难；出道易，保旺难；轰动易，常在难；断裂易，建树难；起跑易，夺锦难；转轨易，运行难……

但我说万事开头易的初衷，倒还不是为了提倡一种逆向思维。2000 年是一条新的起跑线，人人都面临着一个从新开头的局面。我自然不例外。有很熟的人，在我耳边念叨这新世纪之新，总而言之，以往的那些经验都不顶事了，仅就文学而言，让他那么一形容，缺乏自信心的人真要吓个半死，尤其是，我无论在年龄、体力、记忆力等方面，都失却了优势，听他那个危言，真是别写了，干脆抱惭跳楼算了！可是我不听他那一套，我心中既然还跃动着饱满的写作欲望，而且也确实还有许多积累下的素材没有写尽，更何况我新的生命体验还在爆出灵感的火花，那么，我就要兴致勃勃地重打鼓、另开张，写将起来——现在我不是拿笔在稿纸上写，是用键盘往电脑里敲，形式不同而心态依旧。万事开头易，不易也当做易，总之要行动，要实践，要述而有作，甚至可以不述而作，作，作，作，只问耕耘，暂忘收获。

当然，一条自设的鞭子在身后叱策——坚守认定的理念、选定的站位、清白的人格，保持创新的锐气和勇进的激情！在这自己生命不可能再将其跨越的新世纪里，除了分秒必争、知难而进，还能指望什么！

心灵百叶窗

你的心灵小木屋,有与外界沟通的窗口,那心灵之窗,你安装百叶帘了吗?

常常地,你为那从窗口满泄而入的金光,满心欢喜,无比自豪。是的,人生怎能没有光明,心灵怎能任其幽暗?心灵小木屋,必得有大千世界的光和热涌入,才会有生机,有生趣,才能酿出灵感,产生出创造的冲动,所谓幸福与欢乐,与心灵门窗的敞开程度,一般来说,是成正比的。

但是,在生命历程的某些时段,外界所射入的光,未必都是纯净的阳光。你取得了某些成绩,获得了某些收益,于是,捧场的光,阿谀的光,嫉妒的光,怀疑的光,都可能灼热刺目地破窗涌入,或许令你兴奋莫名、忘记了自己的实际斤两,或许令你顿生烦恼、不能冷静自持,这时,如果你的心灵之窗安装了操纵自如的百叶,那么,你就可以灵活调整那叶片的开合程度,使那些光线恰到好处地透射进来——你需要适度的鼓励之光,以滋润你那在奋进中也许有些疲惫的心灵;你也应该适度地容纳批评挑剔之光,以使自己清醒地认识到自己的不足,甚至还可以有更深层次的憬悟——即使你的作为已接近至善完美,但他人仍会严酷地审视你,哪怕是一丝的不妥、一毫的疏忽,你要习惯这种人类的心灵碰撞现象——其实,你作为别人的一个“他人”,那审视称量的眼光,又何尝不苛刻?

不过,当下的中国人,因成功发财而受到强光照射的,毕竟还是很小的一部分,中间状态的所谓“芸芸众生”,多有“不如意事常八九”之叹;还没有走上社会的学生，学业的压力，考取高一级学校的压力，家长"望子成龙"的压力，同学间公开竞争与隐性攀比的压力都不小；从技校或大学毕业出来的青年人，求职的压力，求到职后工作任务的压力，特别是人际交往间怎么也磨合不好的压力，都会使心灵里蓄满焦虑。在这种情况下，适当开大心灵的窗户，增加进光量，并扩展自己的视野，可作为第一步措施。但天有阴晴风雨，不能总是企盼外光来疗救自我心灵因焦虑而派生出的幽暗低沉；再说，瞭望外面那精彩的世界，这山望去那山高，懂得山外有山天外有天，固然有激励自己在这以竞争为发展机制的社会中，胸怀抱负艰苦奋斗，以期能跻身"成功人士"行列的好的一面，但过多地"外望"，欲望膨胀，把心旌弄得噼啪乱卷，也可能会生发出好高骛远、不自量力的浮躁乃至非分之心；这样，就必须采取第二步措施——安装窗帘，使自己和窗外的光线与风景，保持能以变化的互动关系；而一般的窗帘，比如左右开合的布制窗帘，又有着要么遮蔽要么豁然的弊病，还是百叶帘好，它可以使你与窗外的光线与风景的关系随时调整到最佳状态。

在生命的某些时刻，不仅卷起百叶帘，而且洞开窗扉，让外界的阳光、气流，挟带着人间的复杂滋味，任其涌入，当然是必要的，也往往会给我们带来生命中最直接的快感。但是，在生命的更多时段，还是以心灵之窗的百叶帘，把内心的光线与氛围调节在对自己最恰切的状态吧。如果外界泄入的光线太强，就把百叶合拢一些，保持一派安谧平静。如果外界一时阴雨绵绵，就点燃你的心灯，把你的心灵小木屋照得和平时一样明亮。

你那心灵小木屋的窗户还没有安装百叶帘吗？莫迟疑，快动手，赶紧把它装上！

给心房下一场雪

人生途程，难免遭遇干旱，有炎夏的干旱，也有冷冬的干旱，相比而言，冬旱更令人气闷，会导致心房里淤塞着猬刺般的焦虑，这时候，你该自觉地，给自己心房下一场雪。

是的，人们都在说，现在进入了一个竞争的年代，每个人都该不畏竞争，勇于投入竞争，争取在竞争里成为赢家，跻身于所谓"成功人士"行列——这些话并没有说错，但说得并不全面，并不准确，全面而准确的说法，应该在强调竞争、奖励赢家的同时，还必须强调要建立起保障。因为并非违反了竞争规则，而成为弱者、输家的那些社会成员，他们也能获得为人的尊严，并享有社会财富基本配额的权利。这是在竞争的旱季里，整个社会应该落下的透雨、飘飞的瑞雪。

但我们自己，不能只是消极地等待社会的雨雪，我们自己，要在心房里给自己下一场雪。那飘飞的雪花，以自知之明凝成，也就是，不要对自己苛求，不必在竞争中给自己定下那么高难的名次指标，需深深地懂得，冠军、亚军、季军固然可喜可贺，能跻身前八名也相当荣耀，而能在前一百名里，亦足可自豪；就是仅仅及格，只要自己尽了心努了力，也无妨为自己干上一杯！

那心房里的雪花，如自然界的雪花一样，营造出一个洁白的世界，去掉嫉妒，摒弃狭隘，对他人的成功，只要那确是其努力的成果、才智的发挥，即使不必为之鼓掌欢呼，也大可一旁为其高兴。深知这世界不可能人人第一，个个拔尖，不可能一律成功，不可能统统获得等量的财富与名声，差别是永远存在的，层次是难以抹平的，我们所应感到义愤填膺、坚决反对的，是不在一个起跑线上开跑，是竞争规则的不合理，是竞争过程里的不公平裁决，是黑箱操作、违规乱来，而并不是冲过终点线有先有后，以及社会对先到者的奖励。这样的心房雪花，能使我们化解掉因落后而生出的焦虑，使我们经过一段拼搏后，能接受呈现于面前的，不那么令我们满意的现实处境。

　　人生对于我们，只有一次。个体生命不能脱离群体而生存，而群体共存的较佳规则，是公平竞争，这是我们应该认同，并投身其中的，人类的文明积累，也因此而日渐丰厚；但我们生存的意义并不仅仅局限于此，我们还应自觉地享受群体竞争之外的人生乐趣，那是超越名次地位，超越学历职称，超越金钱财富，超越所谓成功与失败的界定，超越他人的评价，并且也超越自我评估的。那至为宝贵的，属于自己的人生乐趣之一，也是给自己的心房来一场白蝶飞舞般的瑞雪，那些雪花可能是亲情、友情、爱情的回味，可能是童年往事的追忆，可能是生命历程中许多琐屑却璀璨的闪光点，可能是唯有你自知自明，或者竟暧昧莫名的某些隐秘情愫……

　　不要喟叹人生途程中遭逢冬旱，快，快在自己心房里下一场滋润生命的瑞雪吧！

买得一枝春欲放

"卖花担上，买得一枝春欲放。"每当我买福利彩票时，总不免想起这句宋词。彩票有很多种，只要是法律批准发行的，都有它的道理，彩民买它都是一个乐子。中彩固然兴高采烈，未中也可抿嘴一笑。我买过多次福利彩票，从未得过大彩，只中过小奖，记得有一回是塑料大盆，有一回是一套茶具。那盆子和茶具都非我家所需，一次是在回家路上，路过护城河边，见到所认识的环卫工人，他下班正往回走，当即把大盆送给了他，他不嫌弃，很觉高兴；另一次是把茶具送给了一位下岗的街坊，那是个大妹子，她也挺喜悦。"何须浅碧深红色，自是花中第一流。"又是宋词，借来表达人们对福利彩票的大小奖品的一份喜爱，很恰切。

购买福利彩票的，以小康人士为多。常常是举家出动，当做是一次游乐活动。往往是，偏那家人的小孩子得了头彩，赢得一辆小汽车，全家乐得合不拢嘴，围观的人们也都羡慕。这会给那孩子留下怎样的记忆？造成怎样的影响？也许有人担心，这一摸彩中奖的记忆，会在孩子心中栽下投机心理的根苗。其实人类的经济活动里，大都含有投机成分，尤其是股票、期货、炒汇等项目，基本上是投对机者胜出。问题不在于是否有投机成分，关键在于这投机的"游戏规则"是否有法律的依据，参与"游戏"的人是否有自觉的守规意识。在福利彩票的摸彩中胜出的记忆不但有"依法游戏"的细节，更有最后的款项一定用于帮助经济上、生理上的弱势族群，那样刻骨铭心的道德熏陶，因此，这一记忆在孩子心上栽下的根苗，应该是健康而有益的，长成大树后，有利于其成为一个好公民。

　　我也看到不少城市低工资人士和农村来的民工，积极地参加购买福利彩票，他们那中彩热望，往往明白地流溢在脸上及肢体语言中。他们的参与从实质上来说，是可贵的"穷帮穷，弱护弱"，尽管他们也许还缺乏这种形而上的思绪，但他们的参与值得我们尊重与呵护。

　　福利彩票的发行往往选择在春节等节庆假日期间，更增加了整个社会祥和吉利的气氛。我家住在北京地坛公园附近，地坛门外常成为大型福利彩票的发行点。伴随着地坛庙会的举办，那发行点总是人群熙攘，热闹非凡，那里播放的音乐声，以及开大奖时的宣布声，常随风飘进我家窗内。我一点也不烦。"小楼一夜听春雨，深巷明朝卖杏花。"这不是宋词，是宋诗了，怎么无端地联想到了这样的句子？我要说：发行与购买福利彩票，确实是富有诗意的事情啊！

捆妥诚信

　　雄才大略的康熙皇帝，是个极细心的人，1696 年他第二次亲征噶尔丹时，对留守京城的皇太子送往军中奉他的物品，一一亲自检验，结果发现那些包裹存在捆绑不严实的问题，为此他在奏折的朱批中郑重指出："所有送到朕处之物品，须谨敬包裹后，经皇太子亲自验视才好，所送鹿尾包裹松散，想是发送前并未经皇太子验看，送到时均已残破。凡朕送往京城物品，俱经朕亲自看视包裹。将此情形告知负责包裹之饭上人，无脸小人，甚属不敬！"虽然那时康熙对皇太子十分溺爱，最后把板子打到了"饭上人"即奴仆身上，这些人也一定因此倒大霉甚至性命难保，但他因皇太子在这个似乎是细节问题上的失误而产生的不快，显然是难以消除的。皇太子对父皇的这一批竟不重视，其实那些包裹并不需要他亲自捆绑包扎，他只要在命令"饭上人"捆绑包扎时，注意在一旁监督就是了，这算多难的事务呢？他却一再地掉以轻心，1697 年康熙第三次出塞亲征噶尔丹，他送去的包裹依然多有松散，以至康熙在朱批中干脆这样写道："若完好送到则已，若又有破损，嗣后勿得再送！"1708 年皇太子被康熙废掉（后来虽一度复立终于还是被彻底废掉终生禁锢），原因很多，所谓"风起于青萍之末"，但他在给父王寄送包裹时一再地不能捆绑包扎严紧这件事情，也是一个因素，或者就是那"青萍之末"。

　　不能小看捆绑包裹这样的"小事"。1718 年，康熙派十四王子挂帅远征准噶尔，其后四年间不断派人驰驿送去各种物品，那时康熙已逾花甲，但他对送往十四王子的东西无不亲自检验，监督捆绑包扎，遇有原来没送去过的新奇物品，他还逐件亲笔写明名称，分别放在每个包裹内，这在现藏故宫的满文朱批奏折档案中，多有记载。十四王子可不像当年皇太子那样，把捆绑包裹一事看为"细枝末节"，他深知所捆绑的其实是诚信，也就是从这个行为里要充分体现出对父皇的忠诚与办事的信用，他所驻扎的西宁离京城极其遥远，那时的驿路哪比得了现在的国道，运输工具落后，费力费时，颠簸难免，更兼风霜雨雪，辗转搬运，莫说是不认真捆绑包扎，就是极其妥帖地捆绑包扎，按说有个别的包裹松散也在所难免吧，但他却能做到捆绑包扎时一个一个地仔细检验，送抵京城后竟绝无一例松散，里面所装的东西也绝无一例破损变质，1719 年他在西宁亲自监制了用当地撒尔鲁克牛奶制成的奶皮子、按月饼样式制作的乳饼、果蛋等精美食品，连同其他土特产，赶在中秋前送到了康熙面前，令康熙欣悦万分，现在我们还可以从满文档案里看到康熙喜形于色的朱批："尔遣人送来的东西都很洁净，送到时完好无损。朕原先就闻知撒尔鲁克奶油，其奶子、奶皮、乳饼等，从未吃过，今日品尝，确是出类拔萃的好奶子！"康熙晚年属意于这个十四王子，只是吸取了公开立储遭致失败的教训，采取了秘密立储的做法，打算在自己百年后传位于这个王子，除了其他种种因素，这个有关能够妥善捆绑包裹的优点，在对其作出价值评估时，显然是一个并非无足轻重的砝码。后来由于康熙在 1722 年猝死，四王子趁隙登上王位，是为雍正皇帝，康熙的十四王子以及其他多个王子最后成为悲剧人物，那是一段至今令人们议论不休的历史，这里就不赘言了。

康熙是个封建皇帝，他对包裹捆绑是否严实的细节重视，特别是从这样的"小事"里去考查接班人的深密用心，当然是出于皇权永固的目的。现在时代已经大有不同。但这样的历史事实对今天的人们也还是能有所启迪。我们现在常说要"改善投资环境"，一位外商先后到了两处地方，两处决策人士对其都热情接待，但最后他舍甲而取乙，为什么？因为他觉得甲处对项目的设想粗疏，而接待中却泼撒花费，正如捆绑包扎包裹十分马虎，今后必定散落破损，而乙处在项目上论证严谨，接待上礼数周到而注重节约，正如捆绑包扎得严实细密的包裹，可运行万里而绝不变形。现代市场经济尤其讲求交易、合作各方的诚信，各种契约要经得起反复推敲，达到滴水不漏般细密，执行中各方绝不能松散变质，俾使最后成果"洁净"而"出类拔萃"。当代社会生活里，考查干部，招聘人员，康熙式关注捆绑包裹态度效果的眼光，也还是有参考价值的；而个人投入社会，谋求发展，比如去参加面试，其实也正如演练捆扎包裹，当然现在我们不是像康熙的王子们那样唯求取悦于皇帝，我们是要通过自己聪明才智的被认可与酣畅发挥最终有益于人类，但在恢弘的系统工程里，注意把握好每一个细节，把捆绑包裹般的"小事"，视为捆妥诚信，依然是至关重要的。

这朵花儿叫喜欢

前些天看电视上转播京剧票友大赛，一位年轻的女士演唱了程派名剧《春闺梦》选段，那游丝腔婉转幽咽，甚有韵味，主持人问她跟谁学的，她说并没有人教她，只是有盘磁带，反复听，来回吟，也就唱下来了。主持人表示吃惊，这样的流派唱腔，如此吃重的唱段，居然靠听磁带便驾驭下来了，问她成功的诀窍是什么，她微笑道："因为喜欢。"

我们生命的意义之一，是审美。这一点常被不少人忽略。不管你发了多大的财，如果始终不能自觉地享受审美的快乐，那你的人生就存在着重大的缺陷。而真正的审美境界，是无功利性的。那位演唱《春闺梦》选段的票友，虽然参加了大赛，上了电视，并且能与当红的专业演员同台演唱了另一程派名剧《荒山泪》的选段，得了奖项，博了掌声，但除了她的亲友邻里同事，大概不会有多少看电视的人会记住她的姓名，"春梦随云散，飞花逐水流"，事过境迁之后，她多半还是回到其生活的常态中，继续作为一个业余爱好者去亲近京剧。一位专业京剧演员对我说，她很羡慕这样的票友，因为完全是出于心里喜欢而亲近京剧，她自己呢，当然也喜欢这一行，但面对票房的不景气，评奖评职称的压力，改行去演电视剧的同科者的蹿红，为适宜旅游者猎奇眼光不得不参与的肤浅演出……便往往弄得没了喜欢，只有厌倦与烦怨。

能把自己的本职与喜欢融为一体的人，是大福气人。但一般来说，本职里面总难免功利当头,说高点是社会责任,说低点是养家糊口,即使不名利熏心,总不能不计投入回报,恐怕很难一味地只是审美愉悦。因此,在本职以外,开拓一片无功利因素的业余爱好空间,便成为我们生命中不可或缺的一环了。但一般人的业余爱好,还只停留在健体养生、调节心理的层面上,还不懂得通过审美的生命体验,去获得大喜欢、大自在。

我郊区的书房,离北京东北部的温榆河中游不远,趁着秋高气爽,我去那还有些野趣的河边,画了不少水彩写生。我没受过有关的专业训练,谈不上画技,全是率性而为,但画时觉得通体舒坦,仿佛温榆河边那些拂地的柳丝、摇曳的芦花、密集的红蓼……全都在跟我窃窃私语;画完回去把一幅幅还没干透的水彩画随意摆放在书房各处,在音响播放的爱曲中仔细欣赏,自得其乐,如翔云霄。

昨天看电视,偶然看到上海卫视的一部纪录片,介绍一群平均年龄五十岁左右的妇女,多半是些退休与下岗的职工,她们组织了一个舞蹈队,请了一位舞蹈教师,是个三十多岁的男子,这位舞蹈教师并非科班出身,也没有专业演出经验,原是一家食品店里负责水果专柜的售货员,他因为喜欢舞蹈,自己照着电视里的舞蹈节目和有关录像带,对着家里的穿衣镜模仿揣摩,居然不仅能跳人家演出过的舞蹈,还能编出一些舞蹈,教给那一群妇女,她们都感谢那比她们都年轻的男老师,令她们圆了青少年时代的梦;现在那舞蹈教师就靠她们集资付与的不算多的酬金维持生活,那是一种清贫而有尊严的生活,从镜头上可以看出,他满脸满心喜欢。于是我想,我之于绘画,与他之于舞蹈一样,都没有科班赋予的基本功,但因为实在喜欢,所以也许画出的跳出的毕竟就脱出了匠艺而蕴涵了纯真;与那听录音带而唱下了《春闺梦》的女子的声腔一样,自得其乐而外,也能给别人些许快乐。

于是我决心趁秋色斑斓,再画些温榆河景色,哪天约几位至好到乡村书房小聚,开个私家画展悦己娱人。在河边我遇到一位散步的离休干部,他采了朵银色的小花插在夹克衫胸兜里,我问他:"您采的花儿叫什么名儿?"他笑得脸上的皱纹也仿佛一朵风中的花,回答我说:"这朵花儿嘛……就管它叫喜欢吧!"难得喜欢!你心上有这么朵花吗?

山溪秋叶

1

阅世的树，飘落下憬悟的思想之叶，叶片闪动着金色光泽。

但那晚悟的秋叶，究竟还能在蜿蜒于世道山谷的命运溪流中，旋转漂流多久呢？

2

在人性深处，最难承受的，是往昔寒微的熟悉者，忽然显露出的成功。

当传媒上赫然出现关于那往昔熟悉者功成名就的信息时，会忍不住对身边的人喃喃地说——

"当年我们班上，就属他不及格的次数最多！"

"他呀，当年在我们单位里，人缘儿最次！"

"光经我手，就起码退过他十来回稿……实在是没灵气儿啊！就他现在这个……到我手里还得退！"

"知道吗？她那时候考哪儿哪儿都不要！"

"瞧呀瞧呀，他那双眼就是典型的三角眼！"

"……别提了，他当年……要不是我……"

也许，事到临头，"短兵相接"，会当面向他或她表示祝贺，但目睹身受其成功意态，心底里总不免冒出"小人得志"、"沐猴而冠"、"能有几时"之类的悻然鄙夷的情绪。

这种"生命中不能承受之轻"，在同性中、同代人中，特别是"同科"中，往往其难以承受的程度最强烈。

倘只不过是，如上所述，在某些"当口"上，忍不住吐露出些不屑与讥评，甚至于，在亲友同事围坐时，或社交饭局席面间，"随手拈来"地讲一两个关于"那位主儿"当年如何猥琐狼狈的小故事，说实在的，也还都属于"人之常情"的范畴，算不得人性中多么严重的恶。

倘有时，遇到某个机会，竟当面向那"得意忘形"者，或从牙缝里挤出，或以微笑包装，"奉献"出令其败兴的，特别是揭"老底"或"疮疤"的"妙语"，只要没闹出什么事端，也无非是人际间的一种带酸味的"心灵碰撞"罢了。

倘竟能仅仅把鄙夷不屑存于心中，并不形之于颜色声息，那，德行应当说，是相当地高了。

萨特说："他人是地狱。"

言重了！

但他人的眼光，于成功者，尤其是呈现为"出水芙蓉"状者，确实不会是天堂。在拥趸的"追星族"后面，会有许多双岂止仅是挑剔的眼睛，在探照灯般地盯准、扫描着。

仔细想想，人性大海中那"嫉妒"、"不服"、"不忿"、"看你红得到几时"等永不会止息的波涛，也许，倒是人类群体不可或缺的平衡器。

这世界毕竟不只是为出类拔萃的"成功人士"而存在的，"成功人士"在品尝"成功之果"时，必须付出代价，那代价中就一定要包括进他人——主要还不一定是同一"成功群体"的成员，而是那些并不一定取得了同等成功，或简直还谈不到成功的人们的——讥评与不屑，或用土话说，就是"糟改"。

意识到有人"糟改"，并且不以为怪的成功者，或许会将那"糟改"当做磨刀石，把自己的心性能耐，磨砺得更坚强锋利。

这样说来,"糟改""出水芙蓉"的人性本能,也许竟该划归于人性善的范畴了。

3

多次对自己说:一定要追求美,却一定不要追求完美。

那道理其实很简单,因为自己的存在,从本源上探究,就已经不完美。比如说,眼睛太小。即使去做割双眼皮的美容手术,恐怕也还是不能"人人见了皆以为美"。

更何况,在以往的生活道路上,留下了,不说是很多吧,却也有相当数量的,其中有的还可以说是触目惊心的过失。尽管大体上而言,从外在方面说都已画了句号,从内心方面说都凝结出了教训,可是,一切不能抹掉重来,自己的生命历程已然不完美。怎么办?因为已经不能完美,就爽性沉沦,或干脆把自己毁掉吗?

再往细处推敲,自己的性格就不完美。倘若说作为一个社会人,所需的道德可以修炼到完美,但自己的生命还有非社会性的因素,比如说性格即为其一,性格是很难改造的,尤其是,性格里那最核心的东西,也许是,由染色体所命定的,根本改不了,改了也就没有"自己"了;如果说自己意识到,性格有明显弱点,从而陷于焦虑,那么,"活着,还是死去?"整个儿不成了个哈姆雷特了,除了在悲剧中死去,别的出路在哪里?

人一定要尽可能地接近美、进入美。契诃夫借《万尼亚舅舅》剧本里一个人物的嘴宣布:"人的一切都应该是美的:面容、衣裳、心灵、思想。"但那个人物,我记得是个乡村医生,他很有品位,不俗,却也有很明显的缺点,他说那话,恐怕也主要是激励自己和别人,尽可能向往美、融入美,而并非在发表"完美主义宣言"。

可以宣谕美的必要,但不要发表"完美主义宣言"。这是我的一个很朴素的想法。

倘若要不要完美,仅仅是针对自己,在那里焦虑,倒也罢了。如果是,把必须完美的想法,施之于他人,那可就麻烦了,甚至于,会派生出非常可怕的思路。

尤其是,先设定自己完美,然后以己度人,结果发现周围的生命存在,用"芸芸众生"形容都太宽容了,必称之为"臭鱼烂虾",甚至视之为"如蝇",那思路可真是令人不寒而栗。

光是停留在思路,或将这思路撰成"美文",或许还不失之为多元文化格局中的一种"异彩";倘越过这一步,进入到操作,那可不得了,被判定为"臭鱼烂虾"和"蝇类"的,恐怕只能像当年奥斯维辛集中营的被判定为"劣等人种"的犹太人一样,给送进毒气室"实际解决"掉了!

自己设定自己完美,是容易的。但他人却不一定都承认你完美。承认的,怎么都好办,或奖赏鼓励,或抚慰宽恕,或不动声色,或嗤鼻对之:"谁要你来凑趣!"不承认的,可就难办了,尤其是对某些不仅不承认,还公然指出自己缺点的人,为维护自己的完美尊严,那就必须弹压、荡灭!而在当今世界上,把不完美的异己者压服、消灭,竟空前地困难。

自己设定自己完美,还会使自己的心灵陷于极端地偏执。比如,自己在以往的政治运动里,伤害过某些人,本来,那原因是不难分析出来的,有当时特殊的外在影响,有自己当时的错误认知,那年代里的那份不完美,原来是并不怎么严重的,也是不难画句号的;可是,为了坚持自己完美,即一贯正确的信念,即使大多数人们现在都形成了"那样搞是错误的"的共识,自己也还是坚持"没有搞错",那股子坚持的劲儿,倘若仅是成为一种"个人保留",倒也罢了,如果自己有些个权力,并使用起来,搞成个超出"个人保留",造成继续伤害无辜的局面,那样地"追求完美",就离美、离善、离真,不啻是背道而驰,而且驰离到十万八千里以外了!

完美,是一种乌托邦。

乌托邦作为一种向往,能激励我们去接近美。心想乌托邦,书写乌托邦,吟唱乌托邦,都是人类精神生活里很必要的成分。乌托邦向往是许多中外古今文学艺术作品的灵感源泉。

但是,把乌托邦付诸实际操作,而且是急于求成的操作,那便会酿成灾难,甚至会形成浩劫。

人类的悲苦，也许正凝结于此。

个体生命对此，应有相应的憬悟。

4

解读鲁迅先生的《祝福》，可以从各种不同的角度出发。比如，倘从人性辨析的角度分析，则鲁迅先生这篇名著的最可贵之处，可能就在于表达了人性中一种最强烈的需求——倾诉。

祥林嫂当然极其不幸，尤其是她和贺老六的爱子被狼叼走以后，命运出现了最大的危机。贺老六死去后，无奈中她又投奔了鲁四老爷家。按小说里的描写，四老爷和鲁家太太，也还勉强能容纳她，只是忌讳她的"不祥"，不让她参与年关的祭祀仪式罢了；他们最后解雇祥林嫂，主要是因为她变得神经质地唠叨，总想跟人倾诉关于她爱子在冬天里竟被狼叼走了一事是如何地"真没想到"，他们不但不愿承接这一倾诉，而且觉得那是一个人完全不中用了的症状，所以导致祥林嫂沦为乞丐，并在寒冬里，以"天问"式的自言自语，倒毙在了荒街野巷。

人生的大悲苦，在于其倾诉的欲望，竟不能获得哪怕仅仅一个"他者"的承接。

不承接祥林嫂倾诉的，岂止是鲁四老爷和太太，就是跟祥林嫂社会地位差不多的那些人，也无人愿善意、持久地承接。

更恐怖的是，有时，一些人以假意承接，来戏弄倾诉者，以为消遣；那在倾诉者心上划下的伤痕，更深更痛。

倾诉是一种有尊严的人生行为。任何亵渎、玩弄、压制、禁绝倾诉行为与倾诉者的做法都是错误的。即使是"病态的倾诉"，也要尊重；医生难道可以不尊重患者吗？

祥林嫂是在"倾诉欲望"不能有任何哪怕是轻微的承接者的大苦闷中，结束她凄惨一生的。

我以为，《祝福》的最可贵之处，还并不在于"反封建"、"反礼教"或"控诉旧社会"等层面上。《祝福》的深刻处在于表现了人性中的倾诉欲望，并沉痛地呼吁：人类应当懂得承接他人的倾诉,在相互承接倾诉中,逐步地达到人类大同。

依我的思路，所谓友情，其实主要就是互相承接倾诉的一种人际关系。

爱情呢？性爱或许可以越过相互的倾诉与承接达到"皮肤滥淫"的短暂快感,但情爱，则一定还要加上这一因素。在中国古典文学名著《红楼梦》中，贾宝玉与林黛玉的情爱，就贯穿着一条倾诉／承接／不满意承接度,赌气不倾诉／恳求倾诉／终于又倾诉，在倾诉与承接中获得大欢喜／新一轮的倾诉欲望／新一轮的承接需求／新一轮的倾诉与承接的契合度的矛盾……

一个好的社会群体，必是一个能提供倾诉渠道,并具有相互承接倾诉的机制。

或许会有人问：那么，沉默的价值呢？

答曰：还是鲁迅先生，他不是说了吗？不在沉默中爆发，便在沉默中灭亡。又说，于无声处听惊雷。

我一再细细体味鲁迅先生的这些话，只觉得有许多以往未品出的新意，如血滴入水，丝丝缕缕地，在灵魂中浸散开去。

5

俗话说："男子五十五，胜过下山虎。"

到世纪末，我已经五十八岁了。还虎虎有生气吗？不敢那样自诩。但生命的树，年轮确实积蓄已粗，而且秋意浓酽。开始飘落憬悟的叶片了，那有着锈斑的叶片，顺着命运的溪流，蜿蜒地漂行。这些叶片，本不完美，更会终于腐烂；但会有世道山谷中的朋友，偶然地，看到，并捡起吗？唯愿在检视后，能略微一笑，或一愣，然后，再将其抛掉。

我生命的秋叶，你默默地飘落……而命运的溪流，一时还望不见尽头。

山溪秋叶，你渐远渐去，却又似乎依旧摇曳在我生命的树上……

旅途感悟

1

问路时，那应答的陌生人眼中闪出生怕指错的神情……

心领了，您那份自然流露的善意！

2

还牢牢地记得，村舍中一碗麦饭的清香。

能让这碗麦饭的香气伴随一世，您的灵魂有福了。

3

在老同学聚会时，你不是自然而然地直驱"成功人士"身前，哄然地捧场或打趣……

你是自然而然地先握住那"未成功人士"的手，并以当年那样的眼光直视着对方的眼睛，真诚地微笑着……

你的生命历程里，又开放了一朵花！

4

你在打架吗？为了在公交车上，把你得到的座位让给偶然遇上的熟人……

你闭眼打瞌睡，仅仅是因为，在这公交车上，有偶然站到你身边的老人……

你生命历程里，就此少开了多少朵花！

5

"啊，他呀，"你回忆起来了，"不就是那一年春节，让人家给轰下台的家伙吗？"

"啊，对了，"跟你对话者说，"那一年春节，他唱歌跑调，我记得大家笑得前仰后合……"

记忆都准确，但一种是腐叶，一种是至今还缀着露珠的花蕾。

6

静夜里，隐隐地，听到有哀哀的哭声。

意识到，那并非是求救的信号。

是想抑制，而未能抑制住的，隐私的泄露。

不想去探究他人的隐私。

但在静夜里，再一次憬悟——人们到处生活，而生活，有多么不易的一面啊！

7

真有过月光如水的感觉吗？

为什么没理会？

为什么顾不上？来不及？

一到晚上，就只是盯着电视机屏幕吗？

晚间泻到你的身上的，就总是电光吗？

为什么不，哪怕偶尔，一个夜晚，关闭电视，连所有的电灯也都关掉，让月光泻入你的房间，沐浴你的身体，你用手，试着捧起月光，而月光从你的指缝，急急地，还是缓缓地，漏下去了。

没有想到故乡吗？没有想起爷爷胡须的形状，闻到外婆煮山芋的香气吗？或者还有妈妈送别你时嘴角的颤动，以及爸爸下夜班时那沉闷的脚步声？还有你向同桌女生借橡皮时，她爽性送给你的那块粉红色的，像草莓软糖般的香橡皮？也许，是无来由地，倏地想到，仅仅去过一次的，并非风景地的，远郊某处的，那棵高高的，被雷击倒，却还挂着累累青果的核桃树，它当时很疼吗？……

"……月光如水水如天……风景依稀似去年。"那一、三两句是什么？想不起来了吗？不去想也罢。月光下，你自己，便是诗。

8

农贸市场，你买红枣，讨价还价，终于成交。买卖中夹杂着一些笑谈，双方情绪都不错。端起秤盘往你的布口袋里倒进足秤的红枣后，那卖红枣的大嫂，在讨价时原是很强硬的，却忽然又往你口袋里抓了两大把红枣……

她对你生出好感。

萍水相逢，一个人能让另一个人生出好感，以及一个人具有对他人生发好感的能力，都是人间艳丽芳菲的花朵。

9

人生如旅。心灵那向外、朝内的观览，是否也该留下"到此一游"的"纪念照"？

譬如朝露

到了花甲之年，曹操那"对酒当歌，人生几何？譬如朝露，去日苦多"的千古名句不免经常袭上心头。其实比曹操更早的诗人秦嘉已有"人生譬朝露，居世多屯蹇"的感慨，而曹操的儿子曹植又有"人生处一世，去若朝露唏"的沉吟，这说明以露喻命成为了人们的一种通感。佛教《金刚经》称："一切有为法，如梦幻泡影，如露亦如电，应作如是观。"我以前一直觉得梦幻比朝露多彩，泡影比朝露浪漫，电光比朝露壮丽，四种并列的短促命相里，似乎唯有朝露最卑微凡庸。

我是个夜晚写作、上午睡觉的惫懒人物，虽然也写过《仙人承露盘》之类的作品，也跟着古人感叹过"譬如朝露"，其实，究竟朝露是怎么凝结出来的，以往并不曾专门观察过。近两年在京东远郊一个村子辟了一个书房，周围全是田野，那天下午，我到村外画水彩写生，结识了农民小陶，聊天当中，听他说及"接露"，很觉新奇。他种的那一大片地，引进的是香港的一种名称古怪的蔬菜，这种菜在生长期里朝露越旺质量越好，所以他经常天不亮就到地里去等待凝露，据他说朝露的多寡旺涩取决于黎明时地面与低空的温差是否恰到好处，地面温度太低了不行，低空中的水汽太少也不行。他也不光是消极地等待，有时会燃些热烟熏地，或往菜田旁的沟渠里灌水，他说当晨光像灶膛般亮起来，看到菜叶上凝出了浑圆的露珠，心里头的高兴劲儿，跟看到老婆顺利生下胖娃娃一模一样。小陶说得我心痒，于是有一天我就让他天亮前来唤醒我，带我一起到田野里去"接露"。

近年北京气温持续偏高，雨水稀少，小陶边领我往田里去边叹气说，地皮散热虽然势头很旺，但是低空里水汽不足，所以露水很难凝出，就像婆娘生孩子难产一样，让人犯愁。又说不光他种的菜需要露水滋润，就是一般的庄稼，在这旱年里头，多点露水也能缓解旱情。深一脚浅一脚地跟他往前走时，露水的分量在我心上也沉重了起来。

我们来到田里时，东边天空已是蛋青色，小陶在田里游动，我遵他的叮嘱蹲在一株他称为"二胖子"的菜棵前，睁大眼睛观察那肥大的叶片。在朦胧的天光里，初看只觉得那叶片蔫涩乏味，心想这样的蔬菜难道真像小陶所说，是专门供应高档餐馆的"摇钱菜"？稍后觉得脚下氤氲出些温热，而低空中沉旋下些微寒；再后，东边天际仿佛有天女散花，倏忽一扇霞光闪出，那边小陶喊了声"注意"，我忙更专注地盯视那片菜叶，陡然有晶莹微颤的露珠出现，那叶片竟也无风自颤起来，仿佛一觉醒来伸臂舒展打着长长的呵欠，我也不禁喊了声："看呀！"我更仔细地观察，觉得那几个露珠确实都像刚落生的娃娃，新鲜的生命透着单纯憨戆，有一粒悬在叶尖上，反射出朝霞的虹彩，欲滴未滴，淘气里透着聪慧……很快地，天光大亮，朝阳的射线密集地倾泻到田野里，眨眼之间，叶尖的露珠已然无声坠落，而叶片上的露珠，有的不知是怎么消失的，但有一粒，我清清楚楚地捕捉到了它浸润融汇到叶脉里的那一瞬，确实，非常短暂，然而又非常辉煌——那晦暗中令我觉得萎蔫的叶片，因露珠兄弟姐妹的短暂生命，变得挺秀碧鲜！

"接露"后回到书房，我觉得有满心的香露正在浴灵。怎样看待自己的生命？譬如朝露？是的，即使能活到一百岁以上，放到无尽的宇宙坐标里去衡量，实在也短暂得可笑可怜，但是，倘若在我们短暂的生命过程里，哪怕仅有一次，我们真能像露珠一样，奉献自己而浸润了世界，令世上有价值的东西得以兴旺，那么，短暂还构成焦虑吗？我走到音响前，想从 CD 盘里找一阕最能呼应自己情思的乐曲……您猜，我选择了哪一阕？

见面头一问

阿美这回真的美啦！不是她脸庞儿变得更俊了，是她嫁了个阔丈夫，妻随夫富，人一阔，浑身变，以往认识她的街坊四邻、同学同事，好久不见，猛不丁见了她，大都会忍不住至少问出一句话来，阿美这些天最爱听的，就是那见面头一问。

"吆，这车真棒，二十万拿不下吧？"这是胡同里大黑的见面头一问。那是她跟丈夫头回开车到二姨家，也真巧，她一推车门，大黑恰骑着辆破自行车过来，大黑住二姨他们那个院隔壁，小学跟她互为"同桌的你"，当年功课虽比她好，如今可还在胡同杂院里住着，典型的工薪族，混得不能算惨，跟她呢，连嫉妒的心气也没有，见面那一问，只是好奇；阿美自然不会正面回答他，只是含混着跟他嬉笑了几句。大黑嗡嗡嗡蹬车走了，锁好车门的丈夫问她："谁呀？这么随随便便的？"她娇滴滴地过去挽紧丈夫胳臂，说："连你小拇哥也比不上，理他呢……"

二姨把他们两口子迎进屋，她那两个珍珠耳坠立马照亮了二姨双眼。"嗬，这么大个儿，是真的吗？"她不及坐到沙发上，就摘下一边的耳坠递到二姨手里，指点说："您掂掂分量，假的要轻上好些！您站到窗户边，就着亮光仔细瞧，假的外壳倒也光溜，可哪有这样的虹彩！"那一刻，她心里的幸福感真可以说是油汪汪的。

那次到原先上过班的地方，只有小一半的姐妹是同过事的，正当午休，她们围着她聊了一会儿，就问开了，这个问："你那别墅有三个卫生间？啊呀，我们住胡同杂院的如今还得上公共厕所蹲茅坑，你能不能捐献个卫生间给我呀？"那个问："你说刚吃了和食，我乍听还以为你是刚吃了盒饭呢，敢情是吃的日本餐呀，那什么生鱼片，也不涮涮就吃呀？寿司究竟是啥东西呀？"又有问她养的那宠物蝴蝶犬究竟什么模样，她家那大起居室里跟人一边高的发财树怎么能保证不落"财叶（业）"？……她有问必答，极为耐心，满脸喷霞，画出的细眉上下飞动。

自然也有见面头一问就醋熘辣炒的，阿美听了只是一笑，狐狸吃不着葡萄就说葡萄酸，上学时课本里有那么个寓言，现在体会太深啦！

那天她到那座已经挺老旧的塔楼里串门儿，开电梯的秀秀就是属狐狸的，见了她假装不认识，她倒没往心里去，点着秀秀名儿问："还开这梯子呀？也不跳跳槽儿？"秀秀这才表示认出了她，秀秀对她来这楼找谁搓麻心知肚明，却故意问："去九楼王老师那儿？"她借坡下驴，堆出灿笑："对对对。"

站在906王老师单元门外，她想，王老师那见面头一问会是什么呢？王老师是她上职业高中时候的老师，现在已经退休。她伸出手去按门铃以前，心里头转悠着许多问题，像杂技演员手里的彩球一样，抛出一个接着一个再抛一个再接一个，都是替王老师设计的，如果认不出了会问："您找谁？"还能认出会问："哪阵风把你吹来的呀？"听到过她的消息会问："你先生没一块儿来吗？"觉得她那身皮衣还有眼影耳坠什么的太扎眼问："你怎么大变样啦？"也跟秀秀似的犯酸兴许会问："还记得我这个穷老师呀？"心里早惦着利用我丈夫拉点赞助会喜出望外地问："你是怎么知道我在苦等仙女下凡的呀？"

按了门铃，门开了，王老师跟她面对面，那眼神分明是认出了她，短短几秒钟里，王老师一定是在琢磨她怎么会出现在眼前，王老师开口了，那见面头一问却是打死她也未曾估计到的——

"你是来借书的吗？"

香槟玫瑰

　　沙尘天气，心理上的不快超过生理上的不适，给朱大哥打去电话，以一句"找到香槟玫瑰了吗"开头，闲聊中舒坦了许多。

　　朱大哥在阳台上盆养了许多品种的玫瑰。头一回应邀去他家观赏那些玫瑰，我惊叹："世上最美丽的玫瑰，莫过于此了！"这话本很夸张，朱大哥脸上却无谦容，只是说："还差一种香槟玫瑰。"啊，我想起来，多年前报上曾有关于林青霞终于披上非戏装的婚纱的报导，娶他的美籍华裔富商邢李源从全世界花卉市场预订的香槟玫瑰，在婚礼那天纷纷空运到他们豪宅，堆满了整整一个游泳池！我说起这事，朱大哥淡然一笑："堆砌无美。我只想得到一株香槟玫瑰。一株足矣。"据朱大哥形容，香槟玫瑰的色彩极其独特，就是香槟酒那样的颜色，而且，其气味也类似香槟酒那般淡雅缥缈。有回我提了两瓶国产"小香槟"去他那里赏花，他笑告我这种酒应该叫做"仿香槟"，真正的香槟酒只产在法国东部一小部分地区，香槟本是地名，离开那块地方酿出的酒怎能充数？2000 年我第三次去法国，去了属于香槟地区的兰斯，参观了该处一座历史悠久的酒厂，回来给朱大哥带去一小瓶地道的香槟酒，他非常高兴，马上就让我起出塞子，带气沫的酒液喷出来时，他快活得搓指打榧子，连说："真像香槟玫瑰开放的一瞬！"我跟他道歉："本想为您求一段香槟玫瑰的枝条，拿回来供您扦插，可是您也知道，未经检疫的外国植物是不能随便携入国境的……"他引我到那玫瑰花盛开的阳台上共品香槟酒，从漏斗形雕花高脚玻璃杯中啜着酒液，脸上的微笑正如我所想象的香槟玫瑰那般优雅，他对我说："在国内也有可能找到，过去一些西方传教士带进来过，并且早已本土化了，只是比较稀罕难找罢了。"

这天跟朱大哥电话闲聊，我说："您一直保持寻觅香槟玫瑰的情怀，这是不是又是一个这样的例子：追求的过程比追求的结果更甜美？"他笑答："这个感悟不算新鲜了。记得你写过一篇《只因缺个权》，说有位老兄收藏了一把明代太师椅，就缺个权儿，他寻来寻去，寻到配上了，反倒生活失去动力了……我要是寻到了香槟玫瑰，扦插活了，我的生活会更有动力、更精彩哩！"

我想到朱大哥中年丧妻退休多年，子女漂洋过海奋斗无暇只在节日致电问候，他独守空巢与玫瑰相守，却能保持如此健康的心理状态，必是心中有更深的感悟，便向他求教："现在窗外昏黄一片，历年来的不顺心事竟接二连三涌上心头，怎么才能消除这些堵心的杂碎啊？"他先问："你现在看得见太阳吗？"我说看得见，被沙尘遮蔽得失却了应有面目，他就说："你一定是不由得要去联想到许多的糟心事，甚至去进入沉重的思考，要不得！你现在再仔细观察一下，用最纯朴的眼光看，把你的直觉说出来。我这里看出去的直觉，太阳活是一只橘子，剥了皮，里头的橘瓣不知道是酸是甜？"这话把我逗笑了，我再朝窗外望，跟他说："依我看来嘛，倒更像一只柠檬，也不知切成薄片沏杯柠檬茶，味道醇不醇？"两人就在电话里笑成一片。

朱大哥和我都不是只顾个人找乐的人，今年春天，他自愿去参加了报社组织的植树活动，我写了一篇畅谈环境保护的文章，但是我们在交谈中达成了共识，就是千万不要以忧国忧民自诩，动辄在心里凝上一个沉重的疙瘩，比如面对这沙尘天气，一味地怨天尤人、闷然悻然，那就把正气也化为戾气了。人生多艰，世道多变，个体生命置身其中，调理好自己的心理、心情、心绪、心态非常重要，而手段之一，就是责任性大思考之余，常给自己一些放松性的小思考甚至暂不思考。鲁迅先生曾说过这样的意思：如果连一家人切西瓜分食的时候也必得有"列强瓜分我国，凡我同胞奋起抗战"的大思考，那么西瓜是永远无法吃的了。朱大哥的向往香槟玫瑰，与他的社会责任感无关，但作为一个有社会责任感的人，他的这一私人小情趣，却能使他成为一个更易于与他人、群体、社会乃至人类亲和的活泼生命。香槟玫瑰，你在哪里？找到也好，找不到也好，那美酒般的芬芳，已然氤氲在朱大哥胸臆。愿我，还有更多的人，也能在对各自那"香槟玫瑰"的追求中，用朴素、本原的小乐趣，化解掉心中淤积的夸张性焦虑，以健康的心理，面对这还存在着诸多不足的世界与人生。

长吻蜂

去年，我远郊书房温榆斋的小院里那株樱桃树只结出一颗樱桃。村友告诉我，树龄短、开花少，加上授粉的蜜蜂没怎么光顾，是结不出更多樱桃的原因。今年，樱桃树已经三岁，入春，几根枝条上开满白色小花，同时能开出花的，只有迎春和玉兰，像丁香、榆叶梅什么的还都只是骨朵，日本樱花则连骨朵也含含混混的，因此，樱桃树的小白花灿烂绽放，确实构成一首风格独异的颂春小诗。今年，它能多结出樱桃吗？纵然花多，却无蜂来，也是枉然？

清明刚过，我给花畦松过土，播下些波斯菊、紫凤仙的种子，在晴阳下伸伸腰，不禁又去细望樱桃花，啊，我欣喜地发现，有一只蜂飞了过来，亲近我的樱桃花。那不是蜜蜂，它很肥大，褐色的身体毛绒绒的，双翼振动频率很高，但振幅很小，不仔细观察，甚至会觉得它那双翼只不过是平张开了而已。它有一根非常长的须吻，大约长于它的身体两倍，那须吻开头一段与它身体在一条直线上，但后一段却呈折角斜下去，吻尖直插花心。显然，它是在用那吻尖吮吸花粉或花蜜，就像我们人类用吸管吮吸饮料或酸奶一样。并非蜜蜂的这只大蜂，也能起到授粉作用，使我的樱桃树结果吗？我自己像影视定格画面里的人物，凝神注视它，它却仿佛影视摇拍画面里舞动的角色，吮吸完这朵花，再移动、定位，去吮吸另一朵花，也并不按我们人类习惯的那种上下左右的次序来做这件事，它一会儿吸这根枝条上的，一会儿吸那根枝条上的，忽高忽低，忽左忽右，或邻近移位，或兜个圈移得颇远，但我摄神细察，发现它每次所光临的绝对是一朵新花，而且，它似乎是发愿要把这株樱桃树上每朵花都随喜一番！

手持花铲，呆立在樱桃树前的我，为一只大蜂而深深感动。当时我就给它命名为长吻蜂。事后我查了《辞海》生物分册，不得要领，那上面似乎没有录入我所看到的这个品种，于是，我在记忆里，更以长吻蜂这符码来嵌定那个可爱的生命。于我来说，它的意义在生物学知识以外，它给予我的是关于生命的禅悟。

我是一个渺小的存在。温榆斋里不可能产生文豪经典。但当我在电脑上敲着这些文字时，我仿佛又置身在清明刚过的那个下午，春阳那么艳丽，樱桃花那么烂缦，那只长吻蜂那么认真地逐朵吮吸花心的粉蜜，它在利己，却又在利他——是的，它确实起到了授粉的作用，前几天我离开温榆斋小院回城时，发现樱桃树上已经至少膨出了二十几粒青豆般的幼果——生命单纯，然而美丽，活着真好，尤其是能与自己以外的一切美好的东西相亲相爱，融为一体！常有人问我为何写作，其实，最根本的一点是：我喜欢。若问那长吻蜂为什么非要来吮吸樱桃树的花粉花蜜，我想最根本的一条恐怕也是"我喜欢"三个字。生命能沉浸在自己喜欢，利己也利他的境界里，朴实洒脱，也就是幸运，也就是幸福。

我在电话里把长吻蜂的事讲给一位朋友，他夸我心细如丝，但提醒我其实在清明前后，"非典"阴影已经笼罩北京，人们现在心上都坠着一根绳，绳上拴着冠状病毒形成的沉重忧虑。我告诉他，唯如此，我才更要从长吻蜂身上获取更多的启示。以宇宙之大、万物之繁衡量，长吻蜂之微不足道，自不待言，它的天敌，大的小的，有形的无形的，想必也多，但仅那天它来吮吸樱桃花粉蜜的一派从容淡定，已体现出生命的尊严与存活发展的勇气，至少于我，已成为临"非典"而不乱的精神滋养之一。莫道生命高贵却也脆弱，对生命的热爱要体现在与威胁生命的任何因素——大到触目惊心的邪恶小到肉眼根本看不见的冠状病毒——的不懈抗争中。我注意居室通风，每日适度消毒，减少外出，归来用流动水细细洗手……但我还有更独特的抗"非典"方式，那就是用心灵的长吻，不时从平凡而微小的事物中吮吸生命的自信与勇气。

云锦满心湖

观赏完昆曲票房的演出，跟几位朋友去茶寮闲话。话题涉及收藏。我的助手鄂力收藏名家字画，他工篆刻，为名人刻好印章，送去后大多立获青睐，有的就把自己的书画作品钤上他的印章赠送给他，历年来积少成多，蔚为大观。斯先生则收藏细瓷，原来主攻古瓷，近来则兼收艺术新瓷，前些天又从东郊南皋许以祺先生的私家瓷园"乐陶苑"搜集了若干柴烧的现代派、后现代派的观赏瓷。鄂、斯二位是财富型收藏家，当然，对收藏品的鉴赏还是第一位的，但对求择名家精品以待时移价增这一目的也并不讳言。霍先生则属于兴趣型收藏家。他说是那回迁往新居时，忽然发现家里有三根旧拐杖，都是老一辈留下的，也并非什么名贵的有讲头的拐杖，犹豫了一下，没有淘汰，带往新居了；谁知从那时候起就有了收藏拐杖的兴致，无论到什么地方出差、旅游，看到跟家里不一样的拐杖，总要买上一根，甚至在本市逛商场时，眼光也总忍不住往卖拐杖的摊位晃，到头来他家目前已经收藏了几百根用料、形态、色泽、产地、功能不尽相同的拐杖，而且近来他更开始自己设计、制作拐杖，他称自己的这些拐杖统共算起来也值不了多少钱，但拐杖于他而言，已成为支撑人生乐趣的重要事物，不可或缺了。

座中的年轻白领阿姜，笑说他们那些收藏都太传统太物质化太占据空间，称自己的收藏是非物质性的，所亲近的是时间。原来，他居所窗外曾是一片古旧的平房杂院，后来被拆平，眼下是些供居民回迁的经济适用房，他的收藏，就是以两年的时间，在他居所阳台上，架设了一台照相机，用定时自动拍摄的方式，每天在早八时、午后十四时、晚八时摄下三张视角完全一样的照片，最后形成一套两千多张的空间变化史料，目前他正从中挑选出二百多张，打算编成一本书，问他是否还要配上文字，他说不配文字，因为那些照片的意蕴"尽在不言中"了。

我对面的婷婷一直沉默不语。我对她说："看来，只有咱们俩是不搞收藏的了。"她竟摇头。她是个自由撰稿人，只撰雅稿不撰俗稿，最近一直在构思新编昆曲《芳官》，我就猜她近来一定是在广泛收藏与《红楼梦》相关的资料，谁知她宣布："我跟阿姜一个流派，也属于'非物质性收藏'。"我们都知道联合国教科文组织每年都要核准一些人类文化遗产，分物质性、非物质性两大类，比如南京的明孝陵、北京的明十三陵，最近就都被核准为物质性人类文化遗产，而昆曲在前几年就被核准为非物质性人类文化遗产。我们齐问婷婷究竟收藏的是什么，她从容不迫地闲闲道来："南京本来还想申请石头城的古城墙，作为物质性人类文化遗产，但是实在被破坏得太厉害，残段两旁的临建也一时难以拆除清理，所以现在改为申请非物质性的人类文化遗产，就是云锦工艺，云锦是曹雪芹父辈、祖上曾监制过的御用织品，那工艺是非常独特，产品是非常精美的……"我就拍手道："啊唷，原来你收藏的有云锦呢！"婷婷笑了："您急什么，不对，我没有那个申请里说的云锦，不过，倒也可以比喻成云锦……告诉你们吧，这一年来，我一直在收藏善意哩！"

原来，独身的婷婷随着岁月的嬗递，在社会人际里遇到的阴暗东西渐多，有时更会遭际赤裸裸的人性恶，弄得她的心理健康状态一度很成问题，以至往往环境还没有那么恶劣，她自己倒先紧张起来，把花影鸟音也当成了刀光咒语，于是，从去年起，她决定要收藏善意，就是每天坚持把社会人际中哪怕是些微的，转瞬即逝的，他人对自己施与的善意，都珍藏起来。她说，这样做不出一个月，她的心境竟开朗、乐观了许多。她略举两例，一例是她有天晚上回公寓，与另两位男士同处电梯中，进去后才发现，一位醉醺醺还斜睨怪笑；他们那是个小户型的"单身贵族"公寓，电梯二十四小时运行，业主自开；那晚另一位男士衣履整洁，神态正常，她依稀记得那位男士是住在她那层以下的十三层，但电梯停在十三层

时，两位男士都没下，后来到了她那一层，她出去时，那清醒的男士轻声跟她道
了声晚安，电梯门关了，她才恍然大悟，那位绅士是怕她遭到醉汉非礼，才特意
没有在十三层出梯的。另一例是去年深秋她叫餐进房，送餐的看上去还是个没发
育好的少年，她在阳台上种了些喇叭花，藤蔓攀缘到窗顶几个月里都形成美丽的
帘栊，但过季干枯后需要登高收拾拔除，她实在没有精力，就顺便问那送餐少年
能否帮忙。那少年登上椅子三下五除二就帮她解决了问题，她非要在餐费外再给
那少年十块钱小费，她说至今那少年摇晃身体躲避她的小费并且说"这我坚决不
能要"的神情还宛在眼前，后来她得知该少年打工除了管吃管住，每月的工资才
250 元还经常拖欠……"这还是最浅显的例子，"婷婷说，"其实你们分别也都给
予过我宝贵的善意，那可能是更深刻的，因而也就可能是最不露痕迹的……比如
那回看完票房，也是在这里，我因为自己的隐私忽然实在忍不住满眼是泪，你们
全都察觉却没一个问我为了什么，只把我当成一个情绪正常的人，跟我继续就《芳
官》的人物刻画、遣词造句进行讨论……"婷婷说她收藏这些善意的方式，也并
非都是在日记上录下全景，有时会只是一幅写意的线画，或一句联想到的唐诗宋
词、一句英文，甚或是一串只有她自己能会意的自创符码……而暇时检视这些记
录，回忆起人间那么多的善意，她就觉得自己满心湖里都是华贵的云锦……

　　从茶寮回到家里，我一直在想，我的心湖里，是否也该收藏些对自己弥足珍
贵的云锦呢？

给自己架张蹦床

　　近来收到很多本书，有同行惠赠的精美散文集，有出版社寄来约写评论的图文并茂的跨学科著作，有配合纪念活动邀我参加请我先睹为快的人物传记……其中一本从甘肃一个村落寄来，是自费印刷的小集子，制作粗糙，不到二百页，封面上印着张黑白分明的照片，是个斜着身子在笑的小伙子，充满动感，那是作者，他即将从师范学校毕业，估计是正在家里歇假，从村里寄来他的这本非卖品的小说散文处女集，书里夹着封短信，简单几行字，对自己并不怎么介绍，似乎也并不巴巴地等候着回复，大概是觉得反正关于他自己的信息都在那小集子里了．如果收件人不读或读了没感觉那也就算了。这本书我先是随便翻翻，谁知竟被吸引，这两天竟通读一遍，觉得很有意思，于是给他回赠了一册自己的书，告诉他我对他文字的感觉：进入了文学思维，有幽默感，而且正在形成自己的文学追求，如果能遭逢运气，前途无量！我深深祝福这个大西北塬上的刚过二十岁的写作者。

　　抛开这位小伙子的文学水平究竟如何不论，单就从他文字里反映出来的一种心理气质，我就觉得不仅值得他的同代人借鉴，像我这样的"老前辈"，也可以从中获得启发。他正当青春发动期，内心对任何事物都有敏锐的感觉，常常会因很琐屑的生活细节而觉得受到很深的刺激，产生"愤青"们共有的情绪，从思维、语言乃至行为上都显现出忽左忽右、刻意颠覆、跳踉不定的焦虑、躁动特征，但他却又能在发泄时把握尺度，尖酸刻薄之后不弃宽容厚道，愤怒激昂之后耐心梳理因果理路，跳跟颠覆时刻又企盼寻觅到心智的坚实而稳定的落点，这样的自我控制力，实在难能可贵。我很喜欢他在文字流淌中的那些自然而生动的自嘲，我一贯认为只会嘲讽社会、他人而从不自嘲的人，无论那语言多么波俏，其实都与真正的幽默还隔着深沟大溪。光是能自嘲也还不过是心理健康罢了，更上面的一个层次是能憬悟，能为自然、社会、历史、现实、他人而产生真正的感动，具有这样的心智能力，那就是心灵美了。这本小集子里最前面一篇以他们师范学校的生活为素材，写"我"如何拿一位绰号"笑料"的同学寻开心，"当笑料喷着满嘴的酒气进行着我指挥的一切时，我在小饭馆里悠闲地品尝着童子鸡，看猴戏的好事者说笑料招了一耳光，我听后心花怒放，一杯接一杯地喝那马尿似的啤酒，又一口接一口地吃那牛粪似的鸡肉……可是幸灾乐祸之后，我又莫名地惘然，甚至有一种麻木的空虚。"试图从最平淡的群体生存中探究人性恶，当中他在一篇以蚊为喻的散文里这样表达个体生命无法逭逃攻击与伤害："一蚊误以为我脉脉含情，暗送秋波，故飞至胳膊与我亲热……那蚊怙恶不悛，不一会呼朋引伴，争相而来，直抵肥美之处……仅一刻钟，身体裸露之处凸起不断，小山连绵相望，抠破之处细流涌动……"但这些多少显得傻薄的情调，渐渐被后面的沉思性文字所矫正，在集子后面有篇文章，他终于直面养他育他的厚土乡亲，有了这样的憬悟："夜晚已经降临，我独坐屋檐下，灰暗的院墙勾勒出黑色的天空，这排土褐色房屋，这堆朽腐的草垛，使我的心里弥漫着凄美而亲切的忧伤。……有时，回味是一个人的全部，而这恬淡的风景是多少情感的点缀！我多么希望在这样的夜晚，让那叶梦想之扁舟轻轻起航，载着不再稚嫩的心，载着黄金般的青春。"

我觉得，这位小伙子在书写过程里，仿佛为自己制作了一张蹦床。杂技表演中常会在场上设一张大蹦床，没到过表演现场的人不难在电视里看到。跳蹦床本身就是一种节目，其他一些节目如高空特技也常借助蹦床为保护，兼令节目更复杂惊险。他的文字，就仿佛任自己在蹦床上翻滚撒野，而在这样的跳跟、反弹、锻炼、求衡的紧张运动过程里，心智逐渐地趋于既灵动又澄明。一般人不一定都有兴趣尝试文学创作，但多有写日记、札记排遣情绪的，特别是年轻人，总归要找个渠道一泄为快，往因特网上倾倒也是方式之一，甚至就是不书写，光在脑子里转悠种种思绪，也有个如何自我控制的问题，搞不好，会高高蹦起，重重地跌在地上，或者一味地翻滚，弄得到最后没了正形，因此，我建议大家，尤其是年轻的和虽已不再年轻而气性大的人，都能为自己架张无形的心灵蹦床，不怕一时产生愤世情绪激情失度恨不能脱离地心引力任己乱飞胡翔，但到头来构成蹦床基础的是理智的经纬、善美的良知，在一再地颠覆翻腾之后，到头来能得到良性的反弹，锻炼出刚韧的自我调节能力。寄书来的小伙子在文章里说，他在这两年里，"看别人的眼光也复杂了许多，增加了世俗的成分，而这正是我两年前所憎恨的。"这"复杂"也许正意味着能以较为全面的眼光看人间，而这里所指称的"世俗"也许正是应回归与亲和的公序良俗，正是冷暖得失，从蹦床上下来，心平气和时，心里最为透亮。

一把米有多少粒

　　新来的小阿姨端着锅问妻子："我抓的这三把米是不是太多了？要不要数数一共多少粒？"妻子莫名其妙，一旁的我也惊诧不已。原来，她在前一家帮厨，那家的女主人就曾让她数过米粒。吃过晚饭收拾完一切，小阿姨主动跟我们细说端详。那家女主人年事已高，她管她叫姥姥，她一去姥姥就跟她交代，要用玻璃量杯量米做饭，姥姥说，每次量出的米粒，上下误差不会超出八粒。可是那天玻璃量杯落地碎掉了，是姥姥自己失手砸碎的，小阿姨就只好用手抓米，衡量着两把米差不多，但姥姥非要她把那米一粒粒数过……我和妻子听着都笑了。小阿姨不笑，她认真地告诉我们，其实姥姥是个很好的人，她并不是吝啬刻薄，就那么个脾气，不论事情大小，一概要精细计算，这样做好处也真不少，比如姥姥阳台上养的花，因为换土施肥浇水什么的全都根据书上的规定按量执行，所以总是叶肥花艳；又比如好些人家因为总不能严格按规定配兑消毒液弄得气味熏人杀菌效果又不好，姥姥却总是量杯量筒来回按说明书细细配兑结果消毒作用非常充分。当然，依小阿姨的见识，姥姥这样的脾性坏处挺多，首先就是几乎没有哪个阿姨能在她那里长做，姥姥跟邻居们的关系也总是很紧张，甚至跟抽空来看望她的儿孙也总要不欢而散，因为姥姥一天到晚总在那里"合理精确计算"，让再好脾气的人也难以长期忍受。妻子喟叹说，这位姥姥活得多累啊！小阿姨就告诉我们，姥姥前些时候去世了，大家都说是累心累死的。

小阿姨讲述的这位姥姥可能是具有这类心理疾患的人士中的一个比较极端的例子，其实就是我们自己，在某些事情上在某些场合面对某些问题时，心理上也会出现算计过细，导致别人心烦自己心累的毛病。

就整个社会的进步而言，数字化确实是必要的推动手段。尤其科技的发展，计算得越精微，迈出的步子就越大，像现在大家经常挂在嘴里的纳米技术，就是以超精微计算为基础的新技术。已故美籍华裔历史学家黄仁宇，他的主要立论就是一个好的社会必须是一个进入数字化管理的社会。"数码"这个词汇现在已经大踏步进入了日常消费领域，数码相机、数码手机、数码彩电、数码冰箱、数码空调……都意味着以精确的数字为代码的新技术正在全面覆盖我们的社会生活。从这个角度来说，对精确计算的数字心存敬畏，是必要的。

但是，社会生活的意义除了科技进步、经济高速增长，还应该更加人道更能促进人性中的那些良善因素的丰茂，这方面要做的事情恐怕不是一味地施以数字化手段就能奏效的，应该以熏陶、感化的方式来浸润性地进行，那方式有时甚至可以是十分模糊与暧昧的。就个人而言，在家里准备出许多的度量衡器具，比如供每次从菜市场归来时按品种复验斤两的弹簧秤什么的，固然未为不可，不过千万不能以为人生的任何领域都是可以一律数字化地加以精微计量的，尤其是情感领域、审美领域，还有日常人际相处的微妙境界，都是越非数字化、非精微算计，含糊一些，包容多些，伸缩尺度大些，进退余地宽些，才为好，为善，为快乐，为轻松，才既有利于自身延年益寿，也有利于滋润他人，乃至和谐于社会。

不能马虎的事情绝对别马虎，可以马虎的事情则一定要马虎，这才是正常的人生，正常的心态，正常的活法。不该马虎的事却马虎了，多半会危害他人与社会，并到头来自尝苦果；可以马虎的事偏不马虎，也许倒不一定对他人和社会造成什么损害，但一定会遭人厌烦，自己则会在多余的焦虑与烦躁中弄得了无乐趣，最后心累而亡却难以被未亡者以温情忆念。

一把米究竟有多少粒？没算计过吗？那么，好，永远也不去探究，便是你一生的福气。

埋果核

傍晚散步，不知不觉又走到老祁的小院边，他那农家小院里的杏树，把一大片树冠伸出墙头，春天我不好意思用"红杏出墙"揶揄他，现在嘲他句"无果也狂"倒也无妨，微笑着叩他那并未掩实的朱红门扇，他在院子里大声呼我名字，笑我礼多，我进院就看见他又在那边墙根底下埋果核，不等我评论，迎过来的祁嫂就说："猜猜他又犯什么傻呢？埋的是那回你从海南带回来的人心果的果核！"我忍不住大笑。

老祁比我大两岁，退休以后迁到这村里常住，我因在村里辟了间书房，渐渐结识了些村里的老村民新住户，老祁是近来走动得比较勤的一位。头回被他邀进院里，坐在杏树阴下闲聊，他告诉我："初见面人家总免不了问我两句话，一句是'您原来是哪个单位的？'再一句是'您在那儿干什么？'我答出第一句，人家多半是肃然起敬，有的还大惊小怪；可我答出第二句来，人家多半就露出个'真没想到'的表情，多半也就不言语了。"原来他打从小伙子那阵就入了一个重要的科研机构，工作单位一直没变动过，具体工作么，是当锅炉工。他奇怪我跟他聊了半天，却没提出这两个问题，只是问他有什么爱好。他说他好下军棋，感叹现在连小青年都少有下这个棋的了。正好祁嫂端来沏好的香片，跟我笑道："听他的呢！军棋那不是他的头号爱好，他的爱好呀，怪得谁也想不到猜不着：他爱埋果核！"

确实，老祁最爱埋果核。也许把这说成是癖好甚至怪癖更合适。据他自己说，大概是结婚不久的时候，有回他吃完一个桃子，也没深想，顺手就把那桃核埋在一个光有土的花盆里了，没想到过了些日子，他都忘了这事了，有天爱人忽然问他："你往这花盆里栽的什么啊？"他过去一看，乐了，赶紧把那桃树苗移栽到窗根底下的花槽里，那桃树一天天长大，也开花，也抽叶，就是没正经结过果子，但看着那果核变出的新生命，心里头透着痛快，从此他就埋果核埋上了瘾，从平房搬到楼房，阳台上总准备着一溜填满土的花盆，家里无论吃什么水果，剩下的果核，他总要挑些肥大苗实的，晾干后，就往花盆里埋，出了苗的，有的留在花盆里长，有的移到宿舍大院旷地上，有棵枣树后来成了大院里的一宝，年年结出青白长圆的大甜枣，秋天孩子们打下装在大盆里，挨家挨户分，哪家也不嫌弃，都说那是"祁公枣"；但大多数他移栽的果树苗不仅结不出果子，也活不长久；他家阳台花盆里更长期有株埋下甜橘子结出丑酸枳的小树，不用客人笑话，他自己也常对着它咧嘴；但无论如何，他就是改不了埋果核的"手痒"之癖，特别可笑之处，是他连那些明明知道是不可能在这北方以如此简单的方式栽种的果树，绝对出不了苗的，比如荔枝、橄榄乃至人心果的果核，他也还是要挑些往土里埋。

我正在心里琢磨，老祁这怪癖是不是一种心理疾患？祁嫂过来留我吃饭，笑说是请你当个陪客，你干的那行不是最喜欢听人讲故事吗，今天的主客可是个"快嘴李翠莲"哩！老祁也强留，我就进屋去吃他们的家常便饭。原来比我先来的客是他们单位一位还在岗上的女会计，"徐娘半老，风韵犹存"，似乎是过分地讲究卫生，吃饭的时候也戴着白绸手套。那"李翠莲"是特意从城里来看望他们的。席间也未觉得是"快嘴"。后来我和她一起告辞，老祁两口子非要把她送往公共汽车站，我说我顺路就送了她，老祁他们也就没有坚持，只嘱咐她下回跟爱人孩子一起来玩。我和"李翠莲"一路走，主动说起老祁埋果核的爱好，说你看他们那小院里的杏树，那杏核埋下才五年，居然长得这么高，只是光开花抽叶不正经结杏儿；还有那埋下的葡萄核长出的葡萄秧子，盘在他们屋外菜地篱笆上，好看是真好看，可那些葡萄串上的果实几年都只有绿豆般大小；这老祁如果真喜好园艺，为什么不买些专业书籍看看，找果农问问，超越这单纯埋果核的幼稚状态呢？

　　"您说他幼稚？""李翠莲"很不满意地望望我，然后忽然问："您知道我为什么大热天也总戴着这手套吗？"我未及吱声，她已经褪掉了手套，啊，她缺失了右手的中指！跟着，她果然"快嘴"，告诉我她对老祁的理解：老祁埋果核，是因为他总觉得每个果核都是一条命啊，他这"惜命"的"癖好"，更体现在他几十年社会风雨里，对身边人们的态度。比如，二十年前机关大搬家，她在参与抬办公桌的过程里失手，造成了这样的伤残，那时候她还是花朵般年龄，这打击该有多大！谁还愿意娶她？正当她情绪低落到不想再活的程度时，有天老祁特意走到她跟前，跟她说："这不算啥。心里啥也不缺，以后日子准甜！"老祁总是忍不住要凑拢"倒霉"的人跟前，撂下他琢磨好的话，有人听了他这锅炉工的话，没反应；有的听了当时感动，后来也就忘怀；但像她这样的，因为祁师傅埋下善意鼓励的"果核"而度过心理危机、人生困境，永铭心旌的，光单位里就很有一些，一位新近当选为工程院院士的，十几年前被诬陷，在食堂里吃饭都没人理，祁师傅就偏过去跟他坐一处，分香烟抽，跟他说："黑煤烧红了才好看哩。"例子之多，怕要超过祁师傅埋过的果核……

　　送走了"李翠莲"，我没马上回书房，在渠边柳林里徘徊了许久。

在柳树臂弯里

不止一次，村邻劝我砍掉书房外的柳树。四年前我到这温榆河附近的村庄里设置了书房，刚去时窗外一片杂草，刈草过程里，发现有一根筷子般粗、齐腰高、没什么枝叶的植物，帮忙的邻居说那是棵从柳絮发出来的柳树，以前只知道"无心插柳柳成行"的话，难道不靠扦插，真能从柳絮生出柳树吗？出于好奇，我把它留了下来。没想到，第二年春天，它竟长得比人还高，而且蹿出的碧绿枝条上缀满二月春风剪出的嫩眉。那年春天我到镇上赶集，买回了一棵樱桃树苗，郑重地栽下。又查书，又向村友咨询，几乎每天都要花一定时间伺候它，到再过年开春，它迟迟不出叶，把我急煞，后来终于出叶，却又开不出花，阳光稍足，它就卷叶，更有病虫害发生，单是为它买药、喷药，就费了我大量时间和精力，直到去年，它才终于开了一串白花，后来结出了一颗樱桃，为此我还写了《只结一颗樱桃》的文章，令它大出风头，今年它开花一片，结出的樱桃虽然小，倒也酸中带甜，分赠村友、带回城里全家品尝，又写了文章，它简直成了明星，到村中访我的客人必围绕观赏一番。但就在不经意之间，那株柳树到今年竟已高如"丈二和尚"，伸手量它腰围，快到三拃，树冠很大又并不如伞，形态憨莽，更增村邻劝我伐掉的理由。

今天临窗重读安徒生童话《柳树下的梦》，音响里放的是肖斯塔科维奇沉郁风格的弦乐四重奏，读毕望着那久被我视为赘物的柳树，樱桃等植物早已只剩枯枝，唯独它虽泛出黄色却眉目依旧，忽然感动得不行。安徒生的这篇童话讲的是两个丹麦农家的孩子，两小无猜，青梅竹马，常在老柳树下玩耍，但长大后，小伙子只是进城当了个修鞋匠人，姑娘却逐渐成为了一位歌剧明星，这既说不上社会不公，那姑娘也没有恶待昔日的玩伴。小伙子鼓足勇气向姑娘表白了久埋心底的爱情，姑娘含泪说"我将永远是你的一个好妹妹——你可以相信我。不过除此以外，我什么也办不到！"这样的事情难道不是在每个民族、每个时代都频繁地发生着吗？人们到处生活，人们总是不免被时间、机遇分为"成功者"与"平庸者"、"失败者"，这就是命运？这就是天道？安徒生平静地叙述着，那小伙子最后在歌剧院门外，看到那成为大明星的女子被戴星章的绅士扶上华美的马车，于是他放弃了四处云游的打工生活，冒着严寒奔回家乡，路上他露宿在一棵令他想起童年岁月的大柳树，在那柳树下他梦见了所向往的东西，但也就冻死在了那柳树的臂弯里。我反复读着叶君健译出的这个句子："这树像一个威严的老人，一个'柳树爸爸'，它把它的困累了的儿子抱进怀里。"

我也算一度"成功"吧？不过比从未成功过的人更惨痛的是，很多人的"成功"也就一度而已，"江山代有才人出"，"成功新秀"往往对"过气"的"成功者""老实地不客气"，几年前我还赴过一次"坛"上的饭局，席间一位正红紫的人士听到有人提到一位老同行，绝无恶意，很自然地说："他还写个什么呀，别写啦，别写啦！"当时我虽面不改色，心中着实一痛，真有"兔死狐悲""唇亡齿寒"的感觉。那也是后来我退出"坛"争，自甘边缘存在的缘由之一。现在面对窗外的柳树，我再一次默默地坚定自己朴素的看法，那就是在世为人也有不谋成功的自由，平庸者和失败者也一样有为人的尊严，那位被如日中天的成功者敕令"别写啦"的老同行，当然有继续写作的天赋权利，写不出巨著无妨写小品，写不出轰动畅销的，写自得其乐的零碎文字也不错，记得那天报纸副刊末条是他一则散文诗，淡淡的情致，如积满蜡泪的残烛，令人分享到一缕东篱的菊香。

中央电视台有《艺术人生》节目，每次请的嘉宾都是名副其实的明星，其手法之一，是忽然请出明星昔日的同学、同事、邻居，大都是仍旧平庸的社会存在，他们或动情地忆及被明星坦言忘记的琐事进行颂赞，或举出明星宁愿被他人忘却的尴尬往事小作调侃，主持人则居中将社会宠儿与社会庸常以情感的链条勾连，也就使一般受众在观赏中对成功？未成功的对立状况获得心理润滑。看得出有的明星在这些久违的人物出现的瞬间，多少有些冷然，然而一般在几分钟以后，就都被激活了心底尚存的淳朴情怀，那时荧屏上的声画往往会惹人眼热鼻酸。

我会更好地伺候窗外的樱桃明星，我不会伐去那自生的陋柳，手持安徒生的童话，我目光更多地投向那株柳树，柳树的臂弯啊，这深秋的下午，你把我困累的心灵轻柔地抱住。

喜欢一种桌子

什么桌子？餐桌？书桌？老板台？办公桌？方的？圆的？硬木的？大理石的？……

是电视荧屏上常见的。电视上？你爱看电视？用遥控器点来点去地看？是的，你难道没发现吗，电视里往往是成人没儿童可爱，儿童没动物可爱，而动物又没植物提神，植物呢，又没有比如说桌子那样的静物让人心旷神怡……

少废话。究竟喜欢一种什么桌子？

还是不想马上说出来。

人类之间，免不了冲突。处理冲突之道，以我年轻时受的教育，敌我矛盾是"你死我活"，即一个阶级消灭另一个阶级，具体到白刃战，讲究刺刀见红，也就是有你无我，我必活而你必死，在很特殊的情况下，可能采取一点同归于尽的方式，比如董存瑞的炸碉堡，但那也是为了我军之活及敌军之死。此外，像两军交战，不斩来使，应尽可能不殃及平民，不杀也不虐待俘虏等等，都是最基本的常识。

我还没到壮年的时候，人类处理冲突之道，已有"你活我也活"之说。那还是所谓"冷战"时期，"你活我也活"被我们这边宣布为"修正主义"，是一种有悖于"你死我活"的"活命哲学"。话虽这么说，但那时中、美两敌国驻波兰华沙的大使却已经开始秘密接触，后来更加以公开，叫"中、美大使级定期会谈"，这种会谈进行了许许多多次，似乎永远谈不拢，但到1972年，忽有美国总统尼克松访华，与毛泽东言谈极欢，毛说他喜欢美国的共和党而不喜欢民主党，此话传出，令我这样的懵懂之辈惊诧莫名，后来中、美正式建交，到了今天，光是满大街的麦当劳、肯德基、必胜客，就让我们从"你吃我也吃"的实践中深切地体味到"你活我也活"的甜头，如今更把这五个字的意蕴用两个字概括得更有神韵："双赢"。

上世纪末，在美国混事由的日裔学者福山宣布"历史终结"。依他的意思，"冷战"结束，全球价值标准划一为西方履行多年的那一套，人类从此进入一种活法。另一位美国学者亨廷顿则发表了"文明冲突论"，说是原有的两大阵营对峙的格局虽消失，不同的精神信仰圈之间的冲突又将勃兴。是亨廷顿"不幸而言中"？未必，他自己也不承认眼下的事态都能装进"文明冲突"的框架里。他举出的各种文明里都有人道因素，都能找到相互间的融汇点。但各种信仰里的极端一翼，就都派生麻烦。"9·11事件"后，一种处理人类冲突的手段甚嚣尘上，就是"我死你也死"，用中国古话说就是"与汝偕亡"。现在几乎每周都能从传媒上看到"自杀性袭击"的报导。"肉弹"袭击的对象往往又并非武装的敌人，而是平民，游客，包括妇孺。我对"恐怖主义"没有研究，不敢多说多道，但觉得没有什么"主义"的"干脆一块儿死"的戾气，似乎也已经弥散到了我们身边的日常存在中，翻翻报纸上的地方新闻版，充斥着这类的市井悲剧：本不是什么了不得的纠纷，却非闹得两败俱伤甚至同归于尽。

人类这是怎么了？

依我拙见，人类处理利益冲突之道，"你死我活"、"我死你死"、"我活你也活"三种之中，还是最后一种可取。而要达到"你活我也活"的目的，各利益冲突方就应该接触、对话、谈判、互作妥协、互相宽容、各有退让，最后也就各得其所。

于是你也就知道，我喜欢的是什么桌子了。对，就是谈判桌。这种桌子一般地方还不多见，但电视新闻里常露面。多半是一长条，利益冲突或虽无大冲突但各自仍需维护己方利益的谈判者，各坐桌子一边，桌上每位谈判者身前必有一份饮料，我仔细观察过，似乎没有什么谈判者真动用过那些饮料，但那些饮料绝对是一种不可或缺的道具，是一种人类文明相处的象征，万万不可省略。有时谈判桌很大，呈"O"字形而中空。那中间便一定摆着盆栽鲜花或硕大的艺术花插，鲜花（偶尔也会是绿色观叶植物）更是一种"你我皆活"的象征。有的时候利益需要协调的不止是两方，那谈判桌的样式就会很特别，当年美国结束越战在瑞士日内瓦举行的和谈，那谈判桌的摆法就格外有趣。关于朝核问题的六方会谈，第一轮在北京钓鱼台国宾馆举行，完事后那谈判厅对外开放参观，我虽没去，却对向公众开放这一措施十分赞赏，我希望参观者不要把注意力仅仅放在厅堂的华丽气派上，最好能围着那谈判桌多绕几圈，想想人跟人能沟通、能互让，能令世界和平，生灵不遭战火特别是核火、永离恐怖，该有多好。

　　我小时候，常玩打仗的游戏，当然是"你死我活"的玩法，遇到"饮弹而亡"，模仿电影里的套路，如扮"我军"定是英雄无悔的壮烈牺牲相，如扮"匪军"则满脸怪相哇哇乱叫最后麻袋般倒地。现在的孩子很少做这种游戏了。那天听一位中学教师说，她班上的一些孩子有天放学后忽然把课桌并成一长条桌，居然玩起了"谈判桌边两边坐，各自都把条件摆"的游戏，有扮"主谈"的，有扮"副手"、"随员"的，有扮"翻译"的，更有扮"记者"拍照录像后被扮"保卫"轰出"谈判厅"的，噫，似模似样地从坚持与让步的磨合中"寻求各自利益最大化"，这是多么激动人心的一幕！人类进步的"青萍之末"，此之谓夫！

突发绮想

那天，阿梅跟我说她要到卢旺达去。那是阿梅本科即将毕业前夕。她说得很认真。我问她怎么突发此奇想，她说因为看到一个电视节目，里面说卢旺达的教育状况极其糟糕，那里的小学校破烂不堪，常常是正在上课，忽然一阵风就把屋顶掀起裹走了，学生们甚至连课桌都没有，挤坐在长条凳上，在膝盖上写字，更糟糕的是那里缺少教员，每月的工资才50美元……她说镜头里那些非洲孩子个个都有一双大大的明亮的眼睛，那些眼睛装进她的心里以后，总也淡不下去，没日没夜地眨动在她的心窝，因此她觉得自己应该去那里，教那些孩子。她已经开始在打听去那里教孩子英语的可行途径。我跟她说，中国贫困地区也有许多孩子期待着能关爱他们的教师，电视里有更多表现嘛，甚至其中一位"大眼睛"女孩的形象已经传到海外，对她的追踪性报导不少，你怎么心里头总揣着些非洲孩子的眼睛，却忽略了自己国家那些贫困地区孩子的眼睛呢？再说，卢旺达当地的语言你会吗？你怎么教那些孩子呢？……她对我施与的批评非常吃惊，说我所提醒她的这些她都没有想到过，她对自己的辩护非常简单：我的这个想法是美丽的！

阿梅突发奇想，乍听我很不以为然，她走后我细思，却不禁感叹：确实，她的想法是美丽的。应该把"突发奇想"改写成"突发绮想"才对。人的一生中，尤其青春期里，如果从未有过这种突发绮想的情况，不说是不正常吧，至少，是很大的遗憾。

　　其实，我，以及我以上的几茬兄姊的青年时期，处在远比现在单纯的社会心理场里，仅仅因为看了一本书，一部电影，一次舞台演出，乃至一篇短文，一张新闻照片，一幅宣传画，一句座右铭，就突发宏愿，把自己的一生，绾定于一个职业，一种取向，一种模式，例子真是不少。我的一位姊辈，就是因为看了一部苏联电影《乡村女教师》（又译作《桃李满天下》），那里面的女主角瓦尔瓦拉，由当年苏联最红的女星玛列茨卡亚饰演，为这一角色配音的是当年影迷都熟悉的舒绣文，看过这部电影的观众，不止我那姊辈一位，心窝里嵌进了瓦尔瓦拉那双大眼睛就再也摆脱不掉，也不想摆脱，出得电影院就立誓要当一名人民教师，没多久她报考大学，所有志愿填写的都是师范类，她如愿以偿地考取了师范大学，在大学里参加了合唱团，业余经常演出，那时候一个国家级的演出团体的合唱队奇缺女低音，她恰是女低音，被看上了，先是借她去演出，后来就要正式调她去，同学们都很羡慕，她表示可以借调一时，但归根结底还是要当教师；在那演出团体里她表现非常出色，几次随团到苏联、东欧、越南等社会主义国家访问演出，人们都觉得她已经完全适应合唱队队员这一人生角色了，但有一天她到电影院去看了复映的《乡村女教师》，心血复又来热潮，她找到团领导，提出如今已不难从音乐学院分配来女低音，自己应该回到师范大学补完学业，去实现当一名乡村女教师的人生追求。她后来果然回到大学补上文凭，主动争取到一个边远省份的教师岗位。谁想去那里不久就遭逢了"文革"，教师的绮梦被粗暴地撕裂得粉碎。我与这位姊辈邂逅在十年前，她已经退休回到北京定居。回首往事，我小心翼翼地问她，因为一部电影就心血来潮，遂定终身，是否……? 她安详地微笑着，真诚地告诉我，她无怨无悔，尤其是改革开放以后，她在讲台上，在粉笔灰里，深深地感受到壮志已酬的幸福与快乐。她反过来问我：对人生的设计，完全是在冷静甚至超冷静的精确计算里完成，那就一定好吗? 人的心灵之血，完全无潮，难道是好的状态吗? 人能被艺术，被纪实信息，被偶然遭遇到的人与事，乃至一个小小的细节所感动，突发奇想，陡立宏愿，难道不是生命最美丽的时刻吗? 这美丽的光芒如果能覆盖一生，那不就是幸福吗?

　　时代刷新得令人如迁新居，生活变幻得令人如坐过山车，陌生感晕眩感里有甜蜜惊喜也有失态恐慌，谁能再用单纯的表达、简单的道理来感动、感服别人？阿梅毕竟成长于新的时空，她毕业后没有去卢旺达，也没有去祖国边地，没有当教师，而是进了一家国际知名的外资企业当了白领，因为美声唱法的歌唱爱好，我把她和那位姊辈牵合一起，她们已成忘年交，我有时也会跟她们一起喝英式下午茶，随意闲聊。阿梅在许多问题上，跟我们两位长辈见解大异，但我们很少争论，而是相互倾听。把我们两辈人绾在一起的心缘，不是别的，就是关于心血来潮、突发绮想的共识。昨天我们品茶谈心，提及"非典"突然袭来后，有不少年轻人看了电视里的某些镜头，便发愿要学医，要当敢于冲到最前沿的医生和护士，心血起狂潮，突发绮丽想，尽管到头来真正能履现这一宏愿的只是其中一部分，甚至只是一小部分，但所有心灵里有过感动，发过誓愿的生命，都会因此而更加美丽。我们珍惜在自己生命历程里出现过的所有感动，所有绮想，并且也希望社会能珍惜每一个成员生命里哪怕是只闪耀过一刻，后来并没有一一兑现的那些因感动而突发的善念绮想，也许，正是这些美丽的闪光，使人类的良知聚合为了永不熄灭之火。

散灯花

　　总难忘记去年春节在三儿家的情形。如今城里人时兴农村游，采摘瓜果，吃农家饭，看民俗表演，有的村庄已经靠这种农家游致富，名声渐大。但三儿他们村并非一个那样的旅游点。我和三儿偶然相识。他是个农机手，这个职业在他所在的地区眼下已经式微，因为许多农田都已开发为商品楼盘，村里真正种田的人越来越少，用大型农业机械翻地、播种、收割的需求正在萎缩。三儿已经四十开外，也不求事业上再有什么发展，媳妇在村里地面上开发出的楼盘物业当清洁工，儿子初中毕业到附近物流公司当了分货员，闺女刚上了中学，经济上比上大不足，比下则小有余，于是自得其乐，过着悠闲的农居生活。

　　我头一回去他那个院子，正是初夏，进了大门，一股果香扑鼻而来，原来他正房一侧种了棵矮胖的水李树，满树挂着绛紫的大李子，他让我摘一个品尝，皮破浆迸，好甜！他家正房刚翻修过，椽头、檩端、廊脸上全有彩绘，相当地精美，我看那云形框里的四幅图画，恰是四大古典文学名著的四个场面：桃园结义、武松打虎、取经路上、共读《西厢》，不禁喝彩：这画师不俗啊！他便抱拳笑谦，原来那是他自己画的！

　　兄弟姐妹六个，他行三，满村长辈都叫他三儿（快读），我也这样叫他，他很高兴。三儿家虽说也早拆了土炕，把外掀棍支的木格纸窗一律改成了塑钢推拉的大玻璃窗，地面铺地板砖，顶棚吊石膏刻花板，和城里人一样使用沙发茶几、家用电器，但却也保留了不少让我触眼心热的传统农户的东西，比如堂屋里迎门的条案上，中间是个山石插屏，两侧对称地摆着一对点心罐、一对帽筒、一对掸瓶，仔细看，都算不得什么古玩，大约是民国初年的制品，不够精致，难得的是毫无破损。

我爱去三儿家，他家似乎是传统与现代之间的一个焊点，他家的某些细节，他跟我聊天时的某些谈吐，都让我有种在沧桑的生活河道上，于晦暗中看到一盏盏航标灯在闪烁的感动。

我看见三儿媳妇把公鸡关在一个荆条笼子里，大把地喂食，怪讶何不让它自由觅食。他顺口就说："二十七，宰公鸡；二十八，把面发；二十九，蒸馒首；三十黑净守一宿。"三儿并非要卖弄民俗知识，更不是想从那传统农俗中掏澄出什么"商机"，他的言行绝不含有表演性质。他是村里若干仍很自然地保持着某些传统习俗的村民之一。他们那只提前催肥的公鸡，确实会在腊月二十七那天宰杀。

我癸未正月初三应邀到他家做客。他和媳妇拿出前些天做得的、储存在坛子里的摊饹馇给我就茶吃。那是一种用摊熟的豆皮卷着便萝卜、胡萝卜丝与香菜，再用油炸过，切成一段段的美食。我问为什么不放冰箱里还用这坛子，三儿说干吗什么吃的都得跟冰箱电饭煲什么的发生关系呢。说着端出一个铸铁的怪锅，三足，锅心朝上凸，还有一个高耸的锅盖，我疑为出土文物，他们两口子却笑说三十年前村里家家必备，如今少是少了，也还有人在用，这是烙糕子的！他们便烙给我看。原来，是把玉米（三儿不让我叫玉米，说就得叫棒子）粒先泡了，最后碾成面，经发酵，再拌入恰到好处的碱面儿，先弄成糊糊，再用勺往那锅上浇匀，最后烙出圆饼形有翘边的发面糕子，那是他们童年、少年时代的绝对美食！我一尝，确实不是窝头、贴饼子可比的，有种特殊的田野气息。那天席上自然还有鸡鸭鱼肉，甚至虾仁鱿鱼卷，但我印象最深的，还是摊饹馇和烙糕子。

那晚告辞时，偶然瞥见他家窗台上有些一寸高的彩纸捻儿，问他是什么东西，他就说，明年春节你来我家守一宿吧，这是散灯花用的。他说村里还有些人家，也跟他一样，三十晚上要到家里各处用这纸捻浸了香油，点上，然后马上又灭掉，这是一种跟各路神鬼表示友好的仪式。我说那不会引发火灾吗，他说这村历史上的火灾没有任何一回是散灯花引起的，人心里虔诚地要跟神、鬼搞好关系，当然会得到保佑，怎会反惹出事来？他望着我，一定猜出我在心里嘀咕"这不是迷信吗？"就再主动说："如今的世道，更该讲求友好相处，人能跟神鬼友好，那人跟人不就能更互相善待了吗？"

又是一年春节到。我在想，淳朴的三儿真会邀请我去一起散灯花吗？我要不要去呢？

花果满山

电话那边传来爽朗的笑声，真想不到，是苏姨！她还记得我爱人跟她一样，属猴，只是她们两只猴差了两轮，把电话设置在免提状态，我和爱人跟她互祝猴年新禧，两只猴虽然久未通话，却一触即发地相互倾诉起来，在她们笑声感叹声不断的伴奏中，我不禁回想起二十四年前的那一幕来……

那时我们都刚搬进北京叫做劲松的新居民区不久，那年春节家家大办年饭，各家厨房里飘出的香味在楼道里氤氲交织，进入花甲本命年的苏姨家住一楼，她家厨房飘出的味道更泄到楼门外面。记得那天忽有邻居来招呼我爱人，说是苏姨邀她们两位属猴的，去看"花果满山"，出于好奇，我也跟了去，一边下楼一边想，那是一幅图画，还是一种摆设？到了苏姨家，未见其物，先嗅到其味，啊，应该是一种美味食物吧，但怎么个"花果满山"呢？

原来，苏姨用大笼屉，蒸出了一个形状像大寿桃的发糕，她说那就是"花果满山"，是孙悟空的乐园，也是所有属猴的人的福地，并且也能给所有见到它、尝到它的人带来甜蜜与欢乐！仔细看，那"花果山"上果然镶嵌着许多的花果，红枣、赤豆、葡萄干、核桃仁、果脯丁什么的自不消说，还有用山里红削刻的梅花，以及真的杭菊花，说实在的，面对这一件工艺美术般的食品，眼睛和心臆的享受，大大地超前于舌苔和胃肠，我不禁叫了一声："怎舍得吃掉它啊！"苏姨笑道："你来得正好！本来，我是让两位猴儿帮我，把切好的'花果山'分赠咱们这个楼门里的所有芳邻,你这匹马来了,也省得他们忙不过来!"后来我们果然把切好的"花果山"送达每一家,家家见到都是先诧异,听罢解说,又都拊掌畅笑起来……

那是改革开放初见端倪的猴年,就在那一年前后,人们的生活发生着许多当时不经意,现在回味起来却感慨万端的变化。电视机开始普及,电冰箱、洗衣机也逐渐成了每个家庭的必备之物,砖头式的录音机迅疾显得落后,四个喇叭的录放机风靡全楼,人们在楼门口相遇,这位兴奋地告诉那位:"汝龙翻译的27册一套的契诃夫小说集再版啦,快去买!"又有年轻人提醒:"今晚上的美国电视连续剧《大西洋底来的人》,别忘了看啊!"又有谁家窗户里飘出从电视里录下的李谷一演唱的《乡恋》,苏姨在大声评论:"好啊好,气声有什么不好?让人心里舒服就是好嘛!"当然,现在回想起来我有点脸红,奔四十的人了,穿着新买的喇叭口裤,招摇于楼门,就等着邻居发问:"你怎么也这个打扮呀?"却并没有人来问,于是所准备好的辩护词也就只能废掉……

前十二年的那个猴年,我家已经搬离劲松几年,也曾在给苏姨去电话拜年时笑问过她,是否又蒸了"花果满山"?记得她笑甩大嗓门说:"如今一半人家到饭馆里吃年饭啦!哪个餐桌上不是'花果满山'的景象?记得我头回蒸那'花果满山',拿去拜年的时候,还不大好意思说'恭喜发财',如今在谁嘴里不是口头禅了呢?"那以后,谁能细数又有多少个头一回:头一回有了自己的股票,头一回坐飞机,头一回出国旅游开眼,头一回用上了传呼机却又在不久后喜新厌旧地拥有了手机,头一回有了自己的房产,头一回坐上了自己的汽车,头一回有了自己的外币账户……

苏姨说她已经进入八十四岁了,我们真的感到她的声音一点没有苍老,那声音所承载的心曲更饱蓄着旺盛的活力。她现在居住在郊区的一个新楼盘的复式单元里,儿子儿媳妇往加拿大去探视在那里取得博士学位并搞研究的孙子去了,眼下她是一个"空巢老人",她朗声地对我们说:"如今从物质上说,像咱们这种家庭,都可谓已经'花果满山'了,可是我就在想,从精神上说,咱们真也达到'花果满山'了吗?这是在新猴年里,我要跟你们共勉的哩!"结束跟苏姨的通话后,我整理着最新的报刊,爱人调整着桌上的花插,我们各自哼着自己喜欢的曲调,心照不宣地,把"花果满山"的意蕴细品……

为何不过“花朝节”

今年北京的“情人节”很热闹，听说各地那天的玫瑰花、巧克力也都很走俏，我不反对年轻人过“洋节”，但觉得有必要提醒年轻人，其实我们民族自己也有许多很好的失传节日，值得拾回来好好过一过。我也知道，没有什么部门在引进“情人节”这类的“洋节”，多半是时下的年轻人约定俗成地在凑热闹，如果说有煽惑力，那么盖出于商家，一次节日一回商机，管它土洋新旧，见节插针、见隙泼水，不说是“天下乌鸦一般黑”，说成是“天下喜鹊一般喳”吧，想来有利必图的商家不至于嗔怪我多嘴多舌。

“情人节”后，我曾跟几个北京的年轻人闲聊，我告诉他们，就拿北京来说，明、清以至民初，到阴历二月，就有好几个节，初一过“中和节”，这讲究从唐朝就开始了，内涵是准备农事，乞求阳光普照，北京市民普遍要到街市去买“太阳鸡糕”，糕用江米蒸制，上印金乌圆光（古人认为太阳里有只金乌鸦，月亮里则有只玉兔），吃起来香甜可口。二月二则是“龙抬头”，比之于“中和节”的全然失传，这个节目前还有老一辈领着儿孙辈过，主要是再吃一回春饼，但当年人们过这个节，主要的节目是薰虫，将药灰从门外蜿蜒撒进屋内，重点是厨房，尤其要旋绕水缸，这是一种自觉的消毒防病活动。二月十二，则有“花朝节”，传说这一天是花王诞日，雅人韵士，这天要赋诗唱和，平头百姓，则要赏春花，所赏的重点，不是什么玫瑰郁金香之类的洋种花，而是地道的国粹——牡丹花，在清代，天坛南北廊、永定门内张园，还有房山僧舍的牡丹最美，品种除一般人所知的姚黄、魏紫外，还有洛阳、荷泽都未必有的天红、浅绿、金边等异种。牡丹之外，则是芍药，当年的北京竹枝词唱道："芍药当春色倍娇，佳人头上斗妖娆，丰台一片青青叶，十字街头整担挑。"那时花农将芍药挑进城里，街道胡同里处处响起卖花声，闭眼想象，真觉仙音入耳。"花朝节"前后构成游春的高潮，撰有名剧《桃花扇》的孔尚任，也曾写有竹枝词形容郊外踏青归来的盛况："千里仙乡变醉乡，参差城阙掩斜阳。雕鞍绣辔争门入，带得红尘扑鼻香。"……听了我的形容，几位年轻人很感兴趣，都说有这么多的乐子，老讲究再加上新点子，比如在这天开个人人化装成一种花的假面舞会什么的，该多来劲儿！

我和几位年轻人，建议恢复这艳丽芬芳的"花朝节"，也不光北京人过，全国许多地方都可以变通地过。这应该是一个老少咸宜的节日。花王诞辰，多么浪漫的想象！曹雪芹在《红楼梦》里，给贾宝玉取过"绛洞花王"的绰号，他还写到，在芒种节那天，恰逢一个"饯花节"，春来是"花朝"，春去要饯行，热爱春天，珍惜春天，送春归待春回，这里面有多么丰富的内涵、多么浓酽的诗意！所以，我们如果过"花朝节"，还可以在这一天纪念曹雪芹，配合《红楼梦》的内容从多方面举办展览、演出。这个甲申年的二月十二是阳历 2004 年的 3 月 2 日，今年来不及了，明年别忘了过，届时如果牡丹没开芍药难觅，青年男女无妨互赠其他鲜花，还可以一起读几页《红楼梦》，看几集连续剧的光盘，唱几曲关于珍惜春天的中外歌曲，老人、孩子也都可以找到相关乐趣，而跟花有关的食品，也可趁便推出。当然，这个甲申年的芒种是阳历 6 月 5 日，正逢星期六，在那天参照《红楼梦》第 27 回的描写，过一个有意味的"饯花节"也很不错嘛。

北京如此，其他地方又何尝没有可以重新拾起的传统节日？现在人们生活渐入小康，每年的公共节假日加上双休日加起来真不少，像"花朝节"这样的小节，完全可以镶嵌在这些法定假日里，增添我们许多的乐趣，并从中得到传统文化精华的浸润，我们为什么不过？

钱如流水财如龙

"花钱如流水",以往是用来形容不爱惜钱财的贬义语,现在看来,是一种消费的常态。我比较喜欢"能挣会花"的说法。节流固然必要,但更重要的是开源。投机性获财,只要是社会法律法规所允许的,投身其中,我以为不仅无碍道德,也不仅是当事人的一大人生乐趣,对整个社会,也有好处,除经济学家从专业角度概括出的好处外,像我这样的人望过去,觉得是一种行为艺术,有观赏价值。常从电视上看到纽约华尔街证券交易所的开市镜头,那么多人在同一时空里那么活跃地使用肢体语言,真是花团锦簇,赛过蜂巢蚁穴,那发明此种交易形式的人,应为其补发世界最佳群体行为艺术设计大奖。我的一位亲戚是专业股民,历练十年,早已进入大户室;一位好友则是彩民,虽有正式职业,但每天必买彩票,也屡有斩获;我觉得他们天性里的投机素质,能在这些规范得越来越缜密的经济空间里得到创造性舒张,心灵不时为"啊赚啦"的成就感增添甜蜜,很好。像我这样的作家,写东西时固然是闷声埋头,"只问耕耘,不问收获",一旦东西弄妥,则也难免要抬头四顾,"待价而沽",总想找个能开出高稿酬或版税的地方发表。合法投机,谋求经济利益上的最大值,绝不可耻,是心安理得的事。

"健康即财富",这个命题我们早已耳熟能详。但也别把这话说死,尤忌夸张。有的人把话说到"健康是最大的财富"、"健康是唯一的财富"那样的程度,我不上那个当。健康固然重要,但在当今社会里,还是钱多才是真财富。钱多,病了可以选择最好的医院、最好的治疗环境、最好的检测手段、最贵的对症治疗，并享受最稀有的对症新药、最体贴入微的辅助护理、最随心所欲的疗养方式。钱多才最能保健康，才能在健身、旅游方面充分投资。有些身体健壮的人，由于没有钱，挣不来钱，只能维持温饱，许多合理的欲望因为缺钱而不得满足，你非说他是幸福的，我以为很牵强。有些残障人，还有些身体较弱的人，因为有钱，可以过得很舒服，精神上也能愉快，说他们幸福是很恰切的。"幸福是一种感觉"，这感觉里应该包括钱财上的无虞无忧，至少是少虞少忧。一位朋友游巴黎，上午一直沉浸在欢乐幸福里，中午却陡然陷于沮丧痛苦，因为他不慎失盗，身上的硬通货全军覆没，风光再美，他却无心再加欣赏，到晚上朋友资助了他一笔钱，藏好不再大意，这时他看见游船觉得可以去坐，看见香槟也觉得可以买来喝，钱是他的胆，是他的保障，幸福和欢乐，这才渐渐又流贯于他的身心。

一觉醒来，知道自己不该不欠，够吃够用不犯难，当然不错。一觉醒来，想起自己有透支，有贷款利息待付，但事业稳定，收获有望，那心情就岂止是不错，很可能会一边起床穿衣，一边轻吹口哨。一觉醒来，想到证券缩水，套牢难逃，甚或资不抵债，破产在即，心情固然黯淡，但总体而言，也并无违法违规行为，只怪自己理财失策，经营不善，洗漱完，梳发时即已振作起来，"天生我才必有用"，"千金散尽还复来"，扎好领带，穿毕西装，开我自家门，再踏社会路，跌倒爬起来，而今从头越，你说，是不是也还挺不错的？

"三个1/3"，即收入的1/3用于生活消费，1/3用于储蓄，1/3用于增值性风险投资，这是耳熟能详的"理财经"。目前在中国的一些金融机构，包括外资机构，已经开办了家庭理财的业务，据说在上海开展得较为普遍，发展势头颇为强劲，但我听参与此项业务的人士告诉我，眼下中国个人理财的路数还比较单调，花样难以翻新，收效并不显著，服务费却偏高，因此还难以流行，整体而言是观望者多，入市者少。目前中国小康人士多半还是自家财自家理。一位朋友告诉我他的理财原则是"守财而不奴"，也就是说他珍视自己挣来的每一块铜板，会通过定期点数自己的不动产证书、存款、证券、信用卡、外币及人民币现金来获得一种

难以言喻的快感，但他说那又是"沙场秋点兵"，"养兵千日，用兵一时"，他的
钱财到头来是要拿来用的，他不能成为钱财的奴隶，钱财却应成为他的"奇兵"，
以去年为例，他的三个"用兵"举措是：与妻子参加了中国首发埃及旅游团，观
览了向往已久的金字塔等古迹；往一家连锁性超市投股，成为其董事；把几种硬
通货都炒成了欧元以待升值。他的做法，我觉得可以形容为"钱如流水财如龙"，
就是让钱流动起来，而整体上的富裕状态，就仿佛被点了睛的龙，腾越于云霄间，
显示出无限的生机。

男精女锃赞

广东胖人少，胖男更少，粤男身驱大多比北方男瘦上一圈乃至两圈，但并不显得孱弱而是精壮，以人体艺术的角度而论，属于一种南国阳刚美。改革开放以后，最早恢复男子健美运动的地方是广州，最初几届的健美冠军也属广东人士。他们的整体粗壮度也许欠缺些，但肌肉线条极为清晰，运动中有绞链伸屈般的既具刚性又富韧性的壮美。因此广东男士最适宜穿恤。一位小我一半岁数的女士有次在亲朋派对上笑说"嫁男要嫁广东男"，当时大家闲聊如跑野马，听得她言几个人笑得仰颈拍膝，我没听清她的话，以为说的是"嫁男要嫁广东款"，广东也确实是改革开放后最早出大款并且数量领先的地盘，后来听他们几个年轻人接续下去嬉笑议论，才闹明白她是在赞广东男士的男性魅力。他们几个本是搞美术的，人体美的讨论具体到这样的地步，也够开阔我这花甲汉耳界的。近来广东男士钟南山引人瞩目。我不知道此公祖籍是否就在广东，但他在广东医学界奋斗已逾四十年，就算原系北人也被广东水土归化为粤汉了，他的事迹我何必重复，就在电视上播放记者王志采访其人的那期节目时，我就听见一位比那位搞美术的更年轻的女士脱口而出："嫁人当嫁钟南山！"希望钟院士及其夫人切莫误会其意，她绝不是欲"第三者插足"，而是说自己憧憬于那样一种心灵美丽浑身正气忠于职守勇于探求，而又肩宽腰细胸厚背直阳刚挺拔粤味十足的男性。

粤地多精壮之男，又多锃头之女。我只管将广东男女的特点简单概括为男精女锛，不怕你来笑我"不通"。写到这里痛感文字这东西真比不了语言。北方人把人的额头往外突出叫做"锛儿头"，语言上细分，则前额突出可叫"前锛儿"，后脑壳突出则称"后锛儿"。"锛"字在这里只是借音，不取其意，而且读时务请卷舌儿化，虽然广东诸君说起来可能口舌困难，但我现在要"戏说粤女"，兹事体大，岂能对我掉以轻心，少不得也嘴里发出些"锛儿头"的北京音来，严防污蔑。但我说粤女多锛儿头，实在是衷心赞美。我大嫂便是地道粤女，大哥跟她谈恋爱时，寄来玉照，父母和我们弟、妹们轮流展看，印象都非常之好。那照片上的她斜侧着身子，分明是个锛儿头，因此眼窝也就深，一双水灵灵的大眼睛也就格外地妩媚，把北方某些平额金鱼眼的美人儿远远地比下去了，正是因为北京地区的老人多羡慕高额深目直鼻厚唇的南方淑女，所以"锛头儿女"说在嘴里时完全不是贬低而是赞叹。锛儿头粤女如我大嫂看，人美心灵也美，"文革"中大哥被不公正地赶出部队遭返回到四川老家，大嫂本可留在粤地甚至与大哥离婚，她却毫不犹豫地与大哥双徙双栖，在穷乡僻壤共挨艰难岁月，直到"四人帮"垮台大哥得到彻底平反才又一起回到广州，真个是能够同甘共苦。大哥去世数年后大嫂改嫁，但依然跟我们弟、妹保持亲切联系，非典时期我们互相驰电问候，听到她那仍然娇亮的粤音，就觉得真个是"粤女多情亦多义"。

好琴还需常调弦

听说北京刑警总队组建了足球俱乐部，常常练习、比赛，像和天津刑警等兄弟球队的友谊比赛，都是在先农坛体育场那样的地方进行的，踢得似模似样，场上热气腾腾，场边的拉拉队也兴高采烈。我为刑警队的小伙子们有这样的业余活动由衷高兴，祝他们能坚持下去，踢得越来越欢。

现在一般城市居民所关注的头十桩事里，生活安全总是其中列在前面的一桩。打击刑事犯罪，刑警是最重要的力量。刑警目前是危险性最大的职业。我接触到一些刑警，感觉他们对危险性这一点既清醒，却又十分地旷达，没听他们说什么豪言壮语，但从他们的神态，特别是行动里，能听出他们的心音，他们的的确确是不信邪，不怕死的。但刑警的工作不但无法像一般白领那样朝九晚五，跟其他任何行业相比，上岗时间也都可以用"毫无规律可言"来形容，紧张起来，几十个小时连续战斗，睡不了觉，吃不上饭，甚至喝不上水，那是常有的事。刑警不是机器人，他们有着血肉之躯，爱护刑警，在考虑到其职业特殊性的前提下，调配他们的休息时间，使他们的身体能保持健康状态，这是很多人都能想到、做到的事。但是，刑警除了需要生理上的呵护，还需要，甚至可以说是更需要心理上、感情上的呵护，有时候，人们往往就注意不够了。去年听说北京市公安局专门为刑警安排了心理医生的讲座，还为他们提供了个别进行心理调适、治疗的方便，我就非常高兴。

在剧场听音乐会，当乐队成员分别坐到相应的位置以后，在开演以前，会从第一小提琴开始，各种乐器都纷纷调起音来，那嘤嘤嗡嗡的显得杂乱的声音，当然并不是演奏，但坐在池座里的我，听来总有一种莫名的感动，因为我意识到，正是因为乐师们那样认真地调音，过一会儿我们听众才能享受到沁入心灵的美妙乐音。有一回是听一位海外小提琴大师的演奏，据说他手中那把琴价值连城，或者说干脆就是无价之宝，但他在开始演奏前，也对琴弦做了一番调适。好琴还需常调弦，这给了我一个意蕴深刻的启示。

刑警们都是好琴，但他们的心弦也需要养护、调适。心理保健是一种调适方式。组建足球队开展练习、比赛，我以为是更积极更生动的调适方式。据北京刑警总队足球俱乐部的秘书长告诉我，开展足球运动以来，刑警们的精神面貌有了很大的提升。这是非常适合于他们这个群体的业余活动。他们在场上忘忧角逐，心情大畅，心弦得到非常充分的养护、调适，有的甚至在那过程中，把疲旧的弦换为了新弦，踢完球，他们个个都仿佛盛开的花朵，烂漫，欢欣，心灵经过松弛，却又充了新电，再执行起任务来，更似雄鹰，胜过猛虎。足球比赛也大大促进了他们相互配合的凝聚力、应变力。

曾在电视上看到关于明星足球队的报导，其他传媒对此也极有兴趣，报导过多次，明星队的成员是些影视明星、歌星、笑星等等，他们踢起足球来当然很有意思，但是我以为传媒也应该热情地报导刑警足球队的活动，把刑警那活泼谐谑的一面充分展现在世人面前。也许，组织一场明星足球队与刑警足球队的公开对抗赛，传媒加以报导，特别是电视参与转播，会形成一次别开生面，也特别有意义的活动吧？

扯不断的珠串

一串珍珠项链，每颗珍珠当然都很宝贵，但是，如果没有把颗颗珍珠串连起来的那根线，它们也就不可能连缀成为一个宝孕光华的整体。

我们的优点就像一颗颗的珍珠，当它们集合为优美的人格时，那根把它们串在一起的线是隐蔽的，看不见的。从一定的角度上说，那根线就是我们健康的心理状态。如果失去了健康的心理状态，串起我们优点的线断了，珍珠便会撒满一地，那时纵然我们的优点再多，因为不能集合为一个完整的人格，就会精神崩溃，后果不堪设想。

对从事任何职业的人士来说，莫不如此。

2002 年 4 月 26 日《光明日报》第四版，有篇题目为《"态度冷硬"可能是心理疾病》的报导，该报记者就北京市公安局刑警总队与安定医院达成意向，决定定期请安定医院心理医生到基层为刑警开展心理辅导门诊一事，采访了北京市公安局一位副局长。据这位副局长说，由于刑警长期处在高度危险、高度紧张状态，心理健康方面出现了一些问题，如脾气暴躁、紧张焦虑、情绪不稳、失眠多梦等等，有的自控能力减退，甚至出现性格变异、悲观厌世的苗头，以这样的心理状态投入工作，便表现为冷硬横推，家庭生活方面也造成误解不和，所以与医院配合，引入心理辅导，就成为非常必要的了。为此他们已经在全市实施了"首都刑警心理健康工程"，包括开设刑警心理讲座、启动刑警心理健康巡回门诊、分期分批对刑警进行心理检测、保证刑警年度休假、适当安排轮流疗养等八项具体的工作。

由于现在我们整个社会生活步入了以发展经济为轴心的和平发展轨道，没有战争，没有政治震荡，人们所面对的生命财产威胁，主要是刑事犯罪，在这种情况下，警察所承担的维护人们和平安定生活的担子，就其日常性、连续性、明显性而言，已经重于了军队，人们对公安部门，对警察，尤其是对刑警，更直接地表现出尊敬、倚仗、热爱。刑警成为风险性最大的职业。现在因公牺牲的人员里，刑警的数目排在了首位。当然刑警这个职业的传奇色彩也最浓。刑警的事迹，可歌可泣的实在很多很多。他们就像璀璨的珍珠项链，光彩夺目，使我们的日常生活笼罩在祥和的阳光里。我过去从这方面想得比较多。读了《光明日报》的报导，我才意识到，刑警不仅有他们的血肉之躯，也有他们的心理存在，他们那些瞩目的优点，实在也需要坚韧的连线来串起，那坚韧的连线就是健康的心理状态。他们冷硬的心理疾患，不仅需要心理医生的治疗，也需要我们其他行业的人士对他们多一些深入的理解，多一些柔情的呵护，多一些包涵的宽容，多一些真诚的慰藉。

有事找警察，遇到突发险情拨打110电话，遭劫遭抢盼刑警从天而降，这是我们最基本的生活常识与最正常的心理情绪。现在看来仅仅这样是不够的。没有事的时候，我们不找警察，但是不是可以尽可能地也为警察做些力所能及的事情，比如说我们邻居里有警察的爱人、长辈，因为警察特别是刑警往往难得回家，我们应该主动去关爱他们，替他们排忧解难，对他们说："您有事找我！"把自己家的电话号码告诉他们，随呼随到。比如我们在学校里工作，对警察特别是刑警的孩子就该多些关照。我们虽然不能像医院的心理医生那样，具体地为刑警排解心理障碍，但我们如果不惜点点滴滴地为他们及他们的家属付出爱心伸出援手，那么，我们也就间接地起到了让他们心理放松、压力减小、焦虑舒解的作用。

关于珍珠串链的联想，其实还可以进一步引申开去。医院的医生需要刑警保障他们及其家庭的安全，刑警需要心理医生来排除他们的心理障碍，社会上其他行业莫不是这样的，犹如一粒粒紧紧依偎着的珍珠，你离不了我，我离不了你，你辉映着我，我温暖着你，你为我解决这方面的问题，我在那方面为你服务，大家之所以联为一个整体，不可拆分，不能散落，全因为有一根线，把大家串在了一起，这根坚韧的线是扯不断的。编织这根线的要素不止一种，其中有一种就是相通相融的健康心理，所谓心连心，心心相印，互相理解、谅解、关爱、呼应。我们完全可以这样说：以健康的心理线索贯穿于心的社会人群，构成了扯不断的珍珠串链般的中华民族。

龙的眼睛——中国篆刻艺术

中国京剧里常有官吏审案的场景，官吏的桌子上放着一个大约每边 8 英寸的大印盒，外面用布包着，上方打着一个结。那官印是权力的象征。中国话里"丢了印"就是丢了官的意思。京剧里常用鼻子上抹着一块白的丑角来表演坏官，他会在慌张逃跑时紧紧抱着那个官印，并且在危机最深重的那一刻扔掉官印只求保命，台下观众看到这一滑稽相时总会哄堂大笑。中国皇帝的印（玉玺）体积更大，在北京紫禁城里现在还陈列着，印盒外包裹的是皇帝专用的黄色绸锻。但一般中国人使用的印章都没有那么大，多数底面积在 1 厘米见方左右，立柱形，有的顶部有带孔的印钮，以便穿上细绳随身携带。印章可以用多种材料制作，如铜、硬木、象牙、珊瑚、水晶、玉等等，不过最普遍的是使用石料，浙江昌化、青田等地方出产的石料被认为是最上等的，其中有一种剖开后有鸡血色斑纹的被许多人所喜爱，价格极其昂贵。

中国印章从秦朝起就不仅具有实用价值，也成为一件艺术品。镌刻到印章上的是篆体字，篆体字是中国各种字体中最具象形特点，也最富装饰趣味的，与其说是文字，不如说就是图画，即使完全认不出其意义，看上去也赏心悦目。因为最早的印章都用篆体，因此镌刻印章的艺术也就称为篆刻艺术。当然后来人们也用别的字体刻章，章面形状也不一定是正方形，所刻的也可以不是字而是动物形象或吉祥图案，但直到今天篆体方章仍被认为是正宗。中国自古就有专门的篆刻艺术家，他们讲究刻印时的刀工，线条布局精心巧妙而又潇洒流畅，刓去不需要部分的叫阳文印章，刻出凹槽表达意义的叫阴文印章，不刻名字、别号而刻上格言吉语、心灵感悟的叫"闲章"，有的还会在印章侧面刻上篆刻者名字及其他话语，称作"边款"，至于印钮的形象多为螭（龙的变种）、虎、龟、马等，盖印使用的印泥也构成这门艺术的一个重要因素，多用朱砂、艾绒、油料等制成，盖出的效果越细腻均匀越雅致悦目并且越能经久不褪色则越名贵。

我们设想来到一间地道的中国书房。细竹编的帘子上，阳光投射出婆娑的竹影；铜铸香炉里飘出袅袅甜香，彩绘着青绿山水的屏风后传来古筝的弹奏声；主人则在他的大画案前静观自己两件最新的作品，都是用中国宣纸、毛笔、墨、砚（即"文房四宝"）创作的，一幅是大写意的"泼墨山水"（即用往宣纸上泼撒墨水再用毛笔辅助形成自然风景的图画），一幅是"狂草"（即笔触狂放恍若龙飞凤舞的毛笔字）的书法，他是在思忖如何在那两幅作品上加盖印章。中国的绘画、书法艺术是与篆刻艺术融为一体的，在这艺术领域里，如何"留白"，即如何使被笔墨印章覆盖以外的区域里产生出艺术联想与审美幻觉，使那作品从客观现实升华到主观意象再跃升至神仙境界，是至关重要的，特别是盖印这最后一关，位置稍有疏忽，会令此前的努力前功尽弃。书房主人用目光，更用头脑中的智慧，以及佛教禅宗所崇尚的"顿悟"，寻找着整幅作品中最适宜的位置，选定后，他盖下印章，来回端详，脸上涟漪般地溢出微笑。这位书房主人也是一位书画收藏家。在他的画案边有一口青花瓷的阔口圆缸，这种略显矮胖的大瓷缸外方人会误以为是储水养鱼或套放花盆的，其实这是中国人搁放书画卷轴的器皿。中国画和中国书法作品常常是画好后被装裱起来，两端有木制圆轴，小心地卷起来用丝绦捆缚加以保存的。这位书房主人会在心情好的时候从那瓷缸里取出插放在里面的卷轴，解开连在轴上的丝绦，在大画案上徐徐展开，加以欣赏，此刻他展开的是一轴清代画家郑板桥的作品，上面画着几枝墨竹，又题写着以"难得糊涂"为核心内容的书法，图像与书法并重，在对此作品的审美过程里，对其上印章的鉴赏也是重要的一个环节，这件他视为珍宝的作品上除原有的印章外，还盖有他以前的收藏家，以及他自己的印章，这实际上也是一种参与创作的方式，而这种参与的风险性是相当大的，盖得好是锦上添花，盖得不好则成为佛头着粪，当然，他以为这些印章都添加得非常得宜，给原作增加了许多神韵。中国古代有这样的传说：画师在墙上画了一条巨龙，他最后一笔是点出龙的眼睛，点睛后那龙就飞腾上天了。中国篆刻艺术在中国绘画、书法作品上的作用，正如龙的眼睛。

[本文应约为在英国编印、以七种文字出版的《百达翡丽》杂志而作]

从十八年前那一晚说起

十八年前，我发表了一篇纪实小说《5·19长镜头》，写的是 1985 年 5 月 19 日晚上，在北京工人体育场，因为中国队意外地败于香港队，痛失世界杯小组出线权，所引发出的球迷闹事事件，我通过对一位因闹事被拘捕的青年球迷的个案分析，分析了当时一般青年球迷的心理状态，指出不要简单化地从政治或外交关系角度来判定他们的动机与效果，应当把握在急剧变动中的城市青年的心理状态，对他们多些理解与谅解。这篇作品发表后，出乎我的意料，不仅当时轰动，而且从那时直到现在的十八年里，始终有人记得这篇作品，香港中文大学的中文系教科书里，还始终将其收为课文，这篇作品也译成了英文流传到海外；因为人们记得这篇作品，从而那以后凡有大的国际间足球赛事，传媒便会找到我，冀盼我能延续原有的思路，发表新的意见。这实在让我受宠若惊。如果是一个十八年前诞生的婴儿，到现在，该已成为一个就要升入大学的青年了。我不敢说自己的思路也成长得那么苗壮，但面对着越来越成熟的中国足球运动，我欣悦地看到，不仅我们去年已经打进了世界杯的 32 强，而且，新老球迷的状态也大有提升，这就激发着我新的思绪，关于足球，特别是作为大众娱乐文化中重要分支的足球文化，又尤其是足球文化中的看台文化，也就确实还有新的话可说。

把足球作为体育文化中最重要的部分来加以考察，我们就不难发现，绿茵场内的拼搏是人类竞赛美学的绝妙创作，而看台上球迷的狂热则是人类审美活动的特异激扬。我对足球的发言,往往是针对看台比针对绿茵的还多。从1985年到现在,我们国家的足球运动的变化是惊人的,不仅开创、发展了职业联赛,聘请了外籍教练和球员,进军了世界杯,而且,球迷的变化也很大,从简单地鼓掌呼喊助威,到使用喇叭大鼓等响器,到逐步形成了个人大幅度的肢体语言,以及群体的海浪式展示,并且出现了个体的准职业性铁杆球迷,与自发汇聚的球迷组织,球迷茶馆,球迷饭店,球迷俱乐部等等;在中国队打进世界杯决赛圈后,各地分散的球迷在企业赞助下,又以此为契机有所整合,成立了中国拉拉队,制定了队服、队旗,拟定了统一口号和肢体语言的句式,并且创作助威性足球歌曲也成了热门的事项,许多音乐界人士也襄与其事,更有足球彩票的推出,真可谓姹紫嫣红,一派鲜花怒放的热闹景象。尽管去年世界杯大赛中国队竟扛着大鸭蛋铩羽而归,令众多国人失望痛心,但球迷们所创造、发展出的看台文化,却不能不说是获得了一次丰收。我也曾与十八年前采访过的一位"犯事儿"的球迷邂逅,他已从一个动辄热血沸腾的青年,变成了一位老成持重谢顶语慢的中年人,聊起来,对足球运动的热爱,却是痴心未改,但他告诉我,十八年前那一晚的激情,后来发泄为非理智的肢体语言,究竟不妥,他的感悟是,观球也是一种文化,激情燃烧,应纳入游戏规则之内,具体来说,也就是应以理性的缰绳,来驾驭奔放的情感烈马,作为超级球迷,对自己的外在形象,肢体语言,以及感情的诸多发泄方式,应该有一个事前的设计。我们在讨论中达成了共识,那就是球迷应该是"妖魔化的天使"。

中国球迷大概是首先从电视荧屏上,看到了外国球迷把自己妖魔化的奇异装扮的。妖魔化的手段,除了服装道具的怪异外,最骇人眼目的,是发型、脸谱、纹身的匪夷所思。1985年北京工体的闹事球迷,还没有一个是使用了这种手段的。其实,观球是一种可以充分将自身内在激情狂热外泄的一种审美活动。如果不好率定为是人生快乐的极致,也应该算作心灵的一次大狂欢。激情的狂放发泄,初衷绝无恶意,但往往会在自我失控的状态下,产生球场内外的足球暴力,导致破坏性行为。因此,除了外在的约束防范,作为球迷本身,开赛前即通过将自己奇装异服、怪样打扮,先泄露出一部分狂热,也是起到自我情绪制衡的良策。

　　所谓将自身妖魔化，对于球迷来说，不管他是有明确用意，或者只是潜意识使然，或者竟只是从他人那里模仿而来，就效果而言，无非在三个方面，一是通过比如发型上、脸庞上、胸腹或服装上的国旗符码，体现出爱国情怀；二是通过这些部位上的球队或足球明星的符码，体现出他们对自己所拥戴的球队、球星的支持；三是通过一些强烈的色彩、怪异的图案、刺激性的词语，来吓退自己所拥戴的球队的对手以及相应的反方球迷。现在中国的诸多球迷常使用这种妖魔化的手段参与球赛，但似乎意识明确者不多，因为意识不明确，所以通过这手段自我宣泄以达到激情制衡的效果就不是很明显。我们都知道英国有臭名昭著的足球流氓，这些流氓除了多剃秃瓢以外，很少从外观上实行妖魔化，但他们闹起事来可真是给社会带来危害的妖魔，那些在球场内外以妖魔化姿态尽情狂热的普通球迷，倒很少会做出危及他人和社会的事情来。这是很值得我们思考的一个有趣的问题。附带说一下，我以为中国还没有足球流氓这样一种群体存在。有的人看到中国一部分球迷在某些赛事上因为觉得裁判不公，或终场哨响后所出现的结果超出了心理承受度，狂怒悲愤中有过激的行为，就指认那些球迷是足球流氓，这种判断是不对的。英文里的足球流氓用的是一个特殊的语汇，硬译的话是英国历史上一个脾气乖戾专门寻衅滋事的贵族姓氏，转意才成了足球流氓的专称，因此可知足球流氓是指那些凡有足球比赛便刻意去捣乱的团伙，他们无风也起浪，你裁判不公他们要闹，裁判公平他们也要闹，他们拥趸的球队输了要闹，赢了也要闹，总而言之，他们是闹定了，而且那闹法是肆无忌惮，无所不用其极，拔枪射人是他们惯常的闹法之一，经常要闹出人命来，因此危害性极大，目前各国每逢大的足球赛事特别是国际赛事，从签证、海关就开始防堵他们，有关部门对他们有特别的档案，这些足球流氓臭名昭著，如过街老鼠，人人喊打，近年来他们的破坏性已被有效遏制，去年的世界杯大赛，因为各方面防堵得好，在韩国和日本的赛场内外都没有出现足球流氓无理取闹的场面。到目前为止，中国球迷在某些赛事中的过激表现，还都是事出有因的，虽造成某些损失不可取，但应该说都还不是足球流氓式的行为，因此，我认为我们传媒在对中国足球比赛中球迷的负面表现作报导时，要实事求是，必要的批评当然应该有，但一定不要乱扣足球流氓的帽子。

足球流氓是真正的妖魔。一般球迷则外在形态妖魔化，而内心保持天使般的圣洁。热爱足球，为之狂热，而又绝不乐极生悲，悲极滋事，不让自己心爱的足球运动被亵渎，被玷污，这应该是众多中国球迷参与现场观赛的共识。总而言之，做一个妖魔化的天使，而不要做一个伪装成天使的妖魔，更不能做妖魔化的妖魔。

所谓妖魔化，妖魔这个字眼，只是一种借用。球迷的种种彩扮手段，有的并不吓人，而是令人发噱。我这个关注足球运动的人，对足球明星的关注倒比较地有限，对从现场看到的，以及从传媒的镜头、照片中看到的，那些打扮得千奇百怪的球迷，往往倒能让我产生特殊的快乐。但是，以我目前所看到的而言，我们球迷的化妆方式，似乎还是从外国球迷那里借鉴来的比较多，特别是涂抹面部的手段，缺乏我们中华民族的固有特色。其实，中国戏曲的面部化妆，生、旦、净、末、丑各有路数，特别是净脚的脸谱，已经积累了非常丰富的表达手段，色彩与图案中蕴涵着许多的意义，我建议我们中国球迷能从比如京剧的花脸脸谱里，提炼、变化出一些适宜到看台上展示的妖魔化花样，特别是已经组织起来的各个拉拉队，无妨在这方面请些京剧界人士当参谋，使自己的化妆更具备中国民族特色，体现出中国文化的源远流长、独到精深。不仅化妆上可以充分展示出中华传统文化的特色，肢体语言上也可以从京剧表演里汲取素材，如男性球迷可以把京剧武生起霸拉云手的动作加以改编，女性球迷可以把京剧旦角的水袖功、帕子功加以活用，这样的一群中国球迷，在国际大赛的看台内外出现，一定会引出轰动，自己会沉浸在民族自豪感里，外国人则会刮目相看。从1985年"5·19"事件以来的中国球迷群体，确实已经成熟，他们应该是一群妖魔化的天使，有这样一群天使来振声威，添光彩，国脚们一定会大受鼓舞，我们中国足球运动的发展，一定会更上一层楼！十八年前的那一晚已经嵌在历史的画册中，体现出中国足球文化健康长足发展的新画面，正接踵而来！

写于 2003 年 5 月 20 日

抱紧这罐糖

　　小时候，对杂货店柜台上的那一排歪脖玻璃罐里装的各色糖果最是向往，妈妈给的零花钱每次只能买上一两种，要把每个罐里的糖都尝遍，实在是很难的事，何况那些罐里的糖还经常地变换品种，于是心情多半是遗憾。时代进步真快，现在小杂货店的那种歪脖玻璃罐已经不多见，到超市里一望，各种糖食满坑满谷，想把每种都尝遍的心情已然消失，往往只固执地追求某一厂家某一品牌的某一品种，强调的是自己口味上的独特与挑剔。现在人们对体育运动也都进入这样的境界。个人在体育中一般扮演两种角色，一种是直接参与，属于运动员性质；一种是间接参与，属于观赏者；在我们国家，足球运动员还不够多，尤其是业余的实在还太少，但足球比赛的观赏者却非常之多，所以我们的看台文化，似乎已经超前于绿茵文化。1985 年我写过一篇《5·19 长镜头》，事过 18 年之久，竟还有不少人记得，我想，大概是因为，那算是关于我国足球看台文化的发轫之作吧。

　　足球运动，这里主要说男足，从运动场盆底的绿茵，到盆壁的看台，又延伸到运动场外，这些年来，其中发生了多么巨大的变化啊！不知不觉之间，"甲 A"联赛已经进行了 10 年了！一位年轻的球迷朋友对我说，改革开放 25 年来，他经历了许多难忘的第一次，比如第一次拥有了彩色电视机、冰箱、洗衣机，第一次置备了家用电脑、第一次进入互联网漫游，第一次使用银行卡，第一次逛大型超市，第一次在电影院看美国大片，第一次拥有了个人因私护照，第一次参加旅游团出境开眼,第一次拥有了私房,第一次开上私车……但在所有的第一次当中,最让他激动的,却是中国男足的职业化,他清楚地记得第一批职业球队的冠名、"甲 A"联赛的第一次排名、第一批外国教练与球员的引进……当然还有他们球迷俱乐部的第一次聚会、第一次纷争,以及第一次为自己拥趸的球队远征助阵,乃至他参与的第一次看台人浪、第一次将自己"妖魔化"以怪诞谐谑的形象招摇于看台内外……"甲 A"联赛的 10 年,是他作为球迷尽情释放自己个性的 10 年!

　　当然,我们的"甲 A"联赛还很不尽人意,球迷从中获得甜蜜,却也时常伴着酸馊甚至苦涩,但作为社会开放所形成的一罐糖,相信绝大多数球迷都不会放弃"甲 A"联赛所激发出的生命悸动,抱紧这罐糖,尽情地享受吧!

中国足球：一个公众共享空间

中国足球面临许多问题，讨论这些问题是很自然的事情，所有问题里当然这样的问题最尖锐：中国足球是不是"不良资产"和"不良市场"？这种问题的提出，源于积蓄很久的对中国足球现状的失望与焦虑。提出问题是为了解决问题。如果中国足球目前远非"不良资产"和"不良市场"，那么谁也不必神经衰弱，不必一听"不良"二字就大动肝火；如果中国足球目前虽然还不是"不良"，但有往"不良"方面滑动的迹象，那么，敲一阵警钟，实在是桩好事，各方面都应该闻钟戒惕才好；如果中国足球确实已临"不良"之界石，则与其遮掩不如公之于众，其实这也没有什么了不起，中国足球是大家的，大家都愿意它好，"不良"了，就群策群力，让它转化为"良"，再往"优"发展，也就是了。近年来，有关部门也好，传媒也好，都公布、报导了若干国有企业因种种原因陷于"不良"的信息，而且都指出，改变"不良"的关键是进行大刀阔斧的改革，其中尤为关键的又是观念与体制的改革。如果我们对这样的公示与报导并不惊怪，那么，对中国足球是否"不良"的讨论也应该心平气和。

我以为，最重要的一点是，各方面应当深知：中国足球是一个公众共享空间，它属于公众而非哪一个机构、组织、个人所专私，尤其是在言论上，更属于公众共享的话语空间，有关的传媒热心进入这一空间，高谈阔论，是这世界上最平常的最该有的一道风景。我也懂得，以世界之大，认知之殊，口舌之杂，气量之异，一种言论常会引出强烈的反弹，有时不仅会激烈争论，更会惹出官司，其实这也才更证明着我们世道的进步，是公众共享性的深化。你宣布他说得不对之后，摆出你掌握的事实，讲出你认准的道理，让公众去兼听评判，效果是最好的。如果你认为还必须诉诸法律，那就按步骤去起诉吧，总不能自充法官，代为宣判。认为传媒报导不准确，涉及方自己出来辟谣，并敦请其他涉及的方面出面澄清，当然都是必要的，但因此拒绝"不友好"传媒，则未免太不符合世界开明潮流。近些年，我们每年的人大、政协会，邀来五湖四海的传媒，其中有的境外传媒所作出的某些报导，或不真实，或不准确，甚或别有用心、影响恶劣，我只知道该纠正的纠正，该澄清的澄清，该驳斥的驳斥，但还没听说哪家被纠正被驳斥的境外传媒因此就被吊销采访证、拒绝其再来的。"两会"这一话语空间尚且可以如此处理，中国足球这一就整个社会而言属于枝节的空间，难道不该向"两会"的接纳采访机制看齐吗？我个人对中国足球是既有厚爱也有厚望的。我实在不知道中国足球的资产与市场目前是处于"良"还是"不良"，我想为了加深讨论，有关部门能把中国足球的资产与市场数据等资料公布出来最好。面对具体的可量化的资讯，人们比较容易达成共识。还是那句话：真到了"不良"的地步也不怕，从观念上体制上进行大刀阔斧改革，让它"良"起来！中国足球是我们大家的，它毕竟应该是我们生活中的一罐糖，抱紧这罐糖，未尝到甜味前，至少让我们先畅所欲言！

2004.1.10

莫失亮

我们身后，就是高耸的双塔摩天楼，刚从严冬的北京来到炎热的吉隆坡，我真不适应在烈日下跟人交谈，然而她不容我退到棕榈树的阴影下，紧追着我提问。我被她的诚恳与执拗感动，于是驻足凝望着她的眼睛，决心有问必答。

我是马来西亚《星洲日报》"花踪文学奖"的评委之一，除了早在北京已经投出一票，参评全球华文文学大奖外，还应邀在抵马后临时评定马华小说奖，并且上台担任揭晓嘉宾还即席发表参评感想。全球大奖这一届的得主是中国台湾的陈映真，对此各方面都不觉得惊奇。但马华文学创作中的小说奖究竟谁能夺冠，对各方面来说却都是一个地道的悬念。马来西亚华族中有那么多爱好用中文写作的人士，这是令人欣喜的事，但这一届经过前期筛选最后送达终评者手中的 10 篇小说，我在北京读复印件时就觉得有些失望，它们有着两个共同的缺点，一是不知为什么都写得那么阴暗低沉，二是多篇都采取了片段镶嵌的朦胧写法，缺少讲清一个完整故事的动机或者信心。为了评奖的公正，这一奖项的作者署名是一律隐去的，10 篇小说应该是出自 10 位不同作者的手笔，但我读来却觉得有几篇似乎是同一人之作。也许这是世界小说创作的新潮流？也许是我这人的小说观太陈旧？当我坐到《星洲日报》会议室，与另两位评审作家汇聚时，不免心情忐忑。

两位名家都非让我先表态，性格使然吧，事到临头，还是不能圆滑过去，少不得直言 10 篇都不够精彩，特别是都缺乏亮光，如果非要拔出一个头筹，那么《夜雾》一篇差强人意……没想到二位名家也都表达了类似的看法，其中当地的老作家姚拓先生更说，我们越是坦率地批评，才越对马华小说的进步有推动作用。于是我就到颁奖台上去宣布了我们评审的结果，并且说，也许当下的世界确实有着太多的混乱与失落，也许人性中确实存在着那么惊人的阴鸷酽黑，而且阴暗的文本低沉的调式也属于小说创作中的一种流派，但入围的 10 篇小说都呈现着这样的倾向，却使我不得不在这里呼吁：还是不要对世界、人类和人性的光亮失去寻觅与表达的热情，如果原来所向往的光明不那么耀眼了，甚至觉得那并非真的光明，也应该坚忍不拔地另寻光明。给人心灵以亮，以希望，以勇气，那样的文字，是最应该提倡的！我说完，听到了掌声，不甚热烈，但已足以支撑我在文学观上的自信。

于是就有了散场后被追着询问的一幕。年轻的女士问："《夜雾》的题目就够阴暗低沉，您为什么肯定它？"我告诉她，这篇小说写一位农村底层女性饱受丈夫虐待，尤其是精神虐待，那丈夫竟至于当着她的面跟未成年的女儿乱伦，这位村妇忍无可忍，最后在丈夫命令其准备洗澡水时，在澡盆里放了毒蛇，当丈夫被蛇咬后要去医院时，她冷冷地说："晚了。"小说也就在夜雾升腾中结束。我对它也不是很满意，但是，作者在冷静的叙述中，体现出了对弱者尊严的肯定，对男权世界的沉痛抗议，小说本身没有光亮，但多少能启发读者去拨开厚重的夜雾思索光明所在。年轻女士又问："光明如何体现？难道必须像鲁迅先生写《药》那样，非在结尾写到的烈士坟头上添一个小小的花圈吗？"我说那当然不是上策，但有深度的小说总是应该保持着引导读者向真向善向美的亲和力，鼓励读者无论如何还是要热爱生命与生活，这也就是文本的亮度。年轻女士笑了，她告诉我："其实我们那样写，并不是真觉得世道人心已经黑暗得谁都不想活了，主要的用意，是觉得唯有颠覆才酷得过瘾，也包括故意地不把故事讲清楚，让文本像撕碎的纸屑……刘先生，难道小说不可以这样写来玩吗？"于是我也笑了："真没想到，到了外国，我还是这么样地认真得过了头。"我猜出她是入围的 10 篇小说的作者之一，于是顺便问她的名字，她马上告诉我："莫失亮！"我从她眼里看到狡黠的闪光,正感到受到揶揄,她爽朗地说："您别在意,您也年轻过！我真的非常感谢您,我以后真会用这个笔名写作的,毕竟我也会成熟起来,对不？"她告别后快速跑开了,我仰头望着那摩天双塔,心想仅此对话,已不虚此行了。

丑 虫

　　瑞士有位叫康妮丽娅的女士，从青年时代就有个特殊爱好——画昆虫。她捉到昆虫后，先将其固定，然后用放大镜甚至显微镜仔细观察分析，然后对之进行放大的水彩写生，一般都放大十倍以上；她画得非常认真，有时为了严格写实地呈现那昆虫的色彩和细须绒毛，一幅画要每天八小时地耗上一周才最后完成，她的昆虫画看上去非常夺目，往往一瞥之间就令人永难忘怀。有人问她，如今摄影术那么发达，近年更有数码相机出现，再加上电脑技术，用新锐的手段来表现昆虫岂不是又方便又精确吗？她的回答是，唯有像她那样从容地观察，而且在工笔手绘中渗透进感情，并丝丝缕缕地从心灵深处旋升出哲思，才能表达出昆虫的神奇。她说，大自然赋予了昆虫体现色彩与对称之美的使命，尤其是对称上的严格不苟，人类对之在惊叹之余，应产生出对和谐这一伦理境界的敬畏。那么，她这样画出的昆虫图究竟算科学资料还是艺术作品呢？她反正不靠这个吃饭，任人褒贬。但有一回她画的一组瓢虫壳偶然让一位丝绸商看见了，眼睛顿时一亮，觉得真是非常美丽，就征得她同意，拿去印在丝绸制品上，结果大受欢迎，有位歌星还因为率先穿昆虫绸裁成的时装而更加蹿红。于是约她画美丽昆虫以作商品图案的人士接踵而至，康妮丽娅却都谢辞，人家就说你既然画了它们出来，搁着也是搁着，何不将那份诡奇的美丽让大家分享？康妮丽娅于是拿出一组作品给他们看，一看，全傻了！原来康妮丽娅画的全是丑虫，说丑，还不是某些昆虫自然的形态丑，而是病态的形状：残缺的翅膀、扭曲的触须、褪色的斑点、瞎眼睛、长瘤的身躯、水泡与疮疥……总之，对称被野蛮地打破，和谐不复呈现，令观者瞠目结舌，暗想这可真是位有怪癖的画虫者！

康妮丽娅并非一位有嗜痂之癖的怪人。开始，她偶然接触到怪样的病虫，出于怜惜，把那病体画了下来。后来，她在旅游中发现，哪里的环境保护工作欠缺，那里的昆虫数目就会减少，而苟活的昆虫里因受污染而病变丑的也就越多。这事态让她心里仿佛有个魔鬼爪子在抓挠。她决定以自己微薄的力量，通过画丑虫，来向环境污染这个恶魔抗争。她自费去了世界上许多地方，包括1986年因核泄漏而造成大灾难的切尔诺贝利，到达那里时，她未见昆虫，先看到因核辐射而变了形的树叶，她本来并不画植物，那一次忍不住先含泪画了病叶，后来她费了很大劲，才找到残存的一些昆虫，几乎都是些变态的丑虫。她把从各地搜集来的昆虫标本，带回到苏黎世家里，以大悲悯的情怀，将它们加以工笔描绘。她把同类的健康美虫与病态丑虫加以对比，令人们看了触目惊心。她说，估计因环境污染造成灭绝的昆虫种类是个很大的数字，而且，患病变态的丑虫显然在把它们的病丑遗传给下一代。从昆虫的受害，也折射出人类自己在环境污染中的险恶处境。

眼下虽然人们对康妮丽娅的虫画评价还有争议，一些有识之士却已不再拘泥于概念，把"她的绘画究竟是科学资料还是艺术作品"的问题抛到一边，给予肯定、推荐，因此她的许多昆虫画已经被西方一些高级别的展览活动接受，那些展览既有布置在科学博物馆的，也有布置在艺术博物馆的，许多人认为她的虫画是意蕴深厚的艺术品，也是警世的黄钟大吕，激赏赞叹。康妮丽娅对人们怎么评价她的劳作完全无所谓，她只希望能有更多的人能从她的虫画里听到一种发自肺腑的呼唤，那就是：人类啊，善待自然、尊重和谐、拯救自身吧！

红楼三宝

　　作为一部描写封建贵族大家庭生活风貌、兴衰际遇的长篇巨制,《红楼梦》里出现的珠宝首饰、古玩奇器不胜枚举。比如王熙凤这位权势炙手的管家媳妇头一回出场,曹雪芹就这样写道:"这个人打扮与众姑娘不同:彩绣辉煌,恍若神仙妃子。头上戴着金丝八宝攒珠髻,绾着朝阳五凤挂珠钗;项上戴着赤金盘螭璎珞圈;裙边系着豆绿宫绦,双衡比目玫瑰……"你看她身上有多少种珠宝首饰!那时候不仅富家女子衣装不离珠宝,男子也一样,曹雪芹写王熙凤侄儿贾蓉出场,虽然只简略地形容为"轻裘宝带,美服华冠",读者却不难想象,其身上的珠宝首饰也一定价值不菲。

　　珠宝首饰,对于佩带者来说,首先是富足的符码。但富足者,不一定社会地位也高。暴发户,尚未混出令人尊敬的地位时,所佩带的珠宝首饰,可能材料好而做工粗,或做工虽细而样式欠雅。到了所佩带的珠宝首饰不仅料贵工精,而且雍容典雅,那时,珠宝首饰才成其为高贵身份的符码。但这也还不是最高境界。真正懂得珠宝首饰意蕴的人,对其在财富与地位上的符码价值,可能看得并不那么重,他或她所更重视的,是体现在这一符码中的审美价值与文化价值。《红楼梦》里写到薛宝琴,她虽然不是金陵十二钗正册里的一钗,但其素质修养远在其中若干钗之上,她跟着父亲周游各地,还结识过西洋女子,据她形容,那位懂中文而且能用汉字作诗的"真真国"女子,"披着黄头发,打着联垂,满头带的都是珊瑚、猫儿眼、祖母绿这些宝石；身上穿着金丝织的锁子甲洋锦袄袖；带着倭刀，也是镶金嵌宝的……"寥寥几笔，形容出一位异域文化的女性。可见材料（如珊瑚、猫儿眼、祖母绿等）中外皆然，但使用起来，却会有颇大的文化差异，而能观察出、形容出、体味到珠宝首饰作为文化符码方面的功能，正是曹雪芹透过薛宝琴这个人物所表达出的一种憬悟。

在《红楼梦》里，关于珠宝首饰的描写，往往起到推动情节发展和刻画人物性格的重要作用。在前八十回的回目里，多次直接点出与情节和人物性格相关的珠宝首饰名称，如"薛宝钗羞笼红麝串""俏平儿情掩虾须镯""浪荡子情遗九龙佩""懦小姐不问累金凤"等等。

不过，《红楼梦》里最重要的三件珠宝首饰，是通灵宝玉、錾金锁与金麒麟。

通灵宝玉，据小说描写，是主人公贾宝玉落生时，口里就衔着的。这是充满浪漫想象的艺术手法。第八回薛宝钗求看，贾宝玉遂从项上解下，递给薛宝钗看，"薛宝钗托于掌上，只见大如雀卵，灿若明霞，莹润如酥，五色花纹缠护"，又看出那正面镌刻着"莫失莫忘，仙寿恒昌"的字样。这块通灵宝玉在小说里不是一般的道具，它具有多方位、多层次的寓意。在曹雪芹的构思里，贾宝玉与薛宝钗，被一些封建家长认定为"金玉缘"，而贾宝玉基于对林黛玉的诚挚爱情，始终抗拒这一外加的"姻缘"，而坚持要与林黛玉成就自愿基础上的"木石缘"——他只把那玉看做一块象征自我的顽石，要与自称是"草木人"的林黛玉相爱不渝。值得注意的是，小说里对林黛玉的穿戴有多次细腻的描写，使我们感觉到她的优美高雅，但从不写及她佩戴了些什么珠宝首饰，这就是为了把林黛玉这个艺术形象，与薛宝钗严格地区别开来。小说里还写到，有一回贾宝玉郑重地献给林黛玉一个鹡鸰香串，那是北静王赠给贾宝玉的，而北静王又是从皇帝那里得到的，林黛玉却嫌那东西是"臭男人拿过的"，掷而不取。按曹雪芹浪漫主义的想象，林黛玉本天界里的绛珠仙草，她自身个性的高贵，那是任何珠宝首饰也无法担当其符码的。

薛宝钗在《红楼梦》里也是个悲剧人物。她那"珠宝晶莹黄金灿烂的璎珞"

即金锁，是家长托言一个"癞头和尚"送来，打小给她套在脖子上的，一面刻着"不离不弃"，一面刻着"芳龄永继"。她虽然心中爱恋贾宝玉，也看出了宝玉与黛玉间的深挚爱情，但她本身并不想"第三者插足"，是她背后的利益集团在推着她走，躲也无处躲。这是一个外在冷艳、内里饱受火炙般煎熬的复杂女性。有一回她哥哥薛蟠为了讨好她，说要把她那金锁拿去"炸一炸"，就是重新恢复其含金量与抛光度，为她拒绝。曹雪芹巧妙地以金锁为喻，写出了封建桎梏下贵族妇女的悲苦处境。上世纪四十年代，上海作家张爱玲受此启发，写出了精彩的中篇小说《金锁记》，一直写到"金锁"对人性的扭曲。读这样一些文字，对于进入小康后能以用金银珠宝作为符码满足自身心理需求的当代人士，还是很有些启发的。珠宝首饰应该为人服务，而不能反过来，人性倒被珠宝首饰给桎梏住、扭曲掉。

最有意思的，是《红楼梦》里写到的金麒麟。史湘云自己佩戴着一只金麒麟，却又无意中在大观园里捡到了另一只文彩辉煌而且更大的金麒麟。在贾府去清虚观打醮时，那里的主持张道士端上一盘佩戴物，里面也有一只金麒麟，宝玉特意将其挑了出来。书里还有一个回目"因麒麟伏白首双星"。因为曹雪芹传世的《红楼梦》八十回后全佚，关于金麒麟的悬念最后是怎么解谜，现在成为了永远的疑案。有人根据与曹雪芹关系密切的批书人脂砚斋的批语，考证出八十回后有这样的情节：史湘云一度与那只大麒麟的主人，一位叫卫若兰的贵族公子定婚，但最后却经过一番曲折，在困顿中与贾宝玉遇合，那时黛玉、宝钗都已谢世，宝玉、湘云遂结为贫贱夫妻。

在阅读《红楼梦》的过程中，注意其对珠宝首饰的描写，体味其中三昧，也是极大的审美乐趣。

2003 年 2 月 4 日于绿叶居

不要化掉这些绿

随着经济的高速增长，现在几乎所有的城市都在膨胀，环城公路如凝固的涟漪，把居民区和商业区漾向原来是田园的地方，于是规划部门注意到建立环城绿化带的问题，这"带"也不仅是绦带式的，还包括晕团式的大片锲入，以北京为例，目前就正在规划第二道绿化隔离带，这当然是一桩严肃而迫切大事。许多城市在已经建成的第一道绿化隔离带里，基本上都是人工营造的景观，因为原有的郊区野景，在城市建筑空间的急剧膨胀过程里，已经被摧毁殆尽，现在我们看到的树木是陆续按规划栽种的，草坪是按图纸铺敷的，花卉是按预想安置的，这使得一般城市人的眼光，已经习惯于这种规整的、被修饰的景观，也就是严格意义上的"绿化"——即本来不"绿"或不够"绿"而将其"化"为"绿色空间"。北京在这点上尤为突出。北京正在规划中的第二道绿化隔离带里，也存在着许多目前不"绿"或不够"绿"而需要将其"化"为"绿"的限建土木工程的空间，绿化师将为那些空间精心设计出"化"的方案，使其增"绿"或生"绿"，这自不消说。但北京在规划中的第二道绿化隔离带里，目前也存在着数量可观的野景，也就是其植被大体而言不是刻意人工绿化的产物，而是多少具有些原生态的荒芜感的绿色空间，比如在目前拟就的第二道绿化隔离带的 9 片楔形绿色限建区里，其中的第 3 片和第 4 片——来广营至温榆河至后沙峪北、机场南部沿温榆河两岸——我就亲眼看到若干毋庸去"化"就已经颇"绿"的野景，而且觉得第 4 片的范围应该加以扩大，把温榆河那个流段东岸的绿化"隔离锲"再向东展拓到顺义李桥镇的西陲，这其间有一条常被各方人士忽略的小中河，就我目击考察，小中河两岸的自然生态的植被，特别是河边的芦、荻、蒲、苇等野生植物，相当丰茂，像这样的地段所面临的问题，就不是如何将其"化"掉，而是一个如何维护、改进现状，使其不要被"化"掉的问题。

记得上世纪五十年代初，那时我还是个儿童，住在北京城闹市区一条胡同的大四合院里，那院子是人民海关的宿舍，几乎各家都有少年儿童，到了暑假，院里大些的少年，会组织我们一群孩子，到郊区去野游，那一天我们会分别带上捕虫网、标本夹、鱼竿、小桶，当然还有饮水瓶和干粮，先坐公共汽车到最后一站下来，那已经是城墙、城门之外几里路的地方了，然后再步行，穿过被耕种的农田中的小径，往往并不需要再走很远，大概是相当于目前三环路以内的地方，就会置身在完全是自然生态的野地里。那是真正意义上的田野（如今三、四环路边连田地也很难见到，更遑论一个带"野"字的空间）。虽然高大的树木不多，但成片杂生的小树林和灌木丛随处可见，野花野草色彩动人气味清香，更可喜的是有许多池塘、溪流、小河、湿地，那里面的水生植物特别惹人喜爱，不仅有芦苇、蒲草、水葱，还有许多叫不出名字的美丽存在。也不仅是植物喜人，各种禽鸟、鱼、蛙、昆虫甚至小兽也繁多而有趣。我印象最深刻的，是有一回从水里钓上来一条从嘴边到半个身子都长着肉须的怪鱼，还看见过一条一尺长的娃娃鱼扭动着身子躲避我们滑进水里一个洞穴去了，还曾把所捕获的各种大小不一或衣着朴素或浓妆霓裳的蝴蝶夹满了一大本，又曾捉到过胖胖的刺猬，还曾把草丛里发现的一个鸟巢连其中的两只花壳蛋一起带回过家（这样的事今后无论谁当然都不能再做）……可惜到了上世纪七十年代初，先是北京的城墙、城门几乎被拆毁殆尽，后来像我上面所描绘的那种原生态的田野也萎缩到了难觅踪影的地步。1978年改革、开放以后，可喜的事物层出不穷，但随着都市的扩大，大片大片的农村土地被征用，盖起的楼房越来越多，庄稼地在四环路边几近消失，有野景野趣的自然植被空间在五环路与六环路之间也所剩无多，因此，我们不能只看到卫星城繁荣孳生的可喜一面，也该看到生态变异的可惜、可叹的一面。南方的城市在膨胀中，也不同程度地存在着类似的景象。

我们现在都懂得要维护生态环境就一定要善待野生动物，但我们似乎还不大重视善待野生植物。城市里的绿化，似乎有一条不成文的规定，就是完全不容野生状态的植被存在，比如有的公园里本来有大片植株间距不均等、树种混杂的带野趣的树林子，很美丽，也很受一般游人喜爱，但有关部门却非将其完全砍伐掉，重新等距地如棋盘格子上摆棋子般地栽种上同一品种的树木，还把树木之间的地面砌上方砖，在每团树木周围围上铁栅，如此花大价钱大力气消灭野趣，营造人工景观，不知究竟图的是什么？这样的"绿化"，是我一贯反对的，我还曾写过文章，为某公园里小山坡上每到初秋就成片开放的野生多头菊请命，认为它们有在那里生存的权利，实际上它们既娱游人眼目，散发的气息也能驱杀蚊虫，是很好的生命体，何以就非将它们刈除呢？我问过正在费劲拔除它们的绿化工，她说这是领导决定的，又说这些多头菊不是我们种的是野生野长的，令我不得要领。后来那山坡上在拔除了野生多头菊的地方补铺了一种驯化的绿草，每次再到那地方，我就总觉得不复有诗意，而是面对一篇虽然中规中矩却了无意趣的八股文似的。

城市老市区的绿化问题，这里不多作讨论。也许，在市区里适度地刈除野生植被，还有其一定的道理。但认为凡非人工绿化的地方一定都要刈野除杂，这样的观念我觉得实在应该检讨。现在规划中的北京第二道绿化隔离带，就牵扯到若干还大体保持着野生状态的植被，如上面举出的温榆河与小中河两岸的某些区域，我的观点是，野景是金，而人工营造的绿化带充其量是银，务请维护那些黄金般可贵的野生植被！野生的树木，似乎还比较能得到"手下留情"的对待，野生的灌木草丛，就很容易被一些人视为"乱象"，其实那些历经岁月考验的"杂乱"的灌木草丛才是最能固土护堆的宝贝，并且是真正富有诗意的存在。我真的很担心出现那种花费大把资金与无数劳力，去把野生植被刈除掉，把田野湿地填埋掉，刻意去铺敷人工绿地，弄些个花砖小径、亭子游廊、喷泉雕塑、健身器材，或开发为什么"人工海滩"、"郊野游乐园"，自以为很先进很时髦的那种"绿化工程"。

北京五环路与六环路之间还幸存的几片带有野气的田原湿地，站在其中往往看不到任何建筑物，看不到高压电线架，几乎看不到任何工业化的痕迹，这是多么可贵的自然绿啊，可千万不要化掉这些绿！说严重点，不懂得爱护野生植被，跟不懂得爱护野生动物一样，是一种病态的文化心理，就跟不喜欢天足而专嗜欣赏"三寸金莲"一样！

尽管在关于北京第二道绿化隔离带的规划里，已经注意到要把原有的自然植被与人工营造的植被交织起来，但我还是想强调，这种交织应该不是被动的，应该不是在歧视野生植被的前提下进行的——仿佛保留它们是出于"不得已而为之"，或仅仅是觉得这样做可以"省钱省事"。我以为，在这条新的绿化隔离带里，甚至应该有意识地培植出一些不必那么规整的，不去刻意修饬的，能在岁月嬗递中发展为野景的绿色空间。这也应是所有城市在绿化进程中都遵守的一条通则。

耳的诉求

建筑既以人为本，则应使人的眼、耳、鼻、舌、身、心全方位地获得享受。

我家附近有个鄂味餐馆，黄豆焖猪蹄、老干妈烤鱼串等菜式都很可口，价格也平易，我常在那里与亲朋小聚，那里面一楼到三楼的厅堂，总是宾客盈座，厅堂装潢得不错，菜上得快，服务也好，就是有一样：在舌苔获得快感的同时，耳朵却饱受折磨——似乎全堂人们的话语声与送餐进餐的盘碗筷勺声，都在经过墙壁屋顶地板的多次反射后，从一个无形的漏斗撒到你耳膜上，在这样的地方进餐，人们说话只能放大嗓门，而人人大嗓门的效应，更造成了耳膜的灾难。最近一位外地朋友又来北京，我在电话里约他去这家餐馆尝豉烧白鳗，他有过在那里进餐的经验，马上"啊呀"一声，然后说不如换一家哪怕鳗鱼烧得略差，而耳朵不至于那么受罪的餐馆去聚。其实，这家餐馆老板只要在装修时请一位懂建筑声学的技术员来，在屋顶墙面的凹凸布局与贴面材料的选择上作些处理，厅堂里那乱音丛聚的局面就能大大地缓解，但老板至今未对口甜耳苦的厅堂加以改进，一般食客虽有抱怨，却也未能把对建筑的声音元素的重视，提升到应有的高度。类似这家餐馆，不重视建筑的声音元素的公共场所，我还能举出若干，比如某超市、某银行分理处、某邮局等等，这些场所里的吸音、消音效果太差，以致在人并不太多的情况下，耳朵也会产生乱音难耐的不快。

也许是有相当一段时间，我们的生活普遍地粗砺化，连建筑物是否好看都顾不上，哪里还顾得上去评价建筑物是否好听？改革、开放以降，是否好看，已成为人们评价新的公共建筑的通行标准，但是否好听，一般人却以为那是针对演出场所的特殊要求，还没有形成普遍的诉求。是的，演出场所，特别是音乐厅，对建筑声学技术的要求非常高，像悉尼歌剧院，虽然其总体造型，以及与周边海岬环境的互映关系，都处理得很出色，堪称悉尼甚至整个澳大利亚的耀眼地标，它在功能设计上也竭尽全力，却仍有高标准严要求的人士一再地指出，它的音乐厅部分声音效果未臻理想，特别是大合唱队的声部层次，不能细腻地传递到观众耳中，这就是其建筑声学体现于空间设计、材料选择、细部处理等方面的缺失。一般中国人的耳朵习惯于嘈杂，不怎么挑剔，但随着生活品质的逐步提高，许多城市居民，又尤其是青年白领、灰领，包括一批大学生、高中生，耳享受的自觉性明显增强，举一个小例子：北京现在有多处星巴克咖啡屋，其中一处地点并不适中，却总是高朋满座，还有特意从远处约往那里聚会的，怎么回事儿？我曾去考察，开始，以为不过是音响伴奏音调得比较合宜，还有座位布局比较能屏蔽隐私，后来细加研究，才发现那里面的建筑声学效应非常好，是装修时特别地注意，还是由于若干偶然因素的凑泊歪打正着？不管究竟是如何达到那个境界的，那地方给人的享受中，耳享受也占一席重要地位，这是非常值得珍惜的。

　　耳享受究竟是一种怎样的享受？这是个很难用简单的话语讲清楚的。静，固然是一种享受，特别是在家里，邻居搞二次、三次装修，冲击钻的声音，磨地板的声音，入耳刺心，一边宽容忍耐，一边祈祷快点结束，一旦能静中自处，真是飘飘欲仙。古典乐音，和谐音，当然是一种享受，但对于青春期的生命而言，狂躁的摇滚，沙哑的嘶吼，也能引出浓酽的美感，不过对这样的耳享受，应该限定在隔音效果非常好的特殊空间中，嗜者自愿进入，厌者可过其门而不闻。我曾在瑞典斯德哥尔摩大学宿舍区寄住，半个月里每天路过学生活动中心，那是一栋后现代派的飞机库似的庞大建筑，四周是枯草倒伏的旷地，每次在夜里路过那座建筑，我总觉得寂静得未免凄清，有天我过分贴近了它的墙壁，于是隐约听到了一种沉闷的，仿佛一颗巨大的心脏在跳动的声音，难道这庞然大物是个有生命的恐龙吗？出于好奇，我随几个学生进入了里面，大堂灯火通明，朝不同方位可以去图书室、咖啡吧、健身房、舞蹈练功房……非常安静，那么，心跳声何来呢？后来，我跟随几个学生，开启两道错开的包皮大门，进入了迪士高舞厅，立刻，震耳欲聋的摇滚音瀑布般冲刷我全身，重锤般的电子低音鼓，就是那"恐龙的心跳"，我赶忙逃离，但不得不佩服那栋建筑在划分声音区上的成功。我们的城市在声音区域的划分上，似乎还不够自觉、严格，比如商业街道旁的音像店，把两个音箱放在大门口，不间断地大声放送狂放的流行曲，以广招徕，这对一部分路人可能是耳享受，对于另一部分路人则属于强制性灌输，违反了"多元分置"的公共审美约定。中文里有"闹市"一词，其实，市不一定非得"闹"，现在都市的中心商业区，包括步行街，在声音控制或者说声音配置上，应该首先忌"闹"，但也要注意忌"冷"，"闹"令人烦，而"冷"令人闷，所以商厦的中庭与通道设计尤其应该把握好尺度，过量地回音和过度地吸音都不好，要让进入里面的顾客耳朵，有一种舒服的嘤鸣享受。

许多现代建筑讲究切断与自然的联系，里面的气候是人造气候，楼外大雪纷飞，楼里四季如春，楼外狂风如磨，楼里全无感觉，这种智能化效果，体现出"人定胜天"的理性科学的胜利，功能性上具有相当的优势，但我以为不能成为今后我们城市建筑的唯一范式。我们中国文化讲究"天人合一"，西方也有雅人倡导"诗意栖居"，仅从听觉这一个元素来讨论，完全切断自然音就未必是"先进技术"。我曾在一家新建不久的星级酒店大堂喝茶，它的一个立面，完全是落地玻璃，气派非凡，那玻璃墙外的庭院里，设计了人造瀑布，还有池塘溪流，配以竹丛花圃虹桥，确是一幅美妙的天然图画，经理知道我也研究一点建筑美学，来问我观感如何，我告诉他眼睛的感受当然不错，但是您这钢化隔音玻璃墙却使我的耳朵不快，因为我目睹瀑布溪流却全然不能享受到它们的美妙音韵，闷闷然！他对我的反应颇为吃惊。我以为，在不影响其他使用功能的条件下，我们的建筑还是尽量不要将内部空间与外部空间全然隔断，特别是要设计出可方便开启关闭的窗户来，这里先不说气流等其他方面的因素，就耳享受而言，建筑物内的人通过接收窗外的自然音，是诗意栖居的重要一环。我们的老祖宗在春天会欣赏"五更春鸟满山啼"，夏天会品味"虫声新透绿窗纱"，秋夏间听雨丝敲出"芭蕉叶上诗"，深秋则捕捉梧桐滴露和枯荷雨声，即使到了冬日，贫困的白屋居民，竟也能从"柴门闻犬吠，风雪夜归人"的声息中感受到诗意与亲情。我不明白为什么现在只能半开启的塑钢推拉窗如此流行，全封闭的空间又为什么被奉为"高档"，而具有可以全部"洞开"的窗户的新建筑却在逐步消失，我们对自然气流与天籁吟唱难道就此渐行渐远了么？

业主、规划部门、建筑师、工程师以及各相关方面的人士，请重视这耳的诉求！

留住常态

先来看一幅照片，这是一幅当代北京的图像，摄影师参与了一次重要的开幕典礼，地点是在故宫里面，但他没有把镜头对着这次典礼的中心，而是把镜头对准了会场的一个偏角，那里一连有七位年轻的穿着统一服装的女性，她们双手捧着有待剪断的扎着大彩球的，长长的红绸的一端，静静地伫立着。我向一位朋友展示这幅照片，他一看就说："啊，准是洋人拍的！"我问他为什么作出这样的判断，他说："中国人自己不会注意到那儿，就是眼睛看见了也不会有什么感觉，产生不了拍下来的冲动，只有洋人才有那样的猎奇心理！"这幅照片确实是一位洋人——法国人戴鹤白（这是他的汉名，他的法文名字是 ROGER DARROBERS）拍的。但对这幅照片的观感，我却与那位朋友完全不同。

先从远处说起。

尽管电影、电视等动态影像越来越发达，但"呆照"式摄影仍具有不可取代的独特魅力。一般认为最早发明摄影术的是法国人尼普斯（NIEPCE）兄弟，1824年9月16日弟弟给哥哥写了一封信，保留至今的这封信里，讲述了实验用固定暗箱，使用硝酸银感光材料拍照的经过。至今法国仍是摄影大国。据现有资料，法国人于勒·埃及尔（JULKS LTIER）是第一位到中国拍照的西方摄影师；当然，这只是他的副业，他的正式身份是法国海关总检察官；他于1844年在澳门和黄埔拍了一批照片，有风光也有人物肖像。近年来又发现十九世纪末法国驻昆明总督弗郎索瓦(AUGUSTC FRANEOIS)拍摄了大量昆明以及云南其他地方的纪实照片,但他回国后这些珍贵的照片底片久被尘封,直到二十世纪末才被发掘出来,并到中国举行了大型的展览,轰动一时。法国人进入北京地区拍照也许并不最早,但后来积累的数目以及产生的影响都极大。2001 年深秋在北京孔庙举办了一个名为《旧京影像——持久的幻影》的专题展览,展出了两批照片,一批是 1909 年(宣统元年)法国人阿尔贝·杜帖特(AIBERT·DUTERTRE)拍摄的需要戴上特殊眼镜欣赏的黑白立体照片,另一批是 1912—1913 年之间法国人斯提芬·帕瑟(STEPHANE PASSET)拍摄的彩色玻璃版正片。这次展览不算轰动,有点静悄悄的味道。把这些拍摄于上世纪初中国辛亥革命前后的照片,同戴鹤白拍摄于二十世纪与二十一世纪转换期的,相隔了差不多九十来年左右的大量照片相比较,是特别有兴味的事。

阿尔贝·杜帖特和斯提芬·帕瑟的拍摄,均出于法国金融家阿尔贝·肯恩(AIBERT KAHN)的安排。肯恩立下一个志向,就是用所赚的钱,以环球旅行的方式,通过实地拍摄的形式建立他所谓的"地球档案","一劳永逸地把人类活动的多面性、操作形式和类型记录下来。因为这些必然是要消失的,只不过是迟早问题而已。"他的这项计划一直推行到了 1929 年,因银行破产才被迫中止。杜帖特和帕瑟不仅拍摄了数量巨大的照片,还拍了不少电影纪录片。从展览展示的照片上,我们会发觉这两位摄影家虽然使用的摄影器材和技巧差别很大,但他们拍出的作品却有着共同的神韵,与十九世纪末到二十世纪初另外一些在中国拍照的西方摄影师的作品很不相同。有的西方摄影师兼新闻记者,关注的是重大事件以及与其直接相关的后果,如意大利摄影师费利斯·比特(FELICE BEATE)1860 年拍摄的英法联军侵略中国的《失陷的大沽炮台》《北京联军驻地》;有的则注重戏剧性的画面效果,如美国摄影师弥尔顿·米勒(MILTON·MILLER) 的《巡视途中的广州官员》(约拍摄于 1864 年)——有明显的对拍摄对象加以摆布的痕迹,有的则刻意抓拍最奇突的一刻,如英国摄影师约翰·汤姆森(JOHN·THOMSON)1873 年出版的《中国和中国人》里面被引用得最多的那张咧着大嘴打呵欠的《更夫》;

有的确实带有一定成分的种族偏见，已经不能说是猎奇，而是通过镜头传达出一种白人殖民者的优越感。杜帖特和帕瑟的照片却基本上不追求新闻性，不注重戏剧性，更没有白人优越感的流露——他们极少拍摄在华的西洋人，更很少将其在同一张照片上与华人两相比较——而是把大量镜头对准了北京最平凡最常态的场景，从空间说往往是常态空间，从时间说往往是"无事之时"（即非重大政治社会事件发生的瞬间），从场景中出现的人物而言，往往是"芸芸众生"。他们的确忠实地履行了肯恩的指导思想——为一处空间里一瞬时间里一些最常态因而也就更具代表性的人与物留下永久性的档案，这些"北京档案"比那一时期的新闻照片以及刻意追求戏剧效果或"主题先行"的"寓意照"，在我看来，实在是更具人文价值，与其说它们是"历史的见证"，毋宁说它们是"历史外的生命存根"。

历史是令人肃然起敬的，但历史是面大筛子，它会留下最"硬大"的东西而筛掉那些"轻小"的东西。杜帖特的许多于 1909 拍摄的北京照片，对诠释大历史也许功能性极其有限，但对捕捉在那个时间段的那个空间里的个体生存的常态，引发出我们对历史之外的永恒人性的憬悟方面，却可能产生出相当强烈的冲击力。比如《正阳门大街》，在高大门楼及五牌楼的背景下，一些那一刻里正在迎着镜头行走的普通北京市民的身形面影，非常之"日常"，从中丝毫看不出革命即将推翻几千年帝制的迹象。这幅照片现在作为了为 2001 年北京孔庙展览而印制的作品集的封面，照片里那些早已不在人间的同胞似乎正从那封面上平静安详地走到我们身旁，而我们也就跟他们一起朝前走。社会矛盾的激荡会酿成惊天动地的沧桑巨变，但普通的北京人无论如何还要继续他们日常性的生存活动。帕瑟拍摄的一幅现在考证出是拍于 1912 年 6 月 23 日东便门附近大通桥上，一个支着红油阳伞的北京人的背影，就更有意思了。我们都知道 1911 年 10 月 10 日爆发了辛亥革命，正如三百多年前清朝确立，北京乃至全中国的男人都必须去发留辫一样，社会巨变也体现在了发型的更改上，革命成功以后北京及全国的男人都应该革掉"猪尾巴"发辫，一幅西方人拍的民国军人为一位衣衫不整的男子剪掉长辫的照片被长时间反复引用，那确实是非常成功的历史照，但帕瑟拍摄于民国成立后的这幅照片里，那位背对镜头的人物却赫然梳扎着光洁的长辫，而且衣着整齐，整个肢体语言可谓闲适自得。一些当代人因此判定这人该是位女士，其实此人的短打扮服装，特别是裤脚的扎法及一双白袜子和元宝口黑布鞋，加上他右胳肢窝分明夹着一件因为天气热而脱下折叠起的长衫，都无可争议地说明着他的男性身份。这张照片是历史筛子口里漏下的个案，沉默在历史的边缘，也默默地说明着许多比必须简略化的历史教科书更多的东西，你至少可以由此意会到，专制上台，会实行"留发不留头，留头不留发"的酷政，但民主上台，即使是很幼稚脆弱的民主，却不会反过来实行"留辫不留头，留头不留辫"的政策，同一空间里的人与物，似乎昭示着革命并不能马上改变什么，却也毕竟改变了什么——就是普通的个体生命可以自己选择发型，这是社会多元并存的一种契机么？当然，再后来，这样留长辫的男子，特别是青年男子渐渐绝迹，但那恰恰是非彻底强制而听由社会审美通则缓易的结果。

在杜帖特和帕瑟的北京照片里，多次出现北京市民的鸟笼，或挂在架子上，或摇晃在手中；杜帖特还专门拍过一张双手举着装妥鸽哨的北京顽主的立体照片。我们现在再来看戴鹤白的两本书里的照片。戴鹤白是位汉学家，巴黎大学的教授，而且1998—2002年任职于法国驻华大使馆任文化专员。他的《北京的街头巷尾》一书(2000年在法国出版)文字多于照片，《北京现场写真》一书(2001年在法国出版)却几乎全是照片，文字只是为了注释照片。比之于杜帖特和帕瑟，戴鹤白的优势在于他对自己镜头所对准的每一场景究竟是什么具体空间都非常清楚，而他的那两位老祖师往往只知道最重要的名胜古迹与街市，而对一般的场景就只是拍其然而不了解其所以然了。戴鹤白拍摄于近几年的照片里，继续出现着北京人与他们的鸟笼，还有游动商贩兜售的整匣鸽哨，并且也出现了冬日冰面上依然还有的简陋冰车。这是猎奇吗？要说猎奇，推动任何一位摄影师拍摄的心理动力里，好奇心总是免不了的，关键在这种"猎"有无恶意？所"猎"的"奇"是否有辱所面对的空间与异族？翻阅完戴鹤白的这两部书里丰富的照片，我的感想是，他不仅绝无恶意，而且充溢着温情的善意；不仅不会让我们中国人看了不舒服，而且尤其能令普通北京人产生出一种挚爱其生存空间的审美共鸣。他拍的不是新闻照片，不是一般的民俗照或风光照，当然更不是宣传品和广告，将其归类为艺术照也并不恰当，他所拍摄的，最恰切的说法，还是他们老祖宗肯恩的那个"地球档案"，具体而言，也就是二十世纪与二十一世纪之交的"北京档案"，更具体地说，是宏观的"历史足印"之外的，普通北京市民琐屑卑微的生活常态，这是大历史资料的积极补充，也是世代北京人薪火承传所凝结出的深厚温润的人文精神的又一次凸现。

在一幅故宫的照片里，戴鹤白拍摄下了黄瓦红墙下两位步履匆匆的军人游客，以及两位戴着大口罩拄着大扫帚略事休息闲谈的清洁工妇女身影。不变的紫禁城空间里，有变入其中的平民百姓，但无论是那好不容易有个假期进入昔日皇帝专用空间忙着观览的青年军人，还是已经对所清扫的空间了无新鲜感的闲聊妇女，他们的人生瞬间里，却又坚实地凸现着最普通的平民百姓的不变的生存韧性。在一条胡同里，戴鹤白拍摄下了某个最普通人家的一角，下部是摞起的蜂窝煤饼和冬储大白菜——这是众多北京胡同居民的基本生活能源；上部是挂着和放着的四只鸟笼——这是许多北京男性生命最珍贵的精神寄托，这张静物照让人产生出关于个体生存于社会发展互动关系的丰富联想，是的，这般简陋落后的生活方式也许将会因旧城改造而遭淘汰，但谁能说这画面里没有一种任何大历史也淘汰不了的，北京城芸芸众生朴素生存的旺健活力？戴鹤白拍了很多当代北京各个古旧的街道胡同以及四合院大门的照片，也拍了那些涂写得很大的白圈里的"拆"字标记，以及对照拆毁前后同一空间的照片；他也拍了很多新旧交错糅杂的街景，那些商店招牌以及各色路人都极富"同一空间中不同时间并存"的意趣，但他显然并不是在"后学"指引下拍摄那些场景的，他的初衷，仍是"留住常态"，即把流动着，即将消失掉的瞬间凝固，同时又坚信其中有永不会改变的人性与人情在焉。本文开头所提到的那幅照片，对"角落人生"的平实展示，正宜从这个角度去欣赏思量。对于北京城市面貌的迅疾现代化，新的高楼大厦，以及诸如东单新东方广场、王府井步行街等最能体现北京国际化进程的繁华景象万丈红尘，戴鹤白也拍得不少，但他既不像新闻宣传照片那样"剔除毛刺"，更不像商业广告那样"造梦"，也绝不故意玩弄"技巧"以营造"艺术效果"，他拍得非常真实，非常自然，构图上不排斥尚未与华丽建筑配伍的显得凌乱的电线杆和电线网，以及恰巧路过的陈旧车辆和时髦与邋遢相混杂的路人，他所追求的，就是北京这个空间和北京人在时下的常态。历史将删除这些常态中的许多东西，而将其提升为一种无疑是正确的抽象概括，并将选择最妥当的资料来证明那抽象概括。人们应当学习历史，但也还可以从杜帖特、帕瑟以及戴鹤白的这些关于北京的照片里，喜悦地遭逢许多历史来不及细琐收入，也非其特定文本的，关于城市·市民·生存的温馨诉说。就并不一定或一定不会成为"历史人物"的芸芸众生而言，为更好地度过平凡的一生，常常接触些这样的温馨话语，是非常有益的。

2001.12.1 温榆斋

我的城市文化酷评

"您觉得'大鸟巢'好不好看?"一位大学生问我。

"大鸟巢"指的是现在已经破土动工的 2008 年奥运会中心运动场,相信人们都从传媒上看到过它的设计效果图。这位大学生知道我涉足建筑评论,所以想听听我的看法。

我对提问的大学生说:"好不好看,也就是视觉享受,只是一般人评判一个建筑物的起点,有的人对建筑物的评判总停留在这起点上,再迈不出新步,更上不了层楼,起点也就成了终点,这个建筑好看,那个建筑难看,评来判去,意思不大。其实,评判一个建筑物,视觉固然首当其冲,但建筑物应该取悦于我们的,主要是其功能性,也就是好不好用,以人为本来评判建筑,那就应该从其对人的眼、耳、鼻、身、心等的感受全方位来展开探究,拿'大鸟巢'来说,对其鸟瞰、远观以及置身其中的视觉感受只是一个层面,而且是一个比较肤浅的层面,我们务必要再提升几个层面来评判它,比如,当一个观众活动在其中时,他的身体与整个运动场的那些空间的比例感受如何? 这种'比例感受'在大型公众共享空间里,对于进入者是非常重要的,如果普遍觉得'比例失当',让个体生命的身心觉得狭促,或觉得空间过大从而产生不安全感乃至恐怖,那样的设计就应该视为失败。除了这些层面以外,因为建筑从艺术构思到总体设计再进入到技术方面的落实与工程的推进,那涉及的方方面面可就太多了,其中材料的选择、运用就是一个万不能忽略的方面。何况，建筑与自然的关系，与周边已有或将有建筑的关系，也就是环境配置方面的问题，还有，单个建筑与建筑群的关系，与道路桥梁的搭配，扩大来谈，也就牵扯到城市规划问题，而且建筑特别是大型的公共建筑，里面包含的社会学、心理学等方面的问题更复杂而深刻，像业主与建筑师的关系，设计师与工程师的关系，而归里包齐，还有一个跃升至形而上层面的问题，就是建筑理念、建筑哲学、建筑美学、建筑人类学等等方面的探讨。所以，希望我们今后谈论建筑时，可以从'好不好看'入题，但绝不能停留在此踏步，一定要从这个起点辐射出去、提升几个层面，才能有较多的收获。我现在写的一些建筑评论，其实已经不是只涉及建筑，应该说是系列的城市文化批评。"

"嗬，您可真够酷的！"大学生笑着揶揄我。

我的文风，有人认为是比较温柔敦厚的，思考问题往往能尽可能多照顾几个方面，立论避免绝对化，多元、宽容的主张贯穿在字里行间，因此我的建筑评论与城市文化探讨，似乎也就很难说是酷评。其实，这些年来"酷"的流行，是从西方引进的，按我的理解，英文 cool 的原意是凉爽，后来转意为一种冷的美态，比如走猫步的服装模特，大概是为了主要以身上的时装引人，面部表情永远保持在一种冷然的状态，但人们追求时髦的结果，是不但欣赏那些时装，也欣赏那模特的冷美，后来也不仅服装模特，大凡新潮的消费文化，都推出冷美式的风格，这风格的内涵渐次增多，冷美而冷傲，冷傲而"冷眼察世"、"冷语臧否"，传到中国，文坛上出现所谓"酷评"，多以刻薄、不留情面为其特色。我以为中国的"酷评"，把"酷"的内涵限定得太狭隘了。其实宽泛意义的酷评并不一定是一味地刻薄，以羞倒对方为能事。我的这些评论，切入点相当时髦，冷眼旁观，绵里藏针，坚持个性己见，努力提升层次，从形而下到形而上，游刃不敢自称有余，但相信读者读来能有快刀切肉的感受。当然，因为毕竟只是个这方面的"票友"，外行话总不可免，而且"站着说话不腰痛"，我恳请所有读者特别是建筑界人士多多指正。

1998 年中国建筑工业出版社出版了我一本《我眼中的建筑与环境》，至 2001 年已印了四次。2004 年另一家中国建材工业出版社又将推出我的《材质之美——

刘心武城市文化酷评》，这本书里所收入的，是与那本全然不重复的近几年的新
文章。我之所以大言不惭，敢说自己的这些文章是建筑评论，是城市文化批评，
而且是更上层楼的酷评，说老实话，那心理动机，一是自问也问人：我们究竟
还要把自我收敛当做"谦逊谨慎"来相互约束到几时？反正我是不想再自轻自
敛以求一声"乖乖"的夸奖了；二呢，这是更重要的，我想现在的新建筑真如
雨后春笋，城市的扩张也真如墨泼宣纸，但我们非广告推销非宣传报导也非说
古论旧的，针对时下、直面现状的，非派领任务而是独立发言的建筑评论和城
市文化批评，不是稀少得很甚至是缺席状态吗？这几年我算是持续地进行独立
发言的一个，我抛出这些砖石，确实意在引出天女散花般的块块美玉。我的这
一企盼，一定不会落空！

2004 年 2 月 20 日温榆斋

望藕寻荷——悼孙犁先生

事有凑巧，7月10日一位喜爱文学的高中学生来找我，要我推荐一点经典作品以供暑期阅读，前提是不要篇幅太浩繁，也不要跟有关部门机构成批推荐印行的那些重复，于是我郑重推荐了中外古今的五部中篇小说，其中有一部是孙犁的《铁木前传》。孙犁的作品早就稳定地进入了中学语文课本，这个作家他是知道的，但是为什么我要把《铁木前传》跟陀斯妥也夫斯基的《白夜》那样的经典并列，他很不理解，特别是《铁木前传》这个题目，难以望文生意，似颇枯燥，特别是当他问我："是写什么的？"我漫应曰："写农业合作化初期的事情。"他睁圆了眼睛，不吱声，我就知道他心存狐疑，于是跟他说："你且找来读，读了多半会喜欢。"

没想到第二天，7月11日中午，就获悉孙犁先生仙逝的消息，而当晚那位高中生也来了电话，说一口气读完了《铁木前传》，埋怨我说："您干吗跟我说是写合作化的，我差点就没想摸它，亏得我偶然翻了翻，那文字像有磁性，一下子把我吸住甩不开了……这是篇写人性的佳作啊！"他还不知道孙犁刚刚谢世，我把消息告诉他，并说："他那在天之灵一定很高兴，因为多了一个新一代的知音。"

一般人提起孙犁，多半会马上想到"荷花淀派"，会说他的文笔是清秀飘逸的，有独特风格，这也确实是他的文学创作迄今为止所获得的一个普及性的评价。其实孙犁本人是一贯不承认有个什么以他为派主的"荷花淀派"的，把他的创作风格喻为荷花蒲柳枫叶芦荻固然并不错，却只是皮相之见。人们一般都会强调孙犁的独特，尤其是，他前期创作属于现代文学史上的抗日根据地和解放区文学系列，和比如说张爱玲那样的"孤岛"作家、沈从文那样的"国统区作家"在写作身份、创作激情等方面有根本性的不同，但他的审美趣味，却跳脱于根据地与解放区其他作家作品之外，在处理激烈的抗日题材与阶级斗争题材时，却饱蓄人情味，大舒人道怀，这样的写法，在那时真有点铤而走险的意味。实际上他坚持这样的美学趣味也很遭到过些严厉的批评，遇到了很大的困难。翻翻上世纪五十年代初的《文艺报》合订本，不难找到以读者投书形式刊出的，尖锐批评《荷花淀》的文章，认为以那样的儿女情来表现抗日斗争是一种歪曲和亵渎。孙犁在"文革"前的写作已经可以说是在夹缝中求生存，其作品大体上属于主流话语尚可容忍的一种边缘吟唱。他的长篇小说《风云初记》，可以概括为"写抗日斗争"，却没有多少刀光剑影，而且竟用了好几百字，细致入微地描写那样的时空里，一朵瓜蔓上的稚花如何静静地开放自己；他在《铁木前传》里用重墨塑造了一个小满儿的形象，那竟是一个用当时的文艺理论说不清道不明的暧昧角色。就是现在，有了许多的新理论可以拿来使用，想把小满儿这个血肉丰满的生命阐释清楚也非易事；正是遭遇写作困境而又不想妥协敷衍，他就一直没有接着拿出《风云后记》与《铁木后传》。

我以为对孙犁先生的最好忆念，就是把他创作中那些尚未被大多数人认知的美学价值实事求是地开掘出来。不要望见他这朵荷花，就以为领略到了他文字的真味。建议望荷寻藕，就是要寻觅到更硕实而深刻的东西。说孙犁独特，是把他放在同时代在同一处境下写作的作家群里考察，应有的观感。如果把他放到更宏大的世界、人类背景上细观，则会发现他的创作其实又有普适的一面，也就是说他跟张爱玲、沈从文乃至海明威、川端康成一样，因为能透过所处理的题材，所写的故事与人物，进入到人情、人道、人性的层面，所以也就进入了文学的本质，其独特性也就融汇于世界文学经典的"公约数"中。记得很早的时候读过他一篇《秋千》，要概括内容，一样可以用这样的句式："是写土改的。"具体到那写作背景，是土地改革进程里纠正"左"倾的阶段，写一个姑娘，因为她家在是应划为富农还是可不划为富农的命运转捩点上，终于还是划归了人民一边，于是她满心高兴地跟铁定是好成分家庭的女伴荡起了秋千。这篇看似平淡的作品其实浸透着人性的呼唤，可与美国作家房龙的《宽容》一书合看，在那时候能以写出发表真是个小小的奇迹，可惜作家那在阶级斗争日益尖锐化的进程中发出的尽量给活的生命以宽容的声音实在是太微弱了，不过，作为写作者，以这种作品在人类文学年轮上留下痕迹，是难能可贵的。明乎我的这个思路，那么，对我把孙犁的《铁木前传》与萧红的《呼兰河传》、沈从文的《边城》、张爱玲的《金锁记》、海明威的《老人与海》、川端康成的《伊豆的舞女》、杜拉斯的《情人》等并列，也就应该理解，那绝不是因他仙逝我才借机呈谀，实在是自己长期阅读思考的瓜熟蒂落。

　　对于孙犁先生，我只是他的一个长期而稳定的读者。开掘他的文学金矿，顺秀美的荷花摸索到那深植于沃泥中的人性藕根，寄希望于真正下扎实工夫的文学史家、文学理论家、评论家与文学教授、文学博士、硕士们。这希望一定不会落空。

2002.7.18 绿叶居

倒出一点水来好

四川文史工作者汪毅编写了一本图文并茂的《走近张大千》，前面介绍张大千时有这样一些话语："张大千……凭借手中的笔传播中华文化，为中国艺术在海外打天下，被誉为'五百年来第一人'、'东方的毕加索'、'宇宙难容一大千'、'当代世界第一大画家'……有'说不完的哈姆雷特，说不完的张大千'的美誉。"其中所引的颂赞，想必都有依据，但这样罗列出来，不知别人怎样，我的心理反应，不是生敬，却是生畏，反倒淡薄了去走近张大千的兴趣。

为了肯定一位文化名人，不把誉词说满说尽，不说到世界第一、宇宙难容的地步，誓不罢休，这已经成了目前的一种风俗。与所谓的"酷评"，相映成趣。

汪毅这本关于张大千大师的书付印前已经有了三篇序：四川省副省长李进的，文史专家钱来忠先生的，以及他的自序。关于张大千大师是何等伟大，以及汪毅在评介张大千大师的"话语权"方面是何等裕如，看了那两篇序当已了然。但汪毅还是命我再作一序。我想了想，觉得也好，干脆我就来篇"倒出一点水来"的序吧。

小时候帮母亲烧开水，开头我总把铁水壶灌得水顶壶盖壶嘴流汤，母亲就告诉我那样不好，水难烧开，而且还可能烧到半当中，溢出的水便浇灭了灶火。灌满水壶后，要倒出一点水来，才利于把水烧开。水烧开以后，我帮着灌热水瓶，开头也总是灌得满满的，塞上软木塞后，一些热水就溢出来，偶尔还烫到自己的手。母亲就又告诉我不必把水瓶灌得那么满，一旦灌得太满，就应该倒出一点水来，再把软木塞盖上，这样保温效果更好，也更卫生。后来我遇到别的事情，也经常想起母亲那"倒出一点水来好"的朴素真理，尽量把事情做好，但不求把事情做满；追求美，但不企求完美。

我想，帮汪毅稍稍地"倒出一点水来"，也许有利于读者更愿意接受他的这本书。于是，我这样写道：我因祖籍安岳县现划归内江市，能以忝列为大千大师的同乡外，其实真没有什么下笔的由头。坦率地说，我对大千大师的了解，浮泛得很，他的画作，只看到过一些印刷出来的缩小样例，他的诗词文章也读得很少，当然更不可能品尝到他烹调出的美味。但正因为原来离得远，所以对能以在汪毅引领下走近这位文化伟人，产生出跃动的急迫感与莫可名状的大兴奋，我想这也是许多像我一样的普通人的共同心情。对于我这样的普通人，正襟危坐地向我们宣谕大师的伟大，未必能引出心灵的震动。越是强调其天下无双、世界第一，倒可能越会让人敬而远之。忽然想到 2000 年在巴黎参观毕加索博物馆，既设专馆，敞门迎客，当然是因为觉得其人伟大，其作品精彩，走进去参观，即使是作为外行匆匆浏览，也不免满眼生辉、肃然起敬，但那馆里的种种文字介绍，无论引言还是个案分析，不但没有宣称他世界第一或西方第一的内容，倒还把某些对他的争议明示出来；在馆中售卖纪念品的地方，当然主要是陈列他的作品的复制件，但也兼售其他画家作品的复制品，一位售货女郎笑对我说，毕加索创作上太不节制，因此不是所有作品都好，见我挑选画册，她向我推荐马蒂斯的，说她认为马蒂斯比毕加索更精深。毕加索博物馆的这种气氛，使我感到特别舒服，因此我去了还想再去。也许那就是一种让人走近毕加索的巧妙手段。伟人存于世时是一个活人，活人就有缺点，有不足，而且会有争议，其人仙逝后，最好也还把他当做一个仍然活泼泼存在的生命，仿佛就在我们身边，不仅令我们钦敬，也令我们感到亲切。古今名人，哪位不是有缺点、有弱点、有争议的生命实体？倘若先把对文化名人的评价推到极致，吓得我们芸芸众生双腿瑟瑟，那就只有远远跪下的份儿，哪还可能一步步去走近？汪毅对张大千大师的评介，体现在他一系列文章，包括此书的自序里，那是非常之高的。那当然都是出自汪毅真挚的胸臆。但这本书里的主要文字，却又以"打油诗"的形式出之。这就是汪毅的高明之处。按说，大千大师之伟大，唯有以悲鸿大师那样古奥高雅的文体推介，方堪匹配，如以诗的形式出之，要么仿屈夫子骚体，要么仿盛唐古风，再要么仿莎士比亚的"商籁体"，怎能公然"打油"？但恰恰是这一表现形式的选择，一下子让我们觉得大千大师是一位跟我们一样，离油盐柴米酱醋茶很近的，活泼泼的生命，他那获得永恒的生命不仅可以供我们钦敬学习，更可以引为我们的芳邻甚至挚友，一起经历人生的悲欢离合，一起享受人间的风花雪月。为此，我由衷地向广大读者推荐此书：这一回，我们真个是能切切实实地走近张大千了！

　　汪毅的这本《走近张大千》由四川大学出版社相当精美地印制出来了，他把我的序收了进去。电话里我问他究竟对我这样写序是否内心里真能容纳？他作了肯定的答复。但是翻看了全书以后，我却还是觉得，他如果能再"倒出一点水来"，那会更好。

酷评与暗算

问：你对酷评怎么看？

答：是各种批评文本中的一种具有刻薄风格的文本。

问：你遭遇过若干次酷评，心情如何？

答：刚看到自然不愉快，但多半很快释然。

问：真的吗？如果那酷评攻其一点、不及其余，刻薄过头、人身攻击，你也能够释然？

答：攻其一点、不及其余是酷评的常见手法。人们常要求批评者全面，其实真正的全面只是一种理想，能够尽可能顾及多个方面就很不错了。片面的批评不一定都是酷评，捧场的批评往往要比酷评更离谱。酷评者的片面往往是天真烂漫的，像顽童恶作剧，抓到写作者的一点纰漏，会高兴得跳起来，从那一点生发出许多的攻讦，你读那文字时会感到他在心跳加速：啊呀，你这么个（名人、大家、当红者、暴发户……）也有今天！我可得好好消遣消遣你！……如果被他抓到的不是一般的纰漏而是不小的漏洞，那他简直就要连续后空翻好多个了！酷评者多半是精力旺盛的人士，生理上心理上都有富裕的热量需要挥洒。纵观当今文化界的批评状况，其实谀评的量是最大的，那不是攻其一点，而是颂其一点，不及其余，读来令人肉麻，远不如酷评可爱。其实现在酷评的数量也还很有限，因撰写酷评而引人瞩目的堪称酷评家的人士也还不多。你说刻薄过头，不知那"头"如何厘定？人身攻击,那是有法律标准(至少是司法解释)的吧? 我虽遭遇过刻薄的酷评,却没觉得人家的文字构成了对我具有法律意义的人身攻击……

问：从实招来,你就不记恨那对你刻薄酷评的人吗?

答：恨当然恨,就是刚读到那文字时,觉得"刁民难缠",如果人家恰恰抓到了自己真实的疏漏,就想你怎么就忽略我还有那么多的真知灼见呢? 如果人家是夸大、变形了事实,那就更牙根痒痒,委屈,怨怼。但我真的只是恨那么一阵而已,从不记恨。我基本上没有还击过,倒还写过鸣谢的文章。鸣谢,就是人家虽然刻薄,但总归对自己起着提醒的作用。

问：你怎么能做到这一点?

答：因为如今的酷评,百分之百来之民间,无论它怎么个酷,不影响我每月领工资,也不影响我投稿挣稿费(甚至因为有那酷评,本已边缘化的我,还会被传媒短暂地唤回到中心,甚至约稿反多起来),当然更引不出什么运动,什么斗争,更株连不到同类和家属亲朋,更何况酷评是在公众话语空间里进行的,是明枪不是暗箭,往往我自己没有回应,另外的好事者却出来说公道话了,过段时间,回味起来,遭遇酷评竟跟中了一张怪彩票也差不多,说是怪彩票,就好比中了个让我去免费蹦极跳的奖,我连过山车都不敢坐,怎敢蹦极? 但这事情毕竟变得有趣起来。我有时候会跟武则天一样……

问：就是读到骆宾王起草的讨伐她的檄文里"入门见嫉,蛾眉不肯让人;掩袖工谗,狐媚偏能惑主"的超级酷评,不但没有气疯,反而扑哧笑出声来?

答：正是。酷评的文本大多有特点,里面常有极其有趣的逻辑、文句,令人忍俊不住。酷评多半也就是趣评。酷评我的那些文字,当然多半是时过境迁以后,回忆起来时,才进入到"审趣"这个境界,会不禁微笑感叹：亏他想得出、写得出啊! 好玩,真好玩!

问：读那些酷评他人的文章,你会不会有快意?

答：我的人性也存在阴暗面。如果被酷评的是我喜欢的人,我会反感。但如果被酷评的是跟我不相干但知其大名的人,则会有快意：噫,您也总算遭了一回嘘吧？可见这世道对每一个人来说，都并非是毫无缺陷。我承认我读某些跟我无涉的酷评时会跟着那酷评者的文字欢快游动，仿佛在人造海浪里玩耍，又仿佛吃一锅麻辣烫，欲罢不能。当然，那只是一种肤浅的快感。到头来，酷评并不能影响我对那被评论者的社会性总体评价的认知。

问：这么说，你还是相当地贬低酷评的价值。

答：我是不能高估它的科学性价值。这也许能引出酷评家的一篇新酷评来。但我其实想说的是，在我们的公众话语空间里还存在着某些不该有的禁忌时，酷评起着宝贵的刺激作用，在这种刺激下，也许我们的公众话语空间会得到展拓。我这样评估酷评，难道不是又会让另外一些人士觉得是赞扬过头了吗？

问：真所谓好人难做。

答：我也不想充什么好人。做个正常人吧。

问：你几次提到公众话语空间，又是什么民间话语空间，又说什么酷评是明枪不是暗箭……这里头是不是还藏有别的意思？

答：有点别的意思。我想我能容纳公开的，来自民间的明枪（而且所发的子弹并不能使人伤残致命），那是因为，我在人生历程里遭遇过暗算。最严重的有两次。相隔恰好三十年。一个社会作为一种复杂的存在体系，当然不会只有明处没有暗处。有的暗处，有的暗箱操作，甚至可以说是社会的一种正常状态，比如军事机密什么的。我说的暗算，与此类事物无关。青年学生，文化人，关心政治、自愿参与政治，目的应该是推进社会进步，使其更公正、民主、健康，利用依附政治的手段揣肥自己，如果不主动害人，虽可鄙，我也不一定恨他，但是有的家伙利用政治情势来暗算同类，企图"以人血染红顶子"、"卖人肉包子"，这我就一定不原谅他。当然，时代在进步，政治也在进步，如今搞政治暗算的小人得逞的几率是越来越趋小了。不过，我也还在留神。诬陷性的"小报告"，一度是暗算的重要手段。想起这种暗算的阴骘，抚摩着自己心灵上因暗算所留下的伤痕，我就觉得公开性的民间话语中的并不具有实际杀伤力的酷评文字，其实真是可爱！甚至可以说，它的出现是社会进步的一种象征，是文化发展中的一种基本健康的制衡力。有什么刻薄话亮到桌面上嘛!

问: 你就不怕你这种态度, 会招来大批的酷评吗?

答: 野老与人争席罢, 海鸥何事更相疑?

2003 岁尾温榆斋

我是怎样的一个瓶子

去冬在北欧访问，偶然读到了现定居德国的台湾女作家龙应台的一篇文章，题为《一个装满了中国中国中国的瓶子》，那文章讲到有从中国大陆去德国和奥地利访问的文化人，在她接待他时，不管什么时间、什么场合，那被接待者总絮絮叨叨地跟她讲些有关中国大陆政局的事情，似乎除了那一话题，心里头再无别的存在。其中有一个细节是：龙应台陪他去参观某处市容，正兴致勃勃地给他指点：那边便是卡夫卡的故居……他却充耳不闻，亦视而不见，只是缠住龙应台问她对中共"十四大"的新班子作何感想？龙应台因此很不以为然，龙应台说，她发现不止一个中国文化人已成为了"一个装满中国中国中国的瓶子"，那瓶子被单一的意念塞得满满的，简直再没有容纳别的东西的空隙，而且所谓"中国中国中国"的意念，在龙应台看来，全是"政治政治政治"。她对这样的文化人非常失望，她觉得一个中国人如比喻为一个瓶子，瓶肚里当然不能无中国，但不能光是"中国中国中国"，尤其不能光是"政治政治政治"，她很惊异于一个中国文化人怎么会对卡夫卡故居漠然到那种地步。她以为一个中国文化人也应是一个世界文化人，应是一个既装有中国更装有世界的"瓶子"，而且那"瓶子"里应该装有更多对人类文化积累起过作用的例如卡夫卡那样的人物的名字，不必塞满了当前政坛上的这个那个的名字，尤其不必一天到晚在那里臆测谁谁会怎么怎么样……

读完龙应台的文章，我不禁莞尔一笑。龙应台虽然近些年也来过大陆，我与她也有过一面之缘，但她与大陆文化人之间的隔膜，是厚重的、难以穿透的；其实她自嫁给欧洲人定居德国以后，对她生长与成名的台湾，亦已渐渐生疏，前些时台湾的一位作家来北京，我问他龙应台的文章现在在台湾发表的多不多，他说已不多，因为台湾变化得也很快，即使议论台湾，龙应台也在渐渐失掉资格。

细想起来，龙应台的"瓶子论"尽管尖刻，而且很可能她与那位同临卡夫卡故居大陆文化人之间存在着误会，但她倒也戳中了一些（包括我自己在内）大陆文化人心理结构中的弊端。我们的确常常把自己的思绪过分集中于既大而又并不得体的问题上。求大，往往便会显得空；如果不空，又往往过于沉重，超过了一介书生能负载的程度；并且因为所焦虑的问题往往大大超出了自己的专业范畴，因此后果是既解决不了问题，又丧失了在本行业中的优势。

我去北欧访问，第一站是挪威奥斯陆，应邀住在奥斯陆大学东亚系主任何莫邪教授家中，何莫邪是德裔人士，他的夫人则是丹麦人，因此在他家里我们听到的那些外国语便都非挪威语；何莫邪精通希腊文，但他主攻汉语，是汉学教授，"何莫邪"便是他以音近原则为自己取的汉名，我笑说他应是一女士才对，因为根据中国古籍记载，干将为雄，莫邪为雌，因此他是一柄"雌剑"，他笑说前面有一"何"字，所以语意可解释为"哪里是莫邪？"因此便"负负为正"，归回雄性了。

在何莫邪那间地下室的房屋中，我们言谈极欢。当然他也难免问几句中国的政局，当然我亦少不了跟他说"十四大"明确了进入市场经济的方向，但我们双方都自觉地意识到，各自绝非可以代表更绝对不能左右中挪两国政府的关系，因此我们便很快进入"书生议论"。我跟他讲到对本世纪初挪威表现主义绘画大师蒙克心仪已久，他说将立即派他的助手第二天陪我去蒙克画廊观赏那里珍藏的原作，并建议我看完蒙克再去看雕塑大师维格兰的一组园林巨作，其中最主要是由无数个人体构成的"生命之柱"。我知道他的汉学专攻方向是先秦文献，并以研究《韩非子》而名声卓著，并知他有一极为偏激的观点，就是认为佛教传入中国后，汉文化便趋向紊乱以致衰落，终至"无足观"地步，因此便有意问他是否全然不读中国现代、当代的白话文？他便拿出大量私藏的丰子恺著作和画集让我翻阅，说现代、当代中国文化人中他独钟情于丰子恺，且有专门的论文论丰氏的艺术境界，我便笑他何以如此自相矛盾，因为丰氏后来皈依佛门，画中充满禅意，不是佛教东传败坏了汉文化么？怎么又把丰氏作一"败坏"中的例外，他便笑谈问题不那么简单，需坐下来细细商量。

早有多次出洋的朋友跟我传经："你无妨同国外的学者谈论最大的问题，而千万不要轻易地同他们议论具体的小问题；因为大而空好应付，且可频占上风，精而细我们便难免露怯，起码将非常之吃力！"果然，泛论"中国是否会越来越开放"容易，一旦何莫邪问我："你觉得中国人讲话里的插入语为什么总体来说比较少，而英语里的插入语就那么常见？这反映出了怎样不同的民族文化心理结构？"我便顿觉没词儿；但当他问我"地下"这两个中国字重读和轻读的意义区别时，我倒能细细地告诉他："重读时，如'地下铁道'，'地下'指地表层下面；轻读时，如'针掉到地下了'，则'地下'指紧贴着地表层上面。"他说正在写一部书稿，帮助欧洲人学习汉语，里面有一章是专门讲汉语发音的重读和轻读所形成的含意差异的。学问抠得这么细，确是瓶肚子里只装着"政治政治政治"（或改为只装着"下海下海下海"、"赚钱赚钱赚钱"）的文化人们难以顾及的。

在丹麦哥本哈根，哥本哈根大学东亚系汉学专业的一位女士，名叫朱梅（自然是她为自己取的汉名，本人系一金发碧眼的正宗丹麦女郎）陪我四处参观，她的研究题目是《最早到达丹麦的中国家庭》，不算冷僻，但她那位德籍男友，是从德国海德堡大学来的，所撰写的博士论文题目可够让我吃惊的了——《中国汉字里究竟有多少个表示烹调的动词？》老实说，我吃了半个世纪的中国饭菜，学会认中国字也总有四十多年了，又已发表了四百多万字的作品，却实在回答不出这个问题；可是朱梅那位男朋友偏递给我一张类似"盖洛普测验"那样的答卷，要我不查字典顺手写出一系列有关的动词，结果我当时只写出了"炒、煮、烧、炸、蒸、焖、熬、涮、烤、烩、煎、炖"十二个，他看了以后非常感谢我，说已从遇到的华人中回收了大约二十几份这样的答卷，如果凑足一百多份，则可用电脑统计一遍，看哪些动词最深入人心，说是可以从中发现中国人的饮食心理；说完又细问我"余"和"焯"是怎样的意思,边听边打开笔记本细细地记录下来。

在瑞典斯德哥尔摩,一位汉学界权威对我说,他极欣赏几位七十年代末出现于中国诗坛的现代派诗人,他们的诗才令他钦佩,他自己动手翻译过他们的不少诗,与他们的私人情谊也甚笃,但令他困惑的是,当他向这几位诗人推荐上半世纪例如冯至、卞之琳所写的现代派风格诗作时,他们竟无动于衷,他们连卞之琳的名句"你在桥上看风景/看风景的人在楼上看你/明月装饰了你的窗户/你装饰了别人的梦境"都不知道也不想知道,言下之意,是这几位诗人未免是一个个装满了"自己自己自己"的瓶子。装满了"中国中国中国"的瓶子和装满了"自己自己自己"的瓶子,看来都容易招人訾议;当然,自己的瓶子装什么,别人不好强求,无妨"我行我素",但要想成为一个既体现中国民族特色又深入世界文化和人类共识的"瓶子",当然还是不要把单一的东西填满肚为好。

其实就个体生命这个"瓶子"而言,更要紧的是必须装有属于自己独特性格和见地的东西。我是怎样的一个瓶子呢?自己不好作鉴定。在北欧访问了一个多月,频频接到德国海德堡大学发出的邀请,校方的信函、电传、电话从斯德哥尔摩一路追到隆德,追到哥本哈根和奥胡斯,言辞恳切,情真意挚,让我一定顺道访问德国,费用他们全包,可以从德国再返回瑞典,也可以从德国直接回到中国,但我已经倦游,想到自己在北京那小小家庭的一窗温馨灯火,心头便幽幽然升起思乡意绪,因此便婉谢了;婉谢后才想起龙应台正住在海德堡,如果去了,恰好由她评定一下我是一个装着什么什么什么的瓶子,当然我也要冷眼静观她本人究竟是怎样的一个瓶子,这必定非常之有趣!

1993 年 2 月 1 日于北京绿叶居

经意的和不经意的

1月初应《中国时报》"人间"副刊之邀，赴台北参加了"两岸三边华文小说研讨会"。在台湾每日活动排得密密麻麻，晚上常常只睡三四个小时，印象纷至沓来，思绪前淤后涌，现在回到北京，真不胜"两岸猿声啼不住，轻舟已过万重山"的倥偬之感。

但这个小说研讨会渐渐在成为一桩往事，它会在与会者的记忆中日见淡化，当然，不会消弭，因为无论是主办者还是参与者，都是尽心尽力地投入这个充满前瞻性的活动。

经意的一面，已体现于现场录像（会长期保留）、文稿（会结集出版）和那一周的时报版面上（比如，对我，1月10日的"人间"副刊就出了一整版的评价，有大幅照片、书影、著作要目、我谈创作的文章、我的新小说《贼》及台湾评论家陈信元关于我的论文）。

为主办者、与会者，包括我自己的经意而自豪。特别是那落点，确是扎扎实实掼在了文学上。那大家经意夯下的铁饼，起码对于我，是坚实了用华文继续写雅小说的信念。

回到北京，却更对那些不经意的交流和碰撞，有如台湾奇果莲雾在口，回味无穷。

在研讨会的会场——诚品书店的"艺文空间"，研讨略作休息，同恰好坐在旁边的女士不经意地交谈,她闲闲道及一种心境,在她来说,或已属"老生常谈",在我听来,却不啻方外之音;短暂之间,使我憬悟:双方的心灵隔阂,由于久无促膝之机,已被时空磨出老茧;而一旦可以无猜无忌,相对交流,又很容易激发出破茧的闪电,冲开隔阂,虽尚不能达于通体的理解,倒也洞见底蕴,在这个波诡云谲的世纪中,作为个体生命,我们都存活得很不容易,我们的生命曲线可能大异,心路历程更各有隐痛,而在探求突破个体生存困境、向往群体生存佳境的热切与韧性上,我们一定能够找到足够的契合点。

在游览阳明山的车途中,我不经意地向人间副刊的焦桐先生提及了八渣,八渣是我北京的一位市井朋友,他一只手失去了两根手指,八渣是北京话"八指儿"的快读,当然是他的绰号,他是离我住处不远的街头的修鞋匠,我在台北街头看到了修鞋匠,他们的摊儿与八渣的摊儿何其相似乃尔,一下子让我想起了北京的八渣,真是"人们到处生活",在政治家们忙于他们的宏伟大业,我们写小说的煞有介事地铺排字串时,北京和台北的修鞋匠却质朴地面对他们相似的艰辛人生,俯首修鞋……几年前,有一天八渣从别人包鞋的一张报纸上,看到了一篇严厉批判我的文章,那样的文章在那时是不容我还嘴的,于是当八渣看到我在街上走时,就弃鞋摊赶到我跟前,又把我拉到僻静处,对我说,如果我困难,他就把我安排到他老家去住,那是一般人轻易找不到的山旮旯……我握住那只有八根手指的双手,一时说不出话来,那样的批判并未给批判者姚文元式的辉煌,因此我并用不着遁往深山更深处,我近年还能获准到瑞典去聆听诺贝尔文学奖得主的演说、到台北去研讨小说,这两年更出版着大本的著作……可是当时八渣对我的呵护,渗入我的魂魄,以致在台北的游览中,我竟不经意地讲起了他。当时焦桐先生像是很感兴趣的样子,我不知他如今还记得八渣这个怪名字否,纵使他忘记,我也很为自己的不经意流露而自得,我把这也看成两岸三边小说研讨会于我心灵的滋润——它调动出的是关于使我在人生和文学的双重跋涉中都极宝贵的思绪。

台北的朋友们,在短暂的相处中,也不经意地把他们的人生鳞片和思绪,无粉饰地展示出来，或指点车窗外某处，告曾大醉卧于那厢树下；或酒后脸儿通红地说，为什么竟已年过卅五，如何拾回那逝去的青春？……我以为这些不经意与那经意处整合起来，构成了一阕令我永难忘怀的交响诗。

1994 年 1 月 24 日

北京绿叶居

艳羡诚品

诚品是一家书店的名字，更准确地说，是诚品集团下属的一个书店。

这书店在台湾。

台北的夜生活，充满了声光色电的感官刺激，乘车在夜台北游逛，会有整幢高楼的楼面以扫描式灯幕的灼闪令你吃惊，那当中有一幢就是诚品集团的大厦，可是我说的那家书店不在那幢大厦里，而是在敦化南路的圆形广场一侧，那里有一栋中等规模的楼房也属于诚品，其底层和地下层就是我所羡慕的诚品书店。

既是书店，自然有相当的空间用来卖书，这家书店只卖雅书，尤以社会科学著作和文艺作品为重，文艺书又更以艺术类的高档精美画册为主；书籍的陈列不仅取开放式，而且厅堂布置典雅庄重，服务态度更令顾客感到愉悦温馨，这倒也还不足为奇，这家书店除了卖书，还附有设备先进的"艺文空间"，有画廊可供艺术家展览创新之作，有咖啡室可供文学艺术家促膝谈心，有西餐厅可供雅客享受"情调餐"，有庭院可供雅人在遮阳伞下小憩……更不简单的是它有面积相当大的多功能厅，可供举办一定规模的艺文活动。

由台湾最大的报系之一的《中国时报》的"人间"副刊发起主办，得到台湾当局"行政院文建会"赞助，别开生面的"从四十年代到九十年代——两岸三边华文小说研讨会"，便得到诚品书店协助，在它敦化南路店堂里的"艺文空间"举行，时在 1994 年 1 月 8 日、9 日两天。

我和柯灵伉俪、汪曾祺、李锐，作为大陆的小说家，参加了这个研讨会。

在诚品书店最大的一个活动厅里，布置出了研讨会的会场，整个会场的四壁是一个"作家群像"摄影展，全部作品均系台湾备受人们注目的摄影家何经泰的作品，受到邀请的两岸三边小说家，包括因故未能到会的大陆作家莫言、香港作家西西，每人都有一大一小两幅不同的艺术肖像照悬挂出来，大的那幅，足有门板那么大，虽是黑白照，却比彩照更毕现每个人的性格光晕；何经泰为拍这些照片，还特意先期来到大陆和香港，为拍莫言和李锐的肖像，不辞辛苦地深入到山西和山东的农村，会场上挂出的莫言肖像，便是在莫言老家高密拍的，自然是从不知多少张里遴选出来的一幅，又作了精心的剪裁，像真人那么大的莫言影像，以一种令人不忍多视的深邃目光 . 坦然地望着会场，这样大家就觉得他并没有缺席；在清晰得毛发宛然的莫言身后，是轮廓模糊但生命力勃然的乡人身影，据说其中的大汉便是莫言的父亲。这样的镜头语言是质朴而又蕴藉的；同样，香港女作家西西的仰拍的肖像，她的头部，叠着从一侧旧楼顶部刚露出巨大身躯的飞机，赫然凸现着香港人文空间的局促，这并不是一幅用特技手法制作的艺术摄影，去过香港的人都知道，在狭窄的启德机场升降的大型客机，确实就是如此这般地"在人的头顶飞过"，这是一幅白描手法的摄影，这些作家肖像照与诚品书店的整体氛围很协调，或者反过来说，正因为事先知道有诚品书店这样一个高雅得以素白调子取胜的展览空间，摄影家才决定了以低调的黑灰色作品来寄托他对各位作家艺术个性进行探索的总战略。

何经泰告诉我，他喜欢诚品，他为自己的"作家群像"能这样展出而得意，他来北京拍照时没找到我，我的像是在台北才拍的，他拍我正从一个帷幕里向外看，很自在的样子，不是窥视，而是"像猫一样安静地旁观"，我不反对他这样诠释我的艺术个性，近年来我确实是在"边缘化"，越来越趋向于在中心外作冷静的观察，当然，血还是热的。

诚品的财力，也体现于最现代化的活动设备，研讨会一边进行，一边现场录像，会场一侧有超大屏幕电视机，离发言者远的尽可从屏幕上的大特写细赏发言者的风采；在"艺文空间"外面的走廊上，又有一个相连的超大屏幕电视机，来买书的顾客，也可顺带听几耳朵里面的讨论（往往"唇枪舌剑"，颇为激烈），如果大感兴趣，也可干脆进去参加（研讨向社会开放，与会者都可自由发言，不过每人每轮限时五分钟），在书店大门外，橱窗里也有一台同样的电视同步播出实况，也吸引了不少偶然路过的行人驻足观看。

这家书店的女经理看起来很年轻，气质很好，我最怕编书、卖书的女性或带官场气，或一副"公关相"，她无一丝那样的瑕疵，会议小停，她很自然地过来同我交谈，没有"第几次来台湾呀？""印象怎么样呀？"一类的套话、淡话，而是开门见山地就前面会上的某个发言作实质性的探询，几句对话后，我们便找到了可以进一步相互不是矫情地求同，而是真诚地探异的"接触点"，后来我们又谈过两次，深感在不同的人文环境中，两岸的知识分子其实很应该率先弄清"我们的想法究竟有什么不同"，才不至于总是瞎子摸象，其实充满了"误读"，却侈谈什么情谊，当然，这需要更多的接触、交流、研讨。

诚品书店的硬件、软件，都是一流的，"诚品"这个符号也好，作为大企业的名字，它也许主要体现"品质无欺"的含意，作为书店，则又有"以真诚之心，品味高雅文化"的喻意。

据说台湾也是在经济发展到一定程度之后，才出现了这样富而思雅的资本家，现在的第二、三代经营者，有的本身已是有硕士、博士学位或能身体力行的艺术家，诚品集团开诚品书店，已意不在钱，而是自觉地要为社会，提供一隅雅人聚会切磋雅事的高雅空间。

大陆现在或者已有初露端倪的类似地方，不过，我们充耳所闻，乃至亲眼目睹的，大多还是败兴的景象，例如把本来还不是那么高雅的书店，也从一条街上挤掉，使卖书的空间为零，所以我对台北腹诽之处不少，却独羡诚品书店，而且不是一般的羡慕，达到艳羡的程度。

我有一个梦，你别猜。

等着！

1994. 1. 28 台北归来

会议揿铃人

今年 1 月初，我和柯灵伉俪、汪曾祺、李锐同应台湾《中国时报》"人间"副刊邀请，赴台北参加了"两岸三边华文小说研讨会"。去前，看日程表，研讨会只有两天，不禁纳闷：请了这么多作家、评论家还有可以自由发言的听众，两天的时间，才够几个人说话呢？研讨会在台北有名的诚品书店举行，该书店里有宽敞、雅致、设备齐全高档的"艺文空间"，为举办这个研讨会，四壁挂上了摄影家何经泰拍摄的与会小说家的肖像照，每幅都有一米五见方，照旁还有作家主要著作的封面和书目；在标明研讨会名称的正面，有一排长桌，根据会议日程，与会的作家、评论家和主持者轮流按指定位置就座；供来宾就座的椅子约有三百来个，研讨会期间基本上是座无虚席；许多来宾是闻讯而来的自愿参加者，在一个"时间就是金钱"的社会中，居然有那么多人牺牲时间还倒贴金钱来听文学讨论，实在是难得的盛况，后来我发现诚品书店在"艺文空间"外的走廊和临街的橱窗中，还放了两台超大屏幕的电视机，同步播放会场情况，吸引了不少进书店买书乃至仅是偶然路过的行人驻足观看。

会前，每位参加者就都收到了研讨会的"发言规则"，甫开会，主持人又加以重申：小说家谈自己的创作经历和小说观，每人限一刻钟；评论家对指定的小说家的创作特色作讲评，限定十分钟；然后进行的讨论，任何人都可发言，但只限五分钟，而且每人每轮只能发一次；开头，我也没在意，谁知一进入研讨，便有发言者煞不住话匣子，正当发言者谈兴方酣时，忽闻铃响，于是主持人便客气地中止发言者的发言，发言者虽觉意犹未尽，也只得作罢，这一"游戏规则"，在这次研讨会上贯彻得极为彻底，不因远客或前辈而通融，对我这个大陆作家来说，颇觉新鲜有趣。

后来，我注意到每场会议，在前面长桌的一头，都有两位小姐端坐，她们面前的标识牌上写的是"记录员"，可是却不见她们动笔写字，也不可能是在录音，因为台下有专门的录音摄像人员，那么，她们记录什么？原来，她们是看表计时，并在发言者超时后揿铃的。会议设揿铃人，以控制与会者的发言时间，是不是有点"过家家"的"儿戏"感？我在开过一个上午的会以后，便深为这一"游戏法"膺服，因为这样一来，发言者必注意早做准备，那种"我本来不想发言"、"我同意刚才几位的意见"、"我说不好，耽误大家时间了"之类的废话，自然都免了，开口便直抒己见，与人重复者不说，说不清的不说；这样把会开下来，半天里不仅可有三四位作家发表极有个性的见解，三四位评论家言简意赅地发表泼辣的讲评（绝非一味吹捧，有的竟是给予作家作品极尖刻的"定位"），而且对每一组作家、评论家的发言，都可以展开相当激烈的争论，每一轮的"唇枪舌剑"都至少有七八位来宾上阵，在有限的时间里，使与会者获得了极丰厚而又多方位的信息，激活了思路，留下了厚味，绝无沉闷感，充满了活泼的张力；两天下来，会议的预定日程和目的竟都圆满达到。

我参加过我们大陆这边无数的讨论会，固然我们的讨论也有我们的某些优点，但由于发言不限时，或主持者虽有"尽量简要"的呼吁，却无会议揿铃员的设置，所以，经常是被某些人滔滔不绝的发言所垄断，或"车轱辘话"来回转，或言不及意，或与前面发言者所说无异，或摆老资格，或作"名士"态，或大长句、修饰词过多，或充满破碎的句子，凡此种种，常使与会者昏昏欲睡，说者如自娱，在座者不打瞌睡便交头接耳另辟"分会场"，或"抽签"频仍，或东倒西歪，一个上午，往往只有几个人得到发言机会，兼以论资排辈，有时竟很难听到新生代活泼锐利的声音。

为提高我们的各种研讨会的质量，我以为，像这次我们所参加的两岸三边华文小说研讨会那样，在会前对发言作出适当的限时规定，在会上设揿铃员，实行时无论远客名流老者女士概不通融，实在是一个绝好的办法。

1994 春

乱舞之后

八十一年前的暮春之夜，法国巴黎最豪华的香榭丽大街，落成不久的剧院门口，等待散场的马车夫们正在驭座上打瞌睡，忽然有人冲出了剧院大门，高喊着："打起来了！"惊醒了马车夫们，使那个夜晚，顿时充满了诡异的色彩。

那一晚，香榭丽剧院首演据斯特拉文斯基作品编演的芭蕾舞剧《春之祭》。巴黎许多的文化名流和高雅观众都出席观看。第一幕《对大地的崇拜》，其乐音的超常——无旋律、大噪响，已使四座失色，到第二幕《祭献》，不仅其乐曲令众多观者起栗，那台上的舞蹈更令人骇然，于是某些观众禁不住发出了嘘声，继之又大喝倒彩，但场中偏有一些激烈的捧场者，多是年轻人，他们便起来与前者对嘘，继之又对骂。反对者狂怒中向台上投掷杂物，拥护者便上前与他们扭打，又由少数人冲突，发展为多数人失却理智的卷入……

冲突中，坐在台下的斯特拉文斯基被反对者认出，他不得不抱头逃离剧院；陪他观看的作曲家拉威尔，虽连嚷："这不是我作的……"也还是很挨了几拳头；而编舞者尼任斯基不仅没有紧急闭幕，还兴奋地跳上侧幕旁的椅子上，挥动双手，大声地喊出拍子，鼓励台上的舞者继续乱舞；至于芭蕾舞团总监嘉吉列夫，据说他在后台搓手大喜，因为那些年轻的拥护者，是他有意赠与剧票，怂恿他们在一旦保守者聒噪时，跳出来闹事的……

八十一年过去，尼任斯基的编舞已经失传，其前卫性（或叫先锋性）究竟达于什么程度，何以使当时的保守观众那么样愤怒，因为当时不能录像，又无照片和电影可考，所以至今令人意想悬悬，不过斯特拉文斯基的乐曲在今天已属古典名曲的范畴，世界上无数著名的交响乐团演奏过《春之祭》。有的乐团更将其作为保留曲目，可以很方便地在大的声像商店买到《春之祭》的音带、唱片，包括 CD 盘。我前几年就买了一张 PHIuPS 公司出的、小泽征尔指挥、波士顿交响乐团演奏的唱片，听过很多遍，现在可能仍有许多人不喜欢这个曲子，或感到听不懂，但不会再有人为它应否存在而吵骂和大打出手，则是肯定的了。

说来也怪，《春之祭》的乐曲虽屡屡演奏，其舞却自从八十一年前那个轰动一时的事件后，中辍良久，直到十多年前，才有美国的舞蹈家泰勒将其重编演出。更怪的是，近些年来，以各种各样的方式诠释《春之祭》，竟成为世界各地舞蹈团的一大热门，这世纪初和世纪末的"两头热"，似乎蕴含着某种神秘的玄机。

前些时到台湾访问，著名的"云门舞集"艺术总监林怀民请我们去看他们的新舞彩排，压轴的便是《春之祭》。林氏自己曾编过一个《春之祭》，但他并不满意，这回排的，是香港编舞家黎海宁的精心构作。黎女士该天恰好由香港赶到台湾，检阅"云门"的成绩。

黎海宁的《春之祭》，用的不是交响乐而是双钢琴的伴奏，这倒不算多大的特色；她的最得意之处，是把八十一年前巴黎那次首演的情景，用她的"舞语"，展示了出来。她的舞台设计，是在台上，面对真正的观众，还有在坡形"观众席"上的八十一年前的法国观众；开始，舞台上出现几个象征性的人物，一个白衣人如傀儡，影射尼任斯基，一个燕尾服绅士，操纵白衣人，影射嘉吉列夫，又有一个飘忽不定的跳足尖舞的女子，影射与尼任斯基相爱的舞伴……三者间的关系，在轰响琴声中，以非规范的舞法发生龃龉，后来又有舞者加入，一派乱舞，终至台上的"观众席"发生冲突，乃至有的"观众"从台上投掷塑料花，发展到冲进场中殴斗与狂舞……在一系列令人眼花缭乱的舞动中，原来的操纵者沦为了被操纵者，而原来的被操纵者却又迷失了自我，在人涡中惨遭荼毒；"观众"中忽有一派先是狂热地挥动小红本，后来又一齐从小红本上一页页撕下来团掉抛出（据解释那小红本是演出《春之祭》的说明书）……最令人目瞪口呆的是有几排"观众"竟在台上拨起了正步，还行纳粹式举手礼，而有的戏中"观众"更干脆进入了真观众中……忽又有现代化的警察肩扛摄像机进入现场追踪录像，仿佛在搜集"罪证"，又把一些假人放到"观众席"上代替真人……整个舞剧突然结束在一片乱象中，观毕确实令人一颗心怦怦然良久。

据林怀民解释，八十一年前那个混乱的首演夜，从艺术上说，是前卫（或称先锋）的音乐和舞蹈缔造了现代主义的先声（有与古典艺术欣赏者的"遭遇战"，也有"前卫艺术"本身蓄意的"见招"，即用大半是人为激化的冲突强指拒赏者为"保守"，以造成轰动的既成事实），从玄机上分析，则事过不久便爆发了第一次世界大战，后来人类社会更冲突频繁，所以，一出《春之祭》的乱舞，竟喻示了整个二十世纪的诸般乱象！这个说法就算勉强可通罢，但到了这个世纪末，竟又有排演《春之祭》之热，这象征喻示着什么？黎海宁的诠释，谜底是什么？据说，她的这个舞剧，"大圈圈套着小圈圈，环环相扣……是我们日日在报上读到，在电视里看到，九十年代的乱世浮世绘"。

林怀民的艺术追求我素敬仰，黎海宁女士的精心构作确实层次丰富、一气呵成、浑然骇目，堪称妙作，可是，我总觉得他们对世界和人类，都未免爱之愈深而责之愈苛，实在太悲观了。如果我们今天能平心静气地听斯特拉文斯基的《春之祭》乐曲。应是能从中发现他对先民的处女祭，是怀着无比纯真的讴歌之情的，那一派"反传统"的"噪音"，正是先民尚未进入当代文明而又欲破茧冲出、自在腾飞的憧憬心音。是的，诠释这个乐曲，势必要用反传统的"乱舞"，也确实很自然地会在观众中引起人世"乱象"的联想，但乱舞之后，人类不会统统成为祭牲，相反，通过每一个体生命的良性挣扎，特别是通过每一个大群体在相激相荡中的谐调融合，人类是会提升总体的明智度，世界也会提升通体的澄明度的，对此，我抱有真实的信念。

我将把这一信念，灌注在今后欣赏《春之祭》的过程中。

1994 年 3 月绿叶居

注：舞剧《春之祭》，是俄国作曲家斯特拉文斯基于 1913 年创作的。它取材于俄罗斯一个原始宗教仪式。为感谢大地的哺育，祈求丰沃多产，每当大地回春之时，都要选一少女作为祭物献给春神；这位少女要在祭坛前一直跳舞至死。

这扇门该怎样进？

　　今年1月到台湾去了一趟，是去参加一个"从四十年代到九十年代——两岸三边研讨会"，有大陆、香港和台湾的近二十位小说家和二十多位评论家与会，会上由每一位作家自述创作经验，表达个人的小说观，然后由一位专门研究他或她的评论家对其创作进行分析，分析的方法，多种多样，从古典的社会学批评，到西方近些年盛行的"新批评"都有，其中自然也不乏女权主义批评。

　　我对女权主义及女权主义批评，虽始终不得其门而入，却颇感兴趣。

　　研讨会上，有一位台湾女权主义批评家，是位女士，却理了个男士的短发，穿一身男士的西装，里面是男士的衬衫，扎男士的领带，光这样打扮，倒也不奇，不过是女扮男装罢了；可是她的耳垂上，特意挂了两串滴里嘟噜的耳坠，随着发言，活泼地摇晃，格外引人注目。坦率地说，对她那很生动的发言，我留下的印象有限，对她的装束做派，却印象极深。据旁人向我解释，她的刻意男装，是显示其"进入主流社会"的气概，而那晃眼的耳坠，则又是"四海之内，皆姊妹也"的标识。在一些女权主义者看来，当今的世界，很不正常，大体而言，还是一个以男性为中心的社会，也就是说，在政治、经济、文化等各个领域，都基本是男人占据了主位，对女性，进行着或明或暗的宰割，因此，凡有觉悟的女性，无不存在着焦虑感，为破除男人对社会主流的把持，为争取男女在严格意义上的平等，她们必须从两方面入手，一是以自己的聪明才智，打入主流社会，一是唤醒同性，同仇敌忾，随时牢记"平等尚未实现，姊妹仍需努力"！

自从听了那位台湾女权主义批评家在会上的侃侃而谈，我就很想在会下找个机会同她稍微细致一点地聊聊，以增见识，于是，我便请一位早已熟识的台湾男士，给我们再单独引见一下，他听了，呵呵地笑说："当然可以！乐于效劳！"却又马上接着问："不过，我请你先考虑一下，如果你们二人同在酒会大堂的门前，你打算怎样进那扇门？"

我说："那当然请她先进啦！"

他摇头："不行不行！你以为请她先进，是尊重她么？NO！所谓LADY FIRST（女士优先），在她们女权主义者看来，恰恰是男性对女性的一种歧视！男人作为强者，宰割了这个世界，把女性视为天然的弱者，所以搞'女性优先'这一套，对女性，是进行无休止的心理暗示，让她们进入'我乃弱者，需男性扶持'的奴隶心态，对男性自身，则既可获得心理满足，又可作为宰制女性后不免愧疚的良心补偿……"

我说："那怎么办呢？总不能我先她而进吧？看来，我只能跟她一块儿往里进了！"

他便又问："假使你们两个一块往里进，是你伸出胳臂，让她挽着你进呢，还是你主动伸出手去，轻挽她的玉臂，把她往里引呢？"

我觉得简直是遇上了"哥德巴赫猜想"，脑仁儿疼，我不耐烦了，说："我就让开，不进那扇门，不行么？"

他大惊失色："啧啧啧……那还了得！已经同到门前，看见她要进，你转身遁去，那你以后还要不要到场面上混了？！你的行为，在她们眼中，更要成为一桩丑闻，她们一定会发表文章，对你的丑行，作无情的披露与批判！"

我摊开双手，连说："那我就别跟她往一块儿凑了，别去接触了……"

他大笑："对女权主义者，何至于退避三舍到这种地步！"

我也笑了，心想，他开玩笑罢了，其实，我同那位女权主义评论家，哪儿能那么巧就刚好凑到一扇门前呢！

嘿，谁知天下偏有那么古怪的事，当天晚上的一个招待会，是在台北历史最

304

老的星级饭店希尔顿饭店举行。我被邀请单位《中国时报》社用车送到饭店门口，当时我正兴致勃勃地与陪同前往的编辑先生交谈，已把前面的那些事都暂忘天外，且谈且挪脚，本能地往饭店里走去。进得旋转门，走过前堂，来至走廊的电梯前，忽听一声招唤："刘先生！"我抬眼一望，心中一惊，呀，竟是她——那位女权主义者！这下可好，电梯到时，门一开，我该如何进那电梯门？！

我的反应还算敏捷，我立刻也招呼她——不是称女士或小姐，而是也称先生，这显然颇令她满意；记住，称呼这样的女性无论如何要避免"女性符号"，而应用"无性别歧视"的称谓，如博士、教授、经理、主任……之类，最稳妥的是称先生。

电梯到，门开，里面的人出来……我正心慌意乱中，不知怎么一来，眨眼中，我与那位女先生，还有别的一些人，已进入了梯中，不由得向女先生一瞥，她正对我友善地微笑，心里一松——可跟着又一紧：我们要到的那一层已到，我又该如何走出这扇门呢？刹那间，我心想，算了！管她呢！什么女权男权，烦死了！……可我没烦完，却已置身于电梯外面，她也出来了，也不知我们谁先谁后，想必不是并肩而出，因为那电梯门没那么宽敞……又不由一瞥，她似乎还是对我微笑，虽说淡淡，却更显出十二分的友善。

下面的情节有点不雅，在一种极欲躲避的潜意识支配下，我很快拐进了"化妆室"。

"化妆室"在台湾到处可见，其实就是我们这里的"卫生间"，也就是厕所。

"化完妆"，我随一些后到的人步入宴会厅，有人把我引到一张圆桌前，我入座，在座的一半认识，均系名流，一半不认识，想必更是名流，已认识的便把不认识的介绍给我，我左边的一位女士，徐娘半老，风韵犹存，打扮得不仅十分华贵，而且也极为女性化，据介绍，是著名的中国古典文学教授，我一方面心生羡慕，一方面也以终于可以同一位非女权主义者交谈，而感到大为轻松。

饭桌上大家由客气而亲密，由亲密而诙谐，由诙谐而放言，不知怎么一来，就有人提到了女权主义，提到了那位我敬而远之的女权主义者的发言，一位全桌最魁梧的男士就感叹道："吃不消吃不消……一看见她，我就有种罪孽深重的感觉，真是诚惶诚恐！"

我见身旁的女士优雅地笑，便不由对她讲起了关于不知该怎么跟女权主义者进同一扇门的事，以及事到临头我终于糊里糊涂地跟那位"先生"相安无事地共进共出电梯门的事。

身旁的女士敛起笑容，严肃地对我说："你不是糊里糊涂，而是自自然然地跟她一起进出了那扇门……这就对了！我们的目的，就是要在你们男人的心理上，形成一种张力，使你们的思维终于超越于性别，而达到自自然然地与异性相处……"

我不能接受她的解释，但这并不重要，重要的是我大吃了一惊："您们！您们的目的！原来您也是……"

她坦然一笑："我是她的老师！"

我定眼望着她，这才发现，她虽通体是纯女性的装束，可是她脖子上围的一条装饰性纱巾，却用了一个分明是男士的领带夹固定！

1994 春

在台北吃面

前些天去台北参加《中国时报》"人间"副刊主办的一个"两岸三边华文小说研讨会",研讨之余,自然要游览台北。职业习惯使然,我对台北市民的日常生活场景的观览兴趣,更在名胜古迹之上;又因为在台湾同行的小说中常出现西门町、华西街的地名,所以率先与"人间"副刊的编辑朋友去逛了极具特色的华西街。

华西街位于台北的老市区之一隅,以夜市著称。走近夜市,只见市口高竖琉璃瓦顶的五彩牌坊。穿过牌坊,进入市街,发现整个长街被棚顶罩住,这样就保证逛街的人可以风雨无阻地徜徉其中。棚顶垂下一溜宫灯,两旁鳞次栉比的商店更闪亮着争奇斗妍的霓虹灯和玻璃灯箱,营造出一个花花世界。我随着朋友边往前走,边东张西望。那些卖衣服饰物的店铺,望去也倒平常;那些卖金银珠宝的商号,与我辈缘分有限;我最感兴趣的,还是"进口货",特别是水果和小吃。在台北,我第一次吃到了莲雾,那是一种饱含水分脆滑爽口的奇果;还有外表上布满酷似佛头上螺髻的释迦果,乍看仿佛小柿子剥开露出雪白果肉入口酸甜交加的山竹……最令我称道的是拳头那么大、淡绿色薄皮、香脆难喻的台湾大枣。真没想到枣子能长得那么大!一个个五光十色溢香勾涎的水果摊使我感到温馨欢愉,但那些接二连三扑进我眼帘的饮食店,有的却不免令我感到光怪陆离乃至目瞪口呆。比如有好几家是卖蛇餐的,当街的大案子上,赫然盘着肥大的眼镜蛇,当然是活的，蛇头摆动，蛇信忽伸忽缩，而老板或伙计就双手抱胸，微笑地站在案子后面，以诙谐的语言，招呼着有勇气食蛇的豪客。我在那蛇餐馆前不免作S形行走，欲观又躲，问：那毒蛇要窜下案板如何得了？朋友说极少出现那种情况，而卖方买方所寻求的，恰是一份"险些窜下"的刺激。

后来朋友请我去吃面，来到一家小店前，只见匾牌上大书"台南担仔面"。我想在台北吃台南的风味面倒也有趣，刚想进去找个座位坐下，朋友却拍拍我的肩膀，挽臂引我穿过那小店堂。原来是店后还有店，而且一店大过一店——都是这家"担仔面"的地盘。我们到了最后一进，一迈进去，我便不禁目眩神迷，几乎不知置身于何处矣！那里面墙柱地面全系最昂贵的粉红花纹的大理石雕铺，装修是欧式最豪华的古典风格，到处摆满由奇花异卉构成的花插。我们落座在一张雅致的台座前，朋友告我：这餐桌餐椅是西班牙的，细瓷是英国的，餐叉餐刀是法国的，壶钵是德国的……这家老板虽是从卖最便宜的担仔面起家的，现在却已开起了"台湾第一家世界级豪华海鲜餐厅"，提供"皇室讲究的精品"！

这家华西街的面馆，浓缩着台湾三十年来的经济起飞和资本积累史，它虽已发展到最豪华的顶级状态，却仍在最外层保留售卖最便宜的大众食品担仔面，说明那里的老板们已不是"刮一把就跑"的短期行为者，而是在一种有效的"游戏规则"中体现出良性的循环，吃了那里的面，真是回味无穷。

1994 春节前

附录一 刘心武文学活动大事记

1942 年

6 月 4 日生于四川省成都市育婴堂街。

后在重庆度过童年。

父母兄姊均热爱文学艺术,深受家庭熏陶。

1950 年

随父母迁居北京,从此定居北京。

在隆福寺小学上小学,在北京 21 中上初中。

1958 年

在北京 65 中上高中。

给若干报刊投稿,屡被退稿。

8 月,在《读书》杂志发表《谈〈第四十一〉》一文,是投稿第一次成功。

1959 年

在《北京晚报》"五色土"副刊陆续发表一些儿童诗、小小说。

为中央人民广播电台少儿部《小喇叭》(对学龄前儿童广播)编写若干节目;
其中快板剧《咕咚》经编辑加工、录制后大受欢迎;"文革"中录音带被销毁;
1991 年重新录制播出。

1961 年

毕业于北京师范专科学校，分配到北京 13 中任教。

至"文革"前，在《北京晚报》《中国青年报》《人民日报》《光明日报》《大公报》《北京日报》《体育报》《儿童时代》《大众电影》等报刊上发表了约 70 篇小小说、散文、杂文、评论等文章。

1966—1976 年

"文革"中，因 1964 年曾发表过一篇关于京剧的文章，以"反江青"罪名被冲击。

1974 年后再试写作，曾写一关于"教育革命"的长篇小说，由出版社联系获准脱产修改，但终未达到当时出版要求。

1976 年

写出一个大院里孩子们同坏蛋斗争的中篇小说《睁大你的眼睛》并得以出版（北京人民出版社）。

又按照当时政治要求写出一些短篇小说、散文，有的到次年才收入多人合集中出版。

调到北京人民出版社（后恢复"文革"前社名：北京出版社）文艺编辑室当编辑。

1977 年

11 月，在《人民文学》杂志发表短篇小说《班主任》，产生重大影响——被认为是"伤痕文学"的开山作，也是"新时期文学"的发端；从此成名。

从《班主任》后，写作冲破懵懂，沿着认定的方向跋涉，穿越风云，锲而不舍。

1978 年

参加《十月》杂志（开始以丛书名义出版）创刊工作，在创刊号上发表短篇小说《爱情的位置》，经转载和广播，影响巨大。

在《中国青年》杂志上发表短篇小说《醒来吧，弟弟》，反应亦极强烈。

《班主任》《爱情的位置》《醒来吧，弟弟》均被改编为广播剧，由中央人民广播电台多次广播，《醒来吧，弟弟》被搬上话剧舞台；此年发表的短篇小说《穿米黄色大衣的青年》亦由电台播出。

1979 年

在首届全国优秀短篇小说评奖中《班主任》获第一名。颁奖会上,从茅盾先生手中接过奖状。

参加中国作家协会第三次全国代表大会,被选为中国作家协会理事。

成为中华全国青年联合会常务委员,至 1993 年卸任。

9 月,参加中国作家代表团访问罗马尼亚,此系"文革"后第一个作家出访团。

在《人民文学》杂志发表短篇小说《我爱每一片绿叶》,写作技巧有长足进步。

1980 年

调至北京市文联当专业作家。

《我爱每一片绿叶》获 1979 年全国优秀短篇小说奖。

《看不见的朋友》获 1954—1979 年第二届全国少年儿童文学创作奖。

在《十月》杂志发表中篇小说《如意》,其弘扬人道主义的追求引起争议。

出版《刘心武短篇小说选》(北京出版社)。

1981 年

在《十月》杂志发表中篇小说《立体交叉桥》,引出更大争议,一些评论家认为"调子低沉"是步入了写作上的歧途,另有评论家则认为此作标志着刘心武的小说创作在反映现实、探索人性及艺术工力上均达到了新的水平。

5 月,应日本文艺春秋社邀请访问日本。

1982 年

应导演黄健中之请,改编《如意》;北京电影制片厂拍成彩色艺术片《如意》。

1983 年

11 月,参加中国电影代表团赴法国,在南特"三大洲电影节"上,《如意》在开幕式上放映,获好评;后陆续在法国、西德电视台播出。

1984 年

冬，应邀访问西德，参加"中德大学生会见活动"，并在波恩大学、波鸿大学与威尔兹堡大学介绍中国当代文学。

年底，参加中国作家协会第四次全国代表大会，再次当选为理事。

在《当代》文学双月刊第 5、6 期连载长篇小说《钟鼓楼》。

1985 年

出版长篇小说《钟鼓楼》(人民文学出版社)，并获第二届茅盾文学奖。

因《钟鼓楼》获北京市政府嘉奖。

7 月，在《人民文学》杂志发表纪实小说《5·19 长镜头》，反响强烈。

11 月，又在《人民文学》杂志发表纪实小说《公共汽车咏叹调》，引起轰动。

1986 年

年初，应当代文艺出版社邀请访问香港。

6 月，调中国作家协会人民文学杂志社，任常务副主编。

在《收获》杂志设《私人照相簿》专栏，进行图文交融的文本尝试。

散文集《垂柳集》出版，冰心为之作序。

1987 年

1 月，被任命为《人民文学》杂志主编。

2 月，《人民文学》杂志 1、2 期合刊发表马建写的小说《亮出你的舌苔或空空荡荡》违反民族政策，承担责任，停职检查。

9 月，复职。

冬，应邀赴美国访问。参观美洲华侨日报；在哥伦比亚大学、三一学院、哈佛大学、麻省理工学院、康奈尔大学、芝加哥大学、旧金山大学、斯坦福大学、伯克利加州大学、洛杉矶加州大学、圣迭戈加州大学等处演讲，介绍中国当代文学，并参观耶鲁大学；参加爱荷华大学"作家写作中心"的纪念活动；游览华盛顿等地。

1988 年

3 月，应香港《大公报》邀请，赴香港参加五十周年报庆活动；在《大公报》安排的大型报告会上作关于改革开放与文学创作的报告。

5 月，应法国文化部邀请，参加中国作家代表团访问法国，除在巴黎活动外，还访问了西部港口城市圣·拉扎尔。

《私人照相簿》在香港出版（南粤出版社）。

《我可不怕十三岁》获 1980—1985 年全国优秀儿童文学奖。

以上数年中，若干小说、散文还分别获得过《当代》《十月》《小说月报》《小说选刊》《中篇小说选刊》《儿童文学》《北方文学》等杂志,《人民日报》《文汇报》等报纸副刊的奖；拍成电视剧播出的有《没工夫叹息》《熄灭》（电视剧名《火苗》）《今夏流行明黄色》《到远处去发信》《非重点》《公共汽车咏叹调》和八集连续剧《钟鼓楼》；若干作品被英国、美国、西德、苏联、日本、瑞士、瑞典、法国、意大利等国翻译为英、德、俄、日、法、意、瑞典等文字出版；自 1987 年起被世界上有威望的英国欧罗巴出版社《世界名人录》收入词条。

1989 年

春，应香港中文大学翻译中心邀请，与妻子吕晓歌赴香港访问。

1990 年

3 月，以任届期满，免去《人民文学》杂志主编职务。

香港中文大学翻译中心编译的英文小说集《黑墙与其他故事》出版。

秋，以"鱼山"笔名在《钟山》杂志发表中篇小说《曹叔》。

1991 年

出版小说集《一窗灯火》。

除小说外，开始发表大量散文、随笔。

1992 年

长篇小说《风过耳》在内地（中国青年出版社）、香港（勤＋缘出版社）分别出版，反响颇为强烈。

长篇小说《四牌楼》完稿，交上海文艺出版社出版。

《献给命运的紫罗兰——刘心武谈生存智慧》由上海人民出版社出版，受到读者欢迎。

在《收获》杂志发表中篇小说《小墩子》，后由中国电视剧制作中心改编拍摄为电视连续剧。

至该年，在海内外出版的个人专著按不同版本计已达 43 种。

在《红楼梦学刊》1992 年第二辑上发表论文《秦可卿出身未必寒微》，在"红学"界和读者中均引起注意；另有若干《红楼梦》人物论和《红楼边角》专栏文章发表。

冬，应瑞典学院邀请（斯堪的纳维亚航空公司赞助）赴北欧访问；在挪威奥斯陆大学、瑞典斯德哥尔摩大学和隆德大学、丹麦哥本哈根大学和奥胡斯大学的东亚系汉学专业以《九十年代初的中国小说》为题作学术报告；12 月 7 日，参加诺贝尔文学奖有关活动，听 1992 年得主德里克·沃尔科特发表受奖演说。

1993 年
华艺出版社出版《刘心武文集》(1—8 卷)。

出版长篇小说《四牌楼》。

1994 年
1 月，应台湾《中国时报》邀请赴台参加"两岸三地文学研讨会"。

《四牌楼》获上海优秀长篇小说大奖，到沪领奖。

1995 年
出版随笔集《人生非梦总难醒》(上海人民出版社)。

出版小说集《仙人承露盘》(华艺出版社)。

1996 年
出版长篇小说《栖凤楼》(人民文学出版社)。至此，由《钟鼓楼》《四牌楼》《栖凤楼》构成的"三楼"长篇小说系列竣工。

应《南洋商报》邀请赴马来西亚访问并顺访新加坡。

1997 年

应日本文化交流基金会邀请,与妻子吕晓歌访问日本。其长篇小说《钟鼓楼》、儿童文学作品《我是你的朋友》、短篇小说《王府井万花筒》等此前已相继译为日文在日本出版。

1998 年

建筑评论集《我眼中的建筑与环境》由中国建筑工业出版社出版,在建筑界产生影响。

应美国科罗拉多大学邀请,赴美参加金庸作品国际研讨会,在会上提交关于《鹿鼎记》的论文《失父:一种生存困境》。

1999 年

出版纪实性长篇小说《树与林同在》(山东画报出版社)。

出版《红楼三钗之谜》(华艺出版社)。

赴新加坡出席国际环境文学研讨会。

2000 年

应邀访问法国,并应英中协会和伦敦大学邀请,从巴黎赴伦敦讲《红楼梦》。

至此年底在海内外出版的个人专著(不含文集)按不同版本计达 101 种。

2001 年

出版包含建筑评论的随笔集《在忧郁中升华》(文汇出版社)。

在北京电视台录制播出《刘心武谈建筑》系列节目。

2002 年

出版小说集《京漂女》(中国文联出版社),自绘插图。

应澳大利亚雪梨华文写作协会邀请赴澳大利亚访问。

2003 年

以马来西亚《星洲日报》世界华人文学"花踪奖"评委身份赴吉隆坡参加相关活动。

台湾联经出版社出版小说集《人面鱼》。此前台湾已出版过刘心武多种作品，如皇冠出版社出版了《钟鼓楼》，幼狮文化事业公司出版了《四牌楼》《为他人默默许愿》（散文集）。

2004 年

赴法参加巴黎书展活动。书展上展出了译为法文的著作有小说《树与林同在》《护城河边的灰姑娘》《尘与汗》《人面鱼》《如意》与歌剧剧本《老舍之死》。

建筑评论集《材质之美》由中国建材工业出版社出版。

小说集《站冰》出版（人民文学出版社），自绘封面插图。

2005 年

出版集历年研红成果的《红楼望月》（书海出版社）。

应 CCTV-10（中央电视台科学教育频道）《百家讲坛》邀请，录制播出《刘心武揭秘〈红楼梦〉》系列节目 23 集，反响强烈，引出争议。

《刘心武揭秘〈红楼梦〉》第一、二部相继出版（东方出版社），畅销。

2006 年

应美国华美协会邀请，赴纽约在哥伦比亚大学讲《红楼梦》。

应邀参加香港书展。

出版《刘心武揭秘古本〈红楼梦〉》（人民出版社）。

2007 年

继续应邀到 CCTV-10《百家讲坛》录制节目，并出版《刘心武揭秘〈红楼梦〉》第三部、第四部（东方出版社）。

访问俄罗斯。

2008 年

出版随笔集《健康携梦人》（中国海关出版社）。

自 1986 年出版《垂柳集》，至此所出版的散文随笔集已逾 30 种。

2009 年

在《上海文学》杂志开《十二幅画》专栏，每期发表一篇写人物命运的大散文，并配发自己的画作。

4 月，妻子吕晓歌病逝，著长文《那边多美呀！》悼念。

2010 年

再应 CCTV-10《百家讲坛》邀请，录制播出《〈红楼梦〉的真故事》系列节目。至此在《百家讲坛》录制播出关于《红楼梦》的个人系列讲座累计达 61 集。

出版《〈红楼梦〉的真故事》（凤凰联动·江苏人民出版社），在争议声中畅销。

4 月，应台湾新地文学社邀请赴台参加"21 世纪世界华文文学高峰会议"。

出版《命中相遇——刘心武话里有画》（上海文艺出版社）。

加快《刘心武续〈红楼梦〉》的写作，次年完成推出。

至本年底，在海内外出版的个人专著，文集不算在内，重印亦不算，按不同版本计达 182 种（按不同书名计则为 141 种）。

年底，筹备编辑《刘心武文存》。

只包括在中国大陆、台湾、香港和海外出版的书（同一著作每种版本单列）；不包括散发于报刊尚未出书的篇目，亦不包括多人合集中的篇目。第一个数字表示不同版本的排序；［ ］中的数字表示剔除同一书名的版本后的排序；注意：文集8卷不参加排序。

1976 年

1.[1]《睁大你的眼睛》［儿童文学·中篇小说］

北京人民出版社 1976 年 1 月第一版

1978 年

2.[2]《母校留念》［儿童文学·小说集］

中国少年儿童出版社 1978 年 7 月第一版

1979 年

3.[3]《小猴吃瓜果》［低幼读物·画册］

少年儿童出版社 1979 年 4 月第一版

1980 年 6 月第二次印刷

4.[4]《班主任》［短篇小说集］

中国青年出版社 1979 年 6 月第一版

1980 年

5.[5]《我是你的朋友》[儿童文学·中篇小说]

北京出版社 1980 年 7 月第一版

6.[6]《绿叶与黄金》[中短篇小说集]

广东人民出版社 1980 年 8 月第一版

7.[7]《刘心武短篇小说集》

北京出版社 1980 年 9 月第一版

1981 年

8.《这里有黄金》[中短篇小说集]

广东人民出版社 1981 年 4 月第二次印刷

有平装、软精装两种

9.[8]《大眼猫》[中短篇小说集]

浙江人民出版社 1981 年 8 月第一版

1982 年

10.[9]《如意》[中篇小说集]

北京出版社 1982 年 5 月第一版

1983 年

11.[10]《中国现代作家选（Ⅲ）刘心武〈我爱每一片绿叶〉〈深谷小溪默默流〉》

[日本] 东方书店 1983 年第一版

12.[11]《同文学青年对话》

文化艺术出版社 1983 年 10 月第一版

1984 年

13.[12]《到远处去发信》[中短篇小说集]

四川人民出版社 1984 年 4 月第一版

有平装、软精装两种

14.[13]《如意》[电影文学剧本]（与戴宗安联合署名 ）

中国电影出版社 1984 年 6 月第一版

1985 年

15.[14]《嘉陵江流进血管》[中篇小说集]

陕西人民出版社 1985 年 2 月第一版

16.[15]《日程紧迫》[中短篇小说集]

群众出版社 1985 年 5 月第一版

17.[16]《我可不怕十三岁》[儿童文学集]

新世纪出版社 1985 年 8 月第一版

18.[17]《钟鼓楼》[长篇小说]

人民文学出版社 1985 年 11 月第一版

有平装、软精装两种

1986 年 5 月第二次印刷

1986 年

19.[18]《公共汽车咏叹调》[纪实小说]

湖南文艺出版社 1986 年 1 月第一版

20.[19]《都会咏叹调》[小说集]

作家出版社 1986 年 3 月第一版

21.[20]《垂柳集》[散文集]

陕西人民出版社 1986 年 4 月第一版

22.[21]《立体交叉桥》[中短篇小说集]

人民文学出版社 1986 年 6 月第一版

有平装、软精装两种

23.[22]《巴黎郁金香》[访法散文集]

群众出版社 1986 年 11 月第一版

24.[23]《木变石戒指》[中短篇小说集]

青海人民出版社 1986 年 12 月第一版

1987 年

25. *Little Monkey Triesto Eat Fruit* [科学童话·英文]

海豚出版社 1987 年第一版

有平装、精装两种

26.[24]《斜坡文谈》[文学理论]

上海文艺出版社 1987 年 4 月第一版

27.[25]《王府井万花筒》[中篇小说集]

湖南文艺出版社 1987 年 9 月第一版

有平装、精装两种

28.[26]《5·19 长镜头》[小说自选集]

四川文艺出版社 1987 年 11 月第一版

29.げくけきの友たちだ [《我是你的朋友》日译本]

[日本]福武书店 1987 年 12 月第一版

1989 年 3 月第二版

1991 年 2 月第三版

1988 年

30.[27]《她有一头披肩发》[中短篇小说集]

台湾林白出版社 1988 年 4 月第一版

31.《钟鼓楼》[长篇小说]

香港天地图书有限公司 1988 年第一版

1993 年第二版

32.[28]《私人照相簿》[纪实文学]

香港南粤出版社 1988 年 11 月第一版

33.[29]《刘心武代表作》

黄河文艺出版社 1988 年 12 月第一版

1989 年

34.《小猴吃瓜果》[科学童话]

开明出版社、海豚出版社 1989 年 3 月第一版

35.《钟鼓楼》[长篇小说]

台湾皇冠出版社 1989 年 4 月第一版

36.[30]《一片绿叶对你说》[文艺随笔集]

河北教育出版社 1989 年 12 月第一版

1990 年

37.[31]*BLACK WALLS AND OTHER STORIES* [小说集·英译本]

香港中文大学翻译中心出版社 1990 年第一版

38.[32]《王府井万花镜》[小说集·日译本]

[日本] 德间书店 1990 年 9 月第一版

1991 年

39.《母校留念》[小说]

[日本] 骏河台出版社 1991 年 4 月第一版

40.[33]《一窗灯火》[中短篇小说集]

华艺出版社 1991 年 10 月第一版

1993 年第二次印刷

1992 年

41.[34]《列奥纳多·达·芬奇》[传记]

江苏教育出版社 1992 年 5 月第一版

42.[35]《有家可归》[散文随笔集]

广东旅游出版社 1992 年 5 月第一版

43.[36]《风过耳》[长篇小说]

中国青年出版社 1992 年 6 月第一版

1992 年 12 月第二次印刷

1993 年 3 月第三次印刷

1995 年 8 月第五次印刷

1996 年 3 月第六次印刷

44.《风过耳》[长篇小说]

香港勤＋缘出版社 1992 年 6 月第一版

45.[37]《献给命运的紫罗兰——刘心武谈生存智慧》

上海人民出版社 1992 年 6 月第一版

1992 年 11 月第二次印刷

1995 年第三次印刷

1996 年 12 月第五次印刷

46.《刘心武代表作》

河南人民出版社 1992 年 6 月第二次印刷·精装本

47.[38]《蓝夜叉》[中篇小说集]

香港勤＋缘出版社 1992 年 9 月第一版

1993 年

48.《北京下町物语》[长篇小说·《钟鼓楼》日译本]

[日本] 东京恒文社 1993 年 2 月第一版

1994 年第二版

49.[39]《为你自己高兴》[随笔集]

内蒙古人民出版社 1993 年 3 月第一版

50.[40]《杀星》[小说集]

香港勤＋缘出版社 1993 年 6 月第一版

51.《我是你的朋友》[儿童文学·中篇小说·增订本]

希望出版社 1993 年 6 月第一版

52.[41]《四牌楼》[长篇小说]

上海文艺出版社 1993 年 6 月第一版

1994 年 4 月第二次印刷

1996 年 11 月第三次印刷

53.[42]《我是怎样的一个瓶子》[随笔集]

成都出版社 1993 年 9 月第一版

54.[43]《沉默交流》[随笔集]

中国华侨出版社 1993 年 11 月第一版

55.[44]《富心有术》[随笔集]

群众出版社 1993 年 12 月第一版

1995 年第二次印刷

56.[45]《中国当代名人随笔·刘心武卷》

陕西人民出版社 1993 年 12 月第一版

☆《刘心武文集》[1—8 卷]

华艺出版社 1993 年 12 月第一版

☆《刘心武文集·〈钟鼓楼〉〈风过耳〉》（简装本）

☆《刘心武文集·〈四牌楼〉〈无尽的长廊〉》（简装本）

华艺出版社 1997 年 5 月第一版

1994 年

57.[46]《仰望苍天》[随笔集]

知识出版社 1994 年 1 月第一版

1995 年第二次印刷

东方出版中心 1996 年 7 月第三次印刷

58.[47]《男扮女妆与女扮男妆》[随笔集]

中原农民出版社 1994 年 2 月第一版

59.[48]《相对一笑》[小小说集]

中共中央党校出版社 1994 年 2 月第一版

60.[49]《秦可卿之死》[专著]

华艺出版社 1994 年 5 月第一版

61.《四牌楼》[长篇小说]

台湾幼狮文化事业公司 1994 年 8 月第一版

62.[50]《为他人默默许愿》[散文集]

台湾幼狮文化事业公司 1994 年 10 月第一版

63.[51]《中国小说名家新作丛书·刘心武卷》

海峡文艺出版社 1994 年 11 月第一版

64.[52]《红楼梦（缩写本）》

接力出版社 1994 年 12 月第一版

1995 年第二次印刷

1997 年 9 月第三次印刷

1995 年

65.[53]《人生非梦总难醒》[名人日记·随笔集]

上海人民出版社 1995 年 1 月第一版

1995 年 3 月第二次印刷

66.[54]《仙人承露盘》[中短篇小说集]

华艺出版社 1995 年 3 月第一版

67.[55]《女性与城市》[杂文集]

中国城市出版社 1995 年 6 月第一版

68.《我是你的朋友》[增订版·"小学生成才书架"系列之一]

希望出版社 1995 年 10 月第一版

69.《在胡同里转悠》[随笔集]

陕西人民出版社 1995 年 11 月第二次印刷

70.[56]《刘心武海外游记》

华文出版社 1995 年 12 月第一版

1996 年

71.[57]《刘心武小说精选》

太白文艺出版社 1996 年 2 月第一版

72.[58]《开发心大陆》[随笔集]

吉林人民出版社 1996 年 3 月第一版

1997 年 3 月第二次印刷

73.[59]《你哼的什么歌》[散文集]

湖南文艺出版社 1996 年 6 月第一版

74.[60]《刘心武张颐武对话录——"后世纪"的文化了望》

漓江出版社 1996 年 7 月第一版

75.[61]《边缘有光》[随笔集]

汉语大辞典出版社 1996 年 8 月第一版

76.[62]《刘心武怪诞小说自选集》

漓江出版社 1996 年 8 月第一版

有平装、精装两种

77.[63]《我是刘心武》

团结出版社 1996 年 9 月第一版

78.[64]《刘心武》[中国当代作家选集丛书]

人民文学出版社 1996 年 10 月第一版

79.[65]《刘心武杂文自选集》

百花文艺出版社 1996 年 11 月第一版

80.《秦可卿之死》[修订本]

华艺出版社 1996 年 11 月第二版

81.[66]《栖凤楼》[长篇小说]

人民文学出版社 1996 年 12 月第一版

1998 年 3 月第二次印刷

1997 年

82.[67]《封神演义（缩写本）》

接力出版社 1997 年 1 月第一版

1997 年 9 月第二次印刷

83.[68]《胡同串子》[中短篇小说集]

北京燕山出版社 1997 年 8 月第一版

84.《私人照相簿》

上海远东出版社 1997 年 9 月第一版

1998 年 2 月第二次印刷

2000 年换封面版权页称 2000 年 6 月第二次印刷

85.[69]《中国儿童文学名家作品精选丛书·刘心武作品精选》

河北少年儿童出版社 1997 年 8 月第一版

86.[70]《把嘴张圆》[随笔集]

上海远东出版社 1997 年 12 月第一版

1998 年

87.[71]《我眼中的建筑与环境》[建筑评论随笔集]

中国建筑工业出版 1998 年 5 月第一版

1999 年 5 月第二次印刷

2000 年 6 月第三次印刷

2001 年 6 月第四次印刷

88.《钟鼓楼》[茅盾文学奖获奖书系]

人民文学出版社 1998 年 3 月第一次印刷

1998 年 7 月第二次印刷

1998 年 8 月第三次印刷

1999 年 3 月第四次印刷

2000 年 1 月第五次印刷

　　　　　　　　　　　2001 年 1 月第六次印刷

　　　　　　　　　　　2001 年 8 月第七次印刷

　　　　　　　　　　　2002 年 8 月第八次印刷

　　　　　　　　　　　2003 年 1 月第九次印刷

1999 年

89.[72]《树与林同在》[非虚构长篇小说]

　　　　　　　山东画报出版社 1999 年 3 月第一版

　　　　　　　　　　　2006 年 7 月第二次印刷

90.[73]《八十六颗星星》(*The Eighty-Six Stars*)[儿童文学小说·汉英对照]

　　　　　　　　　希望出版社 1999 年 6 月第一版

91.[74]《红楼三钗之谜》[刘心武红学探佚精品]

　　　　　　　　　华艺出版社 1999 年 9 月第一版

92.[75]《蓝玫瑰》[中短篇小说集]

　　　　　　　中国华侨出版社 1999 年 10 月第一版

93.[76]《过隧道的心情》[随笔集]

　　　　　华东师范大学出版社 1999 年 12 月第一版

2000 年

94.[77]《一切都还来得及》[随笔集]

　　　　　　　　中国青年出版社 2000 年 1 月第一版

95.[78]《善的教育》[儿童文学]

　　　　　　　辽宁少年儿童出版社 2000 年 2 月第一版

96.[79] Le Talisman (version bilingue)[《如意》中、法文对照版]

　　　　　　　　Librarie You Feng 2000 年 4 月第一版

97.[80]《作家刘心武〈班主任〉手迹》

　　　　　　　　　线装书局 2000 年 5 月第一版

98.[81]《楼前白玉兰》[小小说集]

中国广播电视出版社 2000 年 7 月第一版

99.[82]《刘心武侃北京》

上海文艺出版社 2000 年 10 月第一版

100.[83]《我爱吃苦瓜》[茅盾文学奖获奖作家散文精品]

广州出版社 2000 年 10 月第一版

2002 年 10 月第二次印刷

101.[84]《了解高行健》

香港开益出版社 2000 年 12 月第一版

2001 年

102.[85]《亲近苍莽》

中国旅游出版社 2001 年 1 月第一版

103.[86]《在忧郁中升华》

文汇出版社 2001 年 2 月第一版

《刘心武谈建筑——在忧郁中升华》2007 年 8 月第二次印刷

104.[87]《人在风中》

作家出版社 2001 年 8 月第一版

105.《风过耳》

时代文艺出版社 2001 年 10 月第一版

有平装、精装两种

2002 年

106.[88]《京漂女》(自绘插图)

中国文联出版社 2002 年 1 月第一版

107.[89]《深夜月当花》

中国工人出版社 2002 年 1 月第一版

108.[90]《春梦随云散》

人民文学出版社 2002 年 4 月第一版

109.[91]《藤萝花饼》

台湾二鱼文化事业有限公司 2002 年 4 月第一版

110.[92]《刘心武自述》

大象出版社 2002 年 10 月第一版

2003 年

111.[93] L'arbre et la forêt [《树与林同在》法译本]

Bleu de Chine 2003 年 1 月第一版

112.[94]《人面鱼》

台湾联经出版事业股份有限公司 2003 年 2 月初版

113.[94] La Cendrillon Du Canal [《护城河边的灰姑娘》法译本]

Bleu de Chine 2003 年 4 月第一版

114.[95]《画梁春尽落香尘》["红学"专著]

中国广播电视出版社 2003 年 6 月第一版

2003 年 9 月第二次印刷

2004 年 1 月第三次印刷

2005 年 6 月第四次印刷

115.[96]《眼角眉梢》

新华出版社 2003 年 8 月第一版

116.[97]《钟鼓楼》[初中生语文新课标必读]

人民日报出版社 2003 年 9 月第一版

117.[98]《天梯之声》

中国青年出版社 2003 年 10 月第一版

2004 年

118.[99] Poussiêre et sueur [《尘与汗》法译本]

Bleu de Chine 2004 年 1 月第一版

119.[100] La mort de Lao SHe [《老舍之死》歌剧剧本法译本]

Bleu de Chine 2004 年 3 月第一版

120.[101] Poisson à face humaine [《人面鱼》法译本]

Bleu de Chine 2004 年 3 月第一版

121.《如意》[电影伴读中国文学文库·附电影光盘]

中国青年出版社 2004 年 1 月第一版

122.[102]《泼妇鸡丁》

台湾二鱼文化事业有限公司 2004 年 4 月第一版

123.[103]《在柳树臂弯里——刘心武随笔》

光明日报出版社 2004 年 5 月第一版

124.[104]《材质之美——刘心武城市文化酷评》

中国建材工业出版社 2004 年 5 月第一版

125.[105]《站冰——刘心武小说新作集》(自绘插图)

人民文学出版社 2004 年 6 月第一版

126.《四牌楼》

上海文艺出版社 2004 年 8 月第二版

127.[106]《大家文丛 : 刘心武》

古吴轩出版社 2004 年 8 月第一版

2005 年

128.《钟鼓楼》(中国文库·文学类)

人民文学出版社 2005 年 1 月第一版第一次印刷（平装）

2005 年 1 月第一版第一次印刷（精装）

129.《钟鼓楼》(茅盾文学奖获奖作品全集之一)

人民文学出版社 1985 年 11 月第一版、2005 年 1 月第一次印刷

2005 年 5 月第二次印刷

2005 年 7 月第三次印刷

2006 年 3 月第四次印刷

2008 年 4 月第七次印刷

2009 年 8 月第八次印刷

2010 年 1 月第九次印刷

2011 年 7 月第 15 次印刷

2011 年 9 月第 16 次印刷

2011 年 11 月第 17 次印刷

130.[107]《心灵体操》

时代文艺出版社 2005 年 1 月第一版

131.[108]《刘心武作文示范》

少年儿童出版社 2005 年 1 月第一版

132.[109] La Démone bleue（《蓝夜叉》法译本）

Bleu de Chine 2005 年第一版

133.[110]《红楼望月》

书海出版社 2005 年 4 月第一版

2005 年 6 月第二次印刷

2005 年 7 月第三次印刷

2005 年 8 月第四次印刷

2005 年 9 月第五次印刷

2005 年 9 月第六次印刷

134.[111]《刘心武揭秘〈红楼梦〉》

东方出版社 2005 年 8 月第一版

至 2005 年 19 月共十三次印刷

2005 年 11 月第二版

144.《刘心武精品集·第三卷·栖凤楼》

东方出版社 2006 年 1 月第一版

145.《刘心武精品集·第四卷·献给命运的紫罗兰》

东方出版社 2006 年 1 月第一版

146.[117]《戴敦邦绘刘心武评〈金瓶梅〉人物谱》

作家出版社 2006 年 4 月第一版

147.[118]《红楼拾珠》

云南人民出版社 2006 年 5 月第一版

148.[119]《藤萝花饼》

云南人民出版社 2006 年 5 月第一版

149.《刘心武揭秘〈红楼梦〉》[第一部]

台湾好读出版有限公司 2006 年 6 月初版

150.《刘心武揭秘〈红楼梦〉》[第二部]

台湾好读出版有限公司 2006 年 6 月初版

151.《我是刘心武》

天津人民出版社 2006 年 8 月第一版

152.[120]《刘心武揭秘古本〈红楼梦〉》

人民出版社 2006 年 12 月第一版

同月第二次印刷

2007 年

153.[121]《四棵树》

二十一世纪出版社 2007 年第一版

154.[122]《用心去游》

上海三联书店 2006 年 12 月第一版

2007 年 1 月第一次印刷

155.[123] Dés de poulet façon mégère [《泼妇鸡丁》法译本]

Bleu de Chine 2007 年 4 月第一版

156.《一切都还来得及》

中国青年出版社 2005 年 5 月第一版

157.[124]《刘心武揭秘〈红楼梦〉》[第三部·黛玉之谜及古本之秘]

东方出版社 2007 年 7 月第一版

至 2007 年 8 月已第四次印刷

2007 年 12 月第六次印刷

2008 年 3 月第七次印刷

158.[125]《刘心武说世道人心》

中国青年出版社 2007 年 7 月第一版

159.[126]《刘心武说寻美感悟》

中国青年出版社 2007 年 7 月第一版

160.[127]《刘心武说草根情怀》

中国青年出版社 2007 年 7 月第一版

161.[128]《长吻蜂》

上海人民出版社 2007 年 8 月第一版

162.《私人照相簿》

华龄出版社 2007 年 10 月第一版

163.《善的教育》

华龄出版社 2007 年 10 月第一版

164.[129]《刘心武揭秘〈红楼梦〉》[第四部·宝钗湘云之谜暨红楼心语]

东方出版社 2007 年 11 月第一版

2008 年 3 月第三次印刷

2008 年

165.[130]《健康携梦人》

中国海关出版社 2008 年 4 月第一版

166.[131]《刘心武小说》

吉林文史出版社 2008 年 5 月第一版

167.[132]《刘心武散文》

吉林文史出版社 2008 年 5 月第一版

2009 年

168.《钟鼓楼》(共和国作家文库)

作家出版社 2009 年 4 月第一版

169.《四牌楼》(共和国作家文库)

作家出版社 2009 年 4 月第一版

170.[133]《人在胡同第几槐》

中国文联出版社 2009 年 6 月第一版

171.《钟鼓楼》(新中国 60 年长篇小说典藏)

人民文学出版社 2009 年 7 月第一版

172.[134]《刘心武短篇小说》

现代教育出版社 2009 年 8 月第一版

173.[135]《刘心武中篇小说》

现代教育出版社 2009 年 8 月第一版

174.[136]《刘心武散文随笔》

现代教育出版社 2009 年 8 月第一版

175.《刘心武揭秘〈红楼梦〉》上卷(共和国作家文库)

作家出版社 2009 年 8 月第一版

176.《刘心武揭秘〈红楼梦〉》下卷(共和国作家文库)

作家出版社 2009 年 8 月第一版

2010 年

177.[137]《人情似纸》

江苏文艺出版社 2010 年 1 月第一版

178.[138]《红楼梦八十回后真故事》

江苏人民出版社 2010 年 3 月第一版

179.[139]《刘心武小说精选集》

[台湾]新地文化艺术有限公司 2010 年 4 月第一版

180.《红楼望月》

江苏人民出版社 2010 年 6 月第一版

2010 年 9 月第二次印刷

181.[140]《命中相遇——刘心武话里有画》

上海文艺出版社 2010 年 7 月第一版

182.[141]《红楼眼神》

重庆出版社 2010 年 9 月第一版

2011 年

183.[142]《刘心武续红楼梦》

江苏人民出版社 2011 年 3 月第一版

江苏人民出版社 2011 年 4 月第 4 次印刷

184.[143]《红楼梦》(曹雪芹著刘心武续)

江苏人民出版社 2011 年 3 月第一版

185.《刘心武续红楼梦》[繁体字竖排本]

香港明报出版社有限公司 2011 年 3 月初版

186.《刘心武揭秘〈红楼梦〉》精华本(一)

江苏人民出版社 2011 年 4 月第一版

187.《刘心武揭秘〈红楼梦〉》精华本(二)

江苏人民出版社 2011 年 4 月第一版

188.《刘心武揭秘〈红楼梦〉》精华本(三)

江苏人民出版社 2011 年 4 月第一版

189.《刘心武揭秘〈红楼梦〉》精华本(四)

江苏人民出版社 2011 年 4 月第一版

190.《刘心武续红楼梦》[繁体字竖排本]

　　　　　台湾城邦文化事业股份有限公司商周出版 2011 年 4 月第一版

191.《〈红楼梦〉的真故事》

　　　　　台湾人类智库数位科技股份有限公司 2011 年 6 月第一版

192.[144]《听刘心武说房子的事儿》

　　　　　中国商业出版社 2011 年 8 月第一版

193.[145]《刘心武心灵随感》

　　　　　时代文艺出版社 2011 年 11 月第一版

2012 年

194.[146]《刘心武种四棵树》

　　　　　漓江出版社 2012 年 1 月第一版

195.[147]《风雪夜归正逢时——我是刘心武》

　　　　　漓江出版社 2012 年 1 月第一版

196.《献给命运的紫罗兰》

　　　　　漓江出版社 2012 年 1 月第一版

197.[148]《人生有信》

　　　　　江苏人民出版社 2012 年 3 月第一版

198.Poussière et sueur [《尘与汗》法译本 folio 袖珍版]

　　　　　Gallimard 2012 年 8 月出版

199.La Cendrillon du canal [《护城河边的灰姑娘》法译本 folio 袖珍版]

　　　　　Gallimard 2012 年 8 月出版